Thirty ...
Sunland-Tujunga Library
7771 Foothill Blvd
Tujunga, CA 91042
S0-BFD-383

ДО...

сказки про собак

На страницах проникновенных и светлых рассказов смешана целая палитра чувств, эмоций и поступков: безграничные верность и преданность, ревность и предательство, а в конце — торжество всепобеждающей любви! Полнее всего характеризуют книгу слова Дарьи Донцовой: «Я писала эти рассказы с огромной любовью ко всем животным. Мне хочется, чтобы в нашем мире было побольше любви, чтобы мы стали добрее по отношению к родным, друзьям, ко всем четвероногим обитателям нашей планеты. Я очень надеюсь: в конце концов люди поймут — собаки, кошки, хомячки, черепахи и все остальные четверолапые-хвостатые не умеют разговаривать, но это не означает, будто они не способны думать, сопереживать, испытывать боль, тоску, радость, ощущать восторг. А главное — они очень любят нас, людей, и готовы ради человека на любые подвиги!»

Сериал «Виола Тараканова. В мире преступных страстей»:

1. Черт из табакерки
2. Три мешка хитростей
3. Чудовище без красавицы
4. Урожай ядовитых ягодок
5. Чудеса в кастрюльке
6. Скелет из пробирки
7. Микстура от косоглазия
8. Филе из Золотого Петушка
9. Главбух и полцарства в придачу
10. Концерт для Колобка с оркестром
11. Фокус-покус от Василисы Ужасной
12. Любимые забавы папы Карло
13. Муха в самолете
14. Кекс в большом городе
15. Билет на ковер-вертолет
16. Монстры из хорошей семьи
17. Каникулы в Простофилино
18. Зимнее лето весны
19. Хеппи-энд для Дездемоны
20. Стриптиз Жар-птицы
21. Муму с аквалангом
22. Горячая любовь снеговика
23. Человек-невидимка в стразах
24. Летучий самозванец
25. Фея с золотыми зубами
26. Приданое лохматой обезьяны
27. Страстная ночь в зоопарке
28. Замок храпящей красавицы
29. Дьявол носит лапти
30. Путеводитель по Лукоморью
31. Фанатка голого короля
32. Ночной кошмар Железного Любовника
33. Кнопка управления мужем
34. Завещание рождественской утки
35. Ужас на крыльях ночи
36. Магия госпожи Метелицы
37. Три желания женщины-мечты
38. Вставная челюсть Щелкунчика

Сериал «Джентльмен сыска Иван Подушкин»:

1. Букет прекрасных дам
2. Бриллиант мутной воды
3. Инстинкт Бабы-Яги
4. 13 несчастий Геракла
5. Али-Баба и сорок разбойниц
6. Надувная женщина для Казановы
7. Тушканчик в бигудях
8. Рыбка по имени Зайка
9. Две невесты на одно место
10. Сафари на черепашку
11. Яблоко Монте-Кристо
12. Пикник на острове сокровищ
13. Мачо чужой мечты
14. Верхом на «Титанике»
15. Ангел на метле
16. Продюсер козьей морды
17. Смех и грех Ивана-царевича
18. Тайная связь его величества
19. Судьба найдет на сеновале
20. Авоська с Алмазным фондом
21. Коронный номер мистера Х

Сериал «Татьяна Сергеева. Детектив на диете»:

1. Старуха Кристи – отдыхает!
2. Диета для трех поросят
3. Инь, янь и всякая дрянь
4. Микроб без комплексов
5. Идеальное тело Пятачка
6. Дед Снегур и Морозочка
7. Золотое правило Трехпудовочки
8. Агент 013
9. Рваные валенки мадам Помпадур
10. Дедушка на выданье
11. Шекспир курит в сторонке
12. Версаль под хохлому
13. Всем сестрам по мозгам
14. Фуа-гра из топора
15. Толстушка под прикрытием
16. Сбылась мечта бегемота
17. Бабки царя Соломона
18. Любовное зелье колдуна-болтуна
19. Бермудский треугольник черной вдовы
20. Вулкан страстей наивной незабудки

Сериал «Любимица фортуны Степанида Козлова»:

1. Развесистая клюква Голливуда
2. Живая вода мертвой царевны
3. Женихи воскресают по пятницам
4. Клеопатра с парашютом
5. Дворец со съехавшей крышей
6. Княжна с тараканами
7. Укротитель Медузы горгоны
8. Хищный аленький цветочек
9. Лунатик исчезает в полночь
10. Мачеха в хрустальных галошах

А также:

Кулинарная книга лентяйки. Готовим в мультиварке
Кулинарная книга лентяйки
Кулинарная книга лентяйки-2. Вкусное путешествие
Кулинарная книга лентяйки-3. Праздник по жизни
Простые и вкусные рецепты Дарьи Донцовой
Записки безумной оптимистки. Три года спустя. Автобиография
Я очень хочу жить. Мой личный опыт
Добрые книги для детей и взрослых. Правдивые сказки про собак

Дарья Донцова

Вулкан страстей наивной незабудки

Москва

2016

Ru
D688 174

УДК 821.161.1-312.4
ББК 84(2Рос=Рус)6-44
Д67

Оформление серии художника *В. Щербакова*

Иллюстрация на обложке художника *В. Остапенко*

Под редакцией *О. Рубис*

Донцова, Дарья Аркадьевна.

Д67   Вулкан страстей наивной незабудки : роман / Дарья Донцова. — Москва : Издательство «Э», 2016. — 320 с. — (Иронический детектив).

ISBN 978-5-699-89416-1

Татьяна Сергеева возглавила новую бригаду по розыску пропавших людей. Не успели сотрудники притереться друг к другу, как появилась первая клиентка. У Галины Сергеевны почти год назад пропала дочь Гортензия. Девушка сбежала от матери, решившей выдать ее замуж. Горти оставила записку, в которой просила ее не искать, вопреки желанию матери она хочет стать певицей. Маменька же упорно считает, будто дочь похитили, ведь о своих намерениях Горти не поведала даже верной подруге Карине. Но полиция отказалась искать пропавшую, поскольку та сама ушла из дома. Дочь каждый месяц присылала открытки, а когда те перестали приходить, мать обратилась в особую бригаду. Татьяна взялась за дело, по мере расследования ее новые сотрудники откопали массу невероятных фактов. Оказалось, маменька и подруга Карина много врали и еще больше скрывали. Но Сергееву не проведешь! Она вызвала огонь на себя и обыграла всех!

УДК 821.161.1-312.4
ББК 84(2Рос=Рус)6-44

© Донцова Д. А., 2016
© Оформление. ООО «Издательство «Э», 2016

ISBN 978-5-699-89416-1

Глава 1

Если хотите, чтобы мужчина от вас навсегда сбежал, начните выяснять с ним отношения.

Я молча стояла в углу лифта, слушая, как ругаются соседи, живущие на несколько этажей выше. К сожалению, я не поняла сразу, что они затеяли перепалку, машинально шагнула в кабину, когда та приветливо раздвинула двери, и сказала «Доброе утро» мужчине и женщине, которые уже находились внутри. Этих людей я регулярно встречаю по утрам, они уходят на работу в половине восьмого, я тоже частенько в это время спешу на службу. Дружбы между нами нет, знаю лишь, что мужа зовут Семен, а жену Лена. Как правило, они вежливо здороваются и иногда заводят разговор о погоде. Вчера, например, в ответ на мое приветствие Семен сказал:

— Сегодня ужасный дождь, хлещет как из ведра.

Я подхватила:

— Неудачный июнь в этом году, прямо залило нас.

— Даже на дачу неохота ехать, — добавила Лена.

— Да, да, — кивнула я.

Порой я сталкиваюсь с Сеней и вечером, он поздно возвращается с работы, а я тоже могу приехать домой около полуночи. Мы улыбаемся друг другу, и у нас вновь завязывается беседа на излюбленную для российского человека тему про погоду. Я выхожу на своем этаже, Семен едет дальше. За несколько лет общения в лифте я успела выяснить, что у супругов нет детей и что они нежно относятся друг к другу. Семен иногда входит в подъезд с букетом, по субботам-воскресеньям я вижу, как принаряженные муж с женой садятся в машину, они явно направляются в гости или в театр. По утрам от Семена никогда не несет перегаром, я ни разу не видела его пьяным. Лена зимой носит красивые шубки, а летом дорогие платья, и сумки-обувь у нее совсем недешевые. Никогда на моей памяти супруги не выясняли отношений. Наверное, они, как все, иногда скандалят, однако при мне этого ни разу не случалось. Но сегодня мое «Доброе утро» повисло в воздухе. Похоже, соседи не заметили, что в кабине появилась я, Таня Сергеева. Лена, всхлипывая, нападала на мужа:

— Нет, объясни свою позицию.

Семен молча смотрел в пол, а жена не успокаивалась:

— Давай выясним наконец отношения. Почему...

Муж ткнул пальцем в кнопку с цифрой «3», вскоре лифт замер и открыл двери. Семен вылетел на лестничную клетку и заорал:

— Надоели твои придирки. Конкретно поперек горла стоят. Хочешь собаку? Заводи. Но тогда я из дома уйду. Выбирай: или я, или псина!

Лена зарыдала в голос, а я не знала, куда деваться, хуже нет стать свидетельницей скандала. Семен побежал по лестнице вниз. Кабина тоже поползла на первый этаж. Елена горько плакала.

Да уж, если хотите, чтобы муж от вас навсегда сбежал, начните выяснять с ним отношения.

Я не знала, как быть: утешать Лену? Или сделать вид, что не слышала злых слов ее мужа и не вижу слез, которые горохом катятся по ее щекам. Слава богу, ехать было недолго. Пробормотав: «До свидания», — я выскочила во двор, села в джип и поехала к шлагбауму. Когда я въехала в квартиру в этом доме, чтобы не вызывать у любопытных соседей вопрос: «Откуда у простой преподавательницы мощный дорогой автомобиль?» — я оставляла машину на ночь на подземной стоянке расположенного рядом супермаркета. Но потом около подъезда стали появляться «Порше», «БМВ», «Мерседесы» — все машины бизнес-класса, и я перестала шифроваться. Это раньше дорогой автомобиль свидетельствовал о вашем толстом кошельке, теперь же он может говорить о размере кредита, который владелец взял в банке.

Доехав до охранника, я увидела около шлагбаума растерянную Елену, поняла, что разъяренный Семен уехал один, и высунулась в окно.

— Вас подвезти?

— Добросьте до метро, — обрадовалась соседка, — оттуда до Библиотеки Ленина я быстро доберусь.

— Поеду по Воздвиженке, — улыбнулась я, — могу до места вас доставить.

— Вот спасибо, — принялась благодарить Лена, залезая в кабину. — Ого, сколько у вас тут кнопок, тумблеров, прямо пульт управления космическим кораблем.

— Джип достался мне от бывшего мужа, — привычно соврала я, — он машину как-то улучшил, чего-то в нее напихал, но я в его прибамбасах не разбираюсь, разве что радио иногда включаю.

Некоторое время мы ехали молча, потом на торпеде замигала зеленая лампочка, я нажала пальцем на квадратную клавишу, огонек погас, я схватила мобильный.

— Иван Никифорович, еду к вам, не беспокойтесь, начну урок вовремя.

— Понял, кто-то посторонний в машине, — буркнул шеф, — жду.

Я поставила трубку в держатель и опять принялась фантазировать:

— Я веду уроки в нескольких частных гимназиях, в одной недавно сменился директор, теперь там в кресле начальника очень нервный человек, всегда беспокоится, не опоздает ли педагог.

— Я работаю управляющей спа-салоном, — вздохнула Лена. — У нас такая клиентка есть, запишется на маникюр и давай администратора дня за три до назначенного срока терзать, до икоты ее доведет, каждый час звонит и спрашивает: «Мастер Краснова не болеет?», «Она меня точно примет?». «Приеду в семь, маникюрша не опоздает?» Пару раз она появлялась, когда у Красновой еще клиент сидел, и закатывала скандал, показывала на часы и кричала: «Сейчас девятнадцать ноль три. Почему меня в семь не приняли? Безобразие. Я занятой человек». Мы обрадовались, когда она нас посещать перестала. Таня, у вас есть дети?

Я удивилась бестактному вопросу.

— Нет.

— А почему? — не удовлетворилась ответом Лена.

Я притормозила у светофора.

— Можно назвать несколько причин, но главная одна: я не встретила пока мужчину, от которого бы хотела родить. Я не очень чадолюбива, да и работа такая, что малыш с младенчества окажется на руках у няни, а это нехорошо.

Елена вынула из сумки бумажный платок и приложила к глазам.

— Слышали сегодня, как мы в лифте скандалили? А, не отвечайте. Конечно, слышали. У нас с мужем нет ни сына, ни дочери. А почему? Мы очень рано поженились. Сеня только военное училище закончил, а я диплом медсестры получила. Мужа распределили в Барнаул, он ракетчик, сидел там на каком-то пульте. Жили мы не в самом городе, а рядом. Денег кот наплакал, для меня работы в военном городке не нашлось, существовали на Сенину зарплату, а ее выдавали нерегулярно. Я было заикнулась: «Давай ребеночка родим». Супруг руками замахал: «Не сейчас, надо на ноги встать».

Лена отвернулась к окну.

— Нас по стране не один год мотало. Ну какой ребенок у людей, которые вечно с узлами-чемоданами на новое место жительства переезжают? Бытовые условия часто плохими оказывались: барак, коммуналка, семейное общежитие. Не хотелось малыша в общей ванной мыть. У ребеночка все должно быть лучшее. А что отец-военный ему предоставить мог? Угол в комнатенке, кроватку за ширмой? Потом нам повезло. Семена перевели в Москву, дали хорошую квартиру, муж получил звание полковника, пришло наконец материальное благополучие. Я работу прекрасную нашла, из двушки переехали в четырехкомнатную. Купили дачу, машину, решила я забеременеть.

Лена стиснула кулаки.

— И ничего не получилось. Через год пошли по врачам, выяснили: здоровы оба, а детки не завязываются. Попытали счастья с ЭКО. Шесть раз. Ничего не вышло. Ездили по святым местам, бегали к колдунам, знахарям...

Елена приложила к глазам носовой платок.

— Итог: мне тридцать девять, Сене сорок два, детей у нас нет и не будет.

Елена тихо заплакала.

— Сейчас и в пятьдесят рожают, — попыталась я успокоить соседку.

Лена вытерла лицо ладонью:

— Ну я-то не идиотка, чтобы малыша на свет произвести в возрасте, когда бабушкой становятся. Кто ребенку поможет, если родители лет через пятнадцать умрут?

— Надо смотреть на ситуацию с оптимизмом, — пробормотала я, — навряд ли в пятьдесят пять вы с этим светом попрощаетесь.

— Все возможно, — мрачно произнесла соседка, — следовало до тридцати рожать, не ждать, пока квартирой-машиной обзаведемся. Сейчас бы мой первый аборт в институт ходил. Я пыталась решить проблему. Ну не получается у нас малыш, ладно. Можно обвести Господа Бога вокруг пальца. Сейчас есть программа усыновления эмбрионов.

Я чуть не выпустила руль из рук.

— Усыновление эмбрионов?

— Да, — кивнула Елена, — они от ЭКО остаются, кое-кто отдает свои эмбрионы бездетным парам.

— Ну и ну, — протянула я, — получается, что твой ребенок будет воспитываться в приемной семье.

— Его другая женщина выносит, младенец ей родным станет, — возразила Лена. — Я очень хотела в этой программе поучаствовать, а Сеня на дыбы встал: «Не желаю чужого сына! Никогда его, как своего, не полюблю». И усыновить малыша из приюта муж не готов. В общем, тему детей мы закрыли. Все. Живем вдвоем, только для себя.

Лена прижала руки к груди.

— Но мне очень хочется собачку. Маленькую, пушистенькую, я уже имя ей придумала: Мусенька. И что? Семен даже слышать о песике не хочет. Я его прошу: «Давай купим Мусеньку», — показываю в Интернете фото щеночков. Но муж кричит: «Через мой труп».

— Почему Семен не хочет завести собаку? — удивилась я. — Вы причину его нелюбви к псам знаете?

Соседка вздохнула.

— Нет. Сто раз умоляла: «Объясни, по какой причине ты собак не любишь?» Сеня в ответ: «Я люблю животных, никогда их не обижу, но в мой дом им вход запрещен». Но ведь в квартире и я живу! Вот сегодня не сдержалась, примоталась к супругу утром, начали мы с ним в прихожей отношения выяснять, в лифте на ваших глазах продолжили. Неудобно получилось. Сеня распсиховался, один уехал, спасибо, вы меня подвезли. И что теперь делать? Очень уж собачку хочется. Если ребеночка нет, то пусть хоть песик с нами живет. Спасибо, Танечка, я тут выйду.

Я притормозила, Лена вылезла из джипа и, помахав мне рукой, скрылась в подземном переходе. Я влилась в поток машин, позвонила начальнику и пустилась в объяснения:

— Соседку подвозила, она с мужем поругалась, он ее в машину не посадил. Один уехал.

— С соседями нужно поддерживать хорошие отношения, — согласился Иван Никифорович, — надеюсь, ты не забыла, что у тебя сегодня встреча с новой бригадой?

— Нет, — коротко ответила я. — Ты решил создать структуру, которая будет заниматься поиском пропавших людей, и доверить мне ее руководство.

— Отлично, — воскликнул шеф, — вели всем сотрудникам в десять быть в комнате совещаний. А в одиннадцать придет Галина Сергеевна Моисеенко. У нее девочка пропала.

Я вздохнула, поиск исчезнувших детей самое тяжелое занятие, и мрачно спросила:

— Когда ребенок домой не вернулся?

— В августе, — ответил босс.

Я подумала, что ослышалась.

— Прости, когда?

— В августе, — повторил Иван.

— На дворе июнь, первый месяц лета, — напомнила я, — последний еще не наступил.

— Она пропала в прошлом году, — уточнил шеф.

— И мать только сейчас к нам обратилась? — поразилась я. — Через год шанс найти малышку равен нулю.

— Ей почти тридцать лет, — уточнил Иван Никифорович.

— Ты сказал «девочка», поэтому я подумала, что она крошка, — хмыкнула я.

Шеф чем-то заскрипел.

— Просто повторил слова Моисеенко.

— Ясно, — пробормотала я. — Что за странный звук в трубке?

— Ящик в столе застрял, — пропыхтел Иван, — дергаю его, дергаю, а он ни туда ни сюда. Вроде у тебя хорошая команда подобралась.

— Надеюсь, — вздохнула я, — трудно было людей отобрать.

— Поужинаем сегодня? — предложил босс. — Рина пирог с капустой печь собралась.

— С моим весом лучше навсегда забыть о выпечке, — вздохнула я, — но при мысли о кулебяке, которую печет твоя мама, о диете забываешь сразу.

Глава 2

Когда я вошла в комнату для совещаний, несколько человек, сидевших вокруг круглого стола, встали.

Я смутилась.

— Сядьте, пожалуйста. Давайте сразу договоримся, что мы просто коллеги. Я не генерал, вы не солдаты.

Да, я буду раздавать указания, но, если вы со мной не согласны, имеете собственное мнение, то прошу его открыто высказывать и отстаивать. Меня зовут Татьяна Сергеева, отчество я не люблю, обращайтесь ко мне просто по имени. Я вас знаю, читала личные дела, проводила собеседования. Но друг с другом вы не встречались. Я могу рассказать о каждом, но, думаю, будет лучше, если вы сами представитесь. Кто первый?

Возникло молчание, потом худощавая брюнетка подняла руку.

— Можно я? Любовь Павловна, патологоанатом, мне пятьдесят один год.

— Да ну? — удивилась девушка с косичками, уложенными баранками над ушами. — Больше тридцати вам никогда не дать.

— Спасибо, — улыбнулась эксперт, — стараюсь держать спину прямо. Родилась в Москве, училась и живу в столице. Обладаю не очень приятным кое для кого качеством: если речь идет о работе, не стану кривить душой и подтасовывать улики. Начинала я как ассистентка профессора Гофмана, потом пустилась в одиночное плавание. С Геннадием Львовичем связи не теряю, моему учителю почти девяносто лет, но голова у него светлая, физическое состояние бодрое. В сложных случаях Геннадий Львович всегда готов меня проконсультировать. Я несколько раз меняла службу, с последней меня, как обычно, уволили по собственному желанию. На самом деле я отказалась указать в отчете время смерти жертвы, которое хотел видеть мой начальник, и меня начали тихо выживать. Мы с шефом конкретно не сошлись характерами. Я не агрессивна, не скандальна, не делаю замечаний коллегам по бытовым вопросам, не сплетничаю, мне все равно, кто с кем против кого дружит. Но в работе я строга, хотя готова выслушать любое мнение, если оно аргументировано, просто бла-бла мне неинтересно. У меня смешная фамилия Буль, она досталась мне от мужа-профессора. Евгений Григорьевич кардиолог, доктор наук, владелец небольшого медцентра. В институте меня звали Буля, имя прижилось, я на него откликаюсь. Если честно, оно мне нравится больше, чем Люба. Отчество я, как и Татьяна, не люблю. Собираю атласы, у меня внушительная коллекция. Очень хотела попасть в особую бригаду. Все.

— Теперь я, — запрыгала на стуле девочка с косичками. — Имя у меня Эдита. Бабушка настояла, чтобы внучку так назвали в честь героини обожаемой ею книги «Замок во тьме». Бабуля очень романтична, а я мучаюсь. От Эдиты меня просто передергивает. Родители обращаются ко мне Дита, остальные Эдя. Фамилия мне досталась самая подходящая для такого имени: Булочкина. Мне двадцать два года, я специалист по компьютерным технологиям, у меня два высших образования.

— И когда вы только все это успели? — спросил плотный парень, сидевший напротив меня.

Эдита опустила глаза.

— Сама не знаю. Закончила школу в тринадцать лет, поступила в МГУ, в пятнадцать получила диплом, чувствовала себя недоучкой. Нашелся спонсор, который отправил меня в Америку, в девятнадцать я завершила образование в США, вернулась в Москву. Работала в крупной корпорации, чуть со скуки не сдохла. Очень рада оказаться у вас. Не замужем и не собираюсь. В свободное время занимаюсь в театральной студии, увлекаюсь народными танцами. Ничего не собираю. Люблю чай, умею его правильно заваривать. Все.

— От родителей вам досталась светлая голова, — заметила Буль.

Дита улыбнулась.

— Наверное.

Я, знавшая, что Эдита воспитывалась в детском доме и никогда не встречалась ни с родным отцом, ни с матерью, спросила:

— Кто следующий?

— Я, — хором сказали крепкий парень и симпатичная блондинка, они переглянулись и рассмеялись.

— Девушек пропускают вперед, — сказала Буль.

— Очень мило, — обрадовалась белокурая красавица, — Анна Попова. До отчества я не доросла, но для информации сообщаю: Ивановна. Ничего интересного во мне нет. Окончила юрфак института имени Соколова. Это не московский вуз. В столицу перебралась восемь лет назад, когда вышла замуж за Юрия Хватова, сына высокопоставленного чиновника МВД. Свекор меня пристроил на работу в убойный отдел. Там служили восемь мужчин, они сначала надо мной подсмеивались, потом принялись учить уму-разуму. Если у кого-то есть старший брат, то этот человек поймет: у меня на службе оказалось восемь старшеньких. С мужем я в разводе. Новым женихом не обзавелась. Были попытки устроить личную жизнь. Но! Если мой парень нравился одному старшенькому, то его на дух не переносил другой. Один раз все восемь были довольны, но тогда на дыбы встали бывшие свекор и свекровь, с которыми я вместе живу, они мне заменили родителей. Я из семьи потомственных алкоголиков, папа и мама упились до смерти, когда мне исполнилось семнадцать. Хорошо, не раньше, иначе б я попала в приют. Ничего не собираю. Очень люблю соленые огурцы. Если хотите сделать мне подарок, не покупайте шоколадные конфеты. Несите огурчики. И какао! Все.

Крепкий парень развел руками.

— Мне особенно похвастаться нечем. Валерий Крапивин. Тридцать восемь лет, из них двадцать работал в органах, прошел по служебной лестнице с первой ступеньки. Учился в школе милиции, потом в академии МВД. Мать — коллега Буль, отец — ныне покойный, занимался экономическими преступлениями. Не женат и не был. Детей нет. Свободное время, если оно есть, провожу в фитнес-клубе. Здоровое питание и все такое. Зануда. Характер скверный.

— Александр Викторович Ватагин, — представился последний член команды, невысокий полный мужчина в круглых очках, — психолог. Профайлер. Пятьдесят лет. Имею профильное образование психиатра. Вы же понимаете, что психиатр и психолог это разные специалисты?

Присутствующие молча кивнули.

Александр Викторович улыбнулся.

— Отлично. В тысяча девятьсот семидесятом году мои родители эмигрировали в США. В городе Нэшвилл до сих пор живет моя мама, отец, увы, скончался. Я учился в американской школе, колледже, последнее место моей службы в Америке, в отделе поведенческого анализа в службе частных расследований. В Россию приехал десять лет назад. Горжусь тем, что был одним из первых, кто настаивал на необходимости для полиции такого специалиста, как профайлер. Грубо говоря, я залезаю в голову преступника, начинаю мыслить, как он, и вычисляю, где его найти. Я не экстрасенс, не фокусник, не предсказатель с хрустальным шаром, а ученый. Владею гипнозом. Был женат четыре раза, что свидетельствует о моем неубиваемом оптимизме и вере в чудо. Если увидите в моем кабинете пяльцы, не удивляйтесь. Я вышиваю картины, это помогает сосредоточиться или расслабиться. Не курю.

— Здесь все обходятся без сигарет, — уточнила
я. — Среди тех, кто хотел попасть в особую бригаду,
было несколько интересных специалистов, но они
курили, и поэтому им отказали. У нас табак под за-
претом. Против электронных сигарет ничего не имею.

— Они вредны, — пробурчала Буль, — могу объяснить почему.

Экран стоящего передо мной ноутбука стал свет-
лым, появилось изображение приемной, потом лицо
администратора Сергея.

— Татьяна, приехала Моисеенко, я устроил ее пока у нас на первом этаже, налил кофе. Пусть кто-то
из ваших за ней спустится, или мне ее самому наверх
поднять?

— Сделайте одолжение, проводите даму в нашу
переговорную, — попросила я.

— Будет исполнено через две минуты, — отрапор-
товал администратор.

Я встала и посмотрела на членов своей новой бригады.

— Начинаем работу. Надеюсь, процесс притирки
членов коллектива не займет много времени. Прой-
демте в комнату, где обычно принимают посетителей.

Все переместились в соседнее помещение и уселись вокруг стола. Эдита поставила перед собой два
ноутбука и тихо замурлыкала себе под нос какую-то
песенку. Остальные хранили молчание. Я решила
ввести сотрудников в курс дела.

— Сейчас здесь появится Галина Сергеевна Моисеенко, у которой в августе прошлого года пропала
дочь Гортензия двадцати семи лет...

Продолжить мне не удалось. Дверь открылась,
в комнату вошла дама в дорогом шелковом платье,
вся обвешанная недешевой бижутерией. Мой нос
уловил сильный запах алкоголя.

Эдита быстро потыкала пальцем в лежащий перед ней телефон. Моя трубка тихо блямкнула, я скосила глаза и увидела, что на вотсапп пришло сообщение от пользователя «Эдя». «Она не пьяная. Облилась самыми модными духами весенне-летнего сезона. Называются «Виски». От их аромата у всех возникает ощущение, что ты назюзюкалась».

Я посмотрела на Эдиту. Либо она способна читать чужие мысли, либо я не сохранила на лице беспристрастное выражение, а это плохо.

— Садитесь, пожалуйста, — попросила Аня, — устраивайтесь поудобнее.

— О каком комфорте может идти речь, когда я не ем, не сплю, только о Гортензии день и ночь напролет думаю, — всхлипнула Галина Сергеевна. — Не пью, не ем со дня ее пропажи.

Ну, это преувеличение. Невозможно прожить почти год без воды и пищи.

— Моя девочка, — заплакала Моисеенко. — Солнышко! Ее украли, похитили, увезли в неизвестном направлении. В полиции палец о палец не ударили, несли чушь: «Гортензия взрослый человек, она могла просто уехать». Как это, просто уехать от матери? Куда? Зачем? Боже!

Галина схватилась за сердце.

— Инфаркт стартует. У меня по три сердечных приступа в день!

Буль встала.

— Давайте померяю вам давление.

— А вы умеете? — с подозрением осведомилась Галина. — Вас в полицейской школе обучили пользоваться тонометром?

Любовь Павловна улыбнулась.

— Я врач по образованию. Вам не трудно пока руку приготовить? Схожу за аппаратом.

— Помогите мне, — прошептала Галина, — пальцы трясутся.

Аня начала аккуратно заворачивать рукав платья гостьи, а мне опять позвонил Сергей.

— Татьяна, к вам посетитель.

— Я никого не жду, — удивилась я, — у нас встреча с дамой, которую вы привели.

— Посетительница говорит, что приехала с Моисеенко. Ее зовут Карина Хлебникова, — пояснил парень.

— Простите, Галина Сергеевна, вы пришли не одна? — поинтересовалась я.

— Меня привез шофер, Сергей, — объяснила клиентка, — он в машине на парковке остался. А что?

— Имя Карина Хлебникова вам известно? — продолжала я. — Она находится внизу, утверждает, что прибыла с вами.

— Боже! Кара! — воскликнула Моисеенко. — Как она узнала, куда я поехала? Глупый вопрос! Ей водитель рассказал. Конечно, знаю. Каруся — моя дочь.

— Понятно, сестра Гортензии, — кивнула я.

— Нет-нет, — возразила Моисеенко, — Горти и Кару в первом классе посадили за одну парту. Они подружились, и с тех пор всю жизнь вместе. У Карины рано родители умерли, она еще в институте училась, когда сиротой осталась, я считаю ее своей доченькой. Карочка наш с Горти добрый ангел, мы бы без нее пропали. Она очень не хотела, чтобы я к вам ехала. А я впервые ее не послушалась, сердце за Гортензию болит. Отправилась к вам тайком. Каруша Сергею позвонила, тот ей все и доложил. Водитель честный парень, услужливый, его нам Кара нашла, и парень считает своим долгом сообщать ей обо всех моих передвижениях. Только не подумайте ничего плохого, названая дочь за меня переживает, боится за мое здоровье. Кара сейчас расстроится. Ой! Опять сердце заболело. Когда я нервничаю, сразу плохо становится.

— Если не желаете видеть Хлебникову, ее не пропустят, — успокоила я клиентку.

— Ну что вы! — засуетилась Галина Сергеевна.

— А вот и тонометр, — сообщила Буль, — сейчас узнаем, что да как.

Любовь Павловна начала мерить Моисеенко давление и вскоре объявила:

— Чуть высоковато, но не страшно. Галина Сергеевна, какие лекарства вы пьете?

— Не знаю, душенька, — ответила дама, — Карочка покупает, в коробочку складывает. Мое дело утром и вечером таблетки принять. Открываю одно отделение шкатулки, на крышке день недели написан, например вторник. И глотаю содержимое. Такие пилюльки, одна белая круглая, другая желтая овальная и половинка розовой. Каждое воскресенье Карочка мне новый набор на неделю собирает. Я без Кары как без рук. А вот и она!

В приемную вошла стройная девушка в джинсах и толстовке.

— Каруся, не сердись, — всхлипнула Моисеенко, — я проявила инициативу.

— Мама Галя, я тебя люблю, ты все сделала правильно, — произнесла Хлебникова. — Можно сесть?

— Конечно, — улыбнулась я. — Чай, кофе?

— Спасибо, ничего, — отозвалась незваная посетительница.

— Голова кружится, — сказала Галина, — Кара, у меня давление повышено! Моя Горти. Девочка просто наивная незабудка, ее всякий обидит.

Девушка вынула из сумки блистер и выщелкнула из него одну таблетку.

— Положи под язык.

— Что это? — полюбопытствовала Буль.

— Гомеопатия, врач прописал, — объяснила Хлебникова. — Галине Сергеевне лучше минут на десять прилечь. Она очень эмоциональна. У вас найдется диван? А я пока отвечу на все ваши вопросы. Я полностью в курсе дела.

— Да, — пробормотала Моисеенко, — Каронька, как хорошо, что ты тут. Я была не права, уезжая без тебя.

— Мама Галя, это я не права, не стоило отговаривать тебя от обращения к детективам, — мягко ответила Хлебникова.

— Помогу вам встать, — предложила Люба Галине, — обопритесь на мою руку.

Кара проводила их глазами, и когда обе женщины исчезли в коридоре, сказала:

— Не хотела, чтобы Галина Сергеевна затевала поиски Горти. Давайте по порядку объясню, что да как. Сначала немного о моей названой матери.

Хлебникова повела плавный рассказ. Я была немало удивлена, услышав, чем зарабатывала Моисеенко, пока ее муж не стал успешным бизнесменом.

Глава 3

Галина Сергеевна была гадалкой, будущее она предсказывала не по линиям руки и не по картам. Выслушав вопрос клиента, Галина вытряхивала из особого мешочка разнокалиберные магические камушки и читала по ним будущее. В советское время Моисеенко работала тайком, тогда не жаловали предсказателей, да и на зону можно было попасть за незаконную предпринимательскую деятельность. Но Галина придумала, как себя обезопасить, каждому клиенту она на прощание говорила:

— Сейчас наложу на вас печать молчания, — потом делала над головой человека пассы руками и продолжала: — Если донесете на меня в милицию, на вас и вашу семью упадет черная аура бед, несчастий и вечного невезения.

Сами понимаете, трезво мыслящий, уверенный в себе, состоявшийся человек не станет консультироваться с дамой, предсказывающей будущее с помощью речной гальки. К Моисеенко приходили совсем другие люди, они, услышав про черную ауру, пугались и заверяли провидицу, что и в мыслях не имеют доносить на нее.

Муж Галины Сергеевны Валентин Петрович работал за скромную зарплату в наркологической клинике, где пытался лечить алкоголиков. Тихая, ласковая, улыбчивая, всегда готовая услужить Галочка подчеркивала, что царь в доме Валентин Петрович. Но был ли он главным? Допустим, семья собиралась отдыхать. Валентин Петрович объявлял:

— Едем на Азовское море. Там фрукты, солнце, и мать моего однокурсника Бори Велихова давно нас на отдых приглашает.

— Конечно, милый, — немедленно соглашалась жена, — ах, как ты здорово придумал, мы только на билеты потратимся.

— На плацкарт, — сразу предупреждал муж, — купе нам не по карману, у меня скромная зарплата, а воровать, как некоторые, я не приучен.

— Дорогой, ты нас прекрасно обеспечиваешь, — нахваливала его Галина.

Разговор происходил в понедельник вечером, а во вторник Галя, наливая мужу чай, ворковала:

— Милый, мне нужен твой совет. У меня есть клиентка Софья Кузнецова, председатель месткома Союза писателей. Оклад у нее копеечный, поэтому заплатить мне за гадание Соня не может. Я из жалости ей бесплатно будущее предсказываю. Вчера она позвонила и сказала: «Галочка, хочу отблагодарить вас за добрую душу. Деньгами по-прежнему не обзавелась, могу вручить вам три бесплатные путевки в дом отдыха писателей в Пицунде. Четырехразовое питание, море под окнами, двухкомнатный номер со всеми удобствами, ванная, туалет. В одной спаленке вы с любимым мужем, в другой ваша очаровательная доченька. Двадцать четыре дня. Билеты на самолет туда-назад прилагаются, в аэропорту вас встретит машина директора дома отдыха. Погадаете разок ему за услугу, он счастлив будет. Не забудьте свои камушки». Я прямо растерялась. Что ей ответить? Мы же вчера решили в плацкартном вагоне к маме Бори Верихова в колхоз на Азов ехать!

— К черту Борькину мать, — решался Валентин Петрович, — конечно, летим в Пицунду. Такой отдых нечасто предлагают.

И Моисеенко отправлялись на теплое море. Валентин Петрович, лежа на пляже, упивался детективными романами, которые брал в местной библиотеке. Малышка Гортензия резвилась с писательскими детьми на мелководье. Галина Сергеевна же в день прибытия бежала к директору здравницы, благодарила того за радушную встречу, разбрасывала свои камушки... На следующий день к гадалке выстраивалась очередь из жен, сестер, мам и любовниц литераторов. Домой Моисеенко улетали очень довольные, сумочку Галины оттягивала увесистая пачка денег. Валентину Петровичу ни разу в жизни не пришло в голову, что жена его обманывает. Он понятия не имел, сколько на самом деле получает от клиентов супруга. Хитрая Галя сообщала ему заниженную цифру. Так что было с отдыхом? В Пицунду семья полетела за счет Галочки, она приобрела и путевки, и билеты, знала, что отобьет на юге затраты, и категорически не желала провести свой отпуск в сарае у матери однокурсника мужа, помогая той пропахивать ее огород. И подобные ситуации случались часто. Галина никогда не спорила со своим мужем, но умело играла на дудке, под которую тот плясал. Галина Сергеевна управляла мужем, она очень любила Валентина и старалась уберечь его от психологического дискомфорта. Зачем упрекать супруга, который сам не может заработать? Пусть он считает себя главой семьи. Поехать на Азовское море? Как хочешь, милый. Муж изменил свое решение, надумал поехать в Пицунду? Конечно, дорогой, я согласна.

Представьте изумление Гали, когда ее апатичный, никогда не пытавшийся заработать доктор в самом начале перестройки скооперировался со своим лучшим другом, внезапно развил бурную деятельность и не пойми как сумел в годину полнейшей юридической неразберихи приватизировать один из корпусов наркологической больницы вместе с парком, где он находился. Валентин и его приятель открыли частную клинику, принялись лечить алкоголиков, наркоманов и стали зарабатывать такие большие деньги, что Галина Сергеевна даже испугалась.

Через год, когда чемоданы, набитые долларами, просто некуда стало ставить, Галя забросила гадание, занялась исключительно домашним хозяйством и воспитанием безмерно ею обожаемой доченьки Гортензии. Свои волшебные камушки она с той поры раскидывает только для нескольких старых верных клиенток.

Девочку Галина, потеряв всякую надежду стать матерью, родила в зрелом возрасте. Валентин хотел назвать малышку в честь своей мамы Катей, жена, конечно же, с ним согласилась. Но по дороге в загс, куда счастливые родители отправились, чтобы зарегистрировать дочь, отец подумал, что у нее должно быть необычное имя. В результате в метрике написали Гортензия. Конечно, это просто совпадение, что еще будучи незамужней девушкой, Галочка мечтала о доченьке, которая будет носить это имя.

Горти росла в атмосфере любви. Валентин Петрович, пропадавший с утра до ночи в своем медцентре, чувствовал перед дочерью вину. Ему было неудобно, что он совсем не проводит с ней время, поэтому каждое утро Горти находила около своей кровати подарки от папы: куклу, коробку конфет, плюшевую игрушку... В детский сад девочка не ходила, там же в группе сопливые дети из неблагополучных семей. Стоило Гортензии кашлянуть, как в доме выстраивалась шеренга врачей. Все выходные дни девочка вместе с мамой проводила в музеях, театрах. Ей покупали самые лучшие вещи и игрушки. Безмерно обожая дочь, Галина понимала, что нужно дать ей достойное образование, поэтому в дом постоянно ходили репетиторы. Мать была чрезмерно строга, когда речь шла об уроках. Горти прекрасно училась в школе, поступила в медвуз и сразу заработала любовь педагогов своим усердием. А вот студенты почти не общались с Гортензией, потому что студентка Моисеенко приезжала на первую лекцию в сопровождении матери и отправлялась с ней же домой сразу по окончании занятий. Друзей у Горти, кроме Карины, не было. Кара оказалась единственным человеком, которому разрешалось приходить в дом к Моисеенко. И Гортензии позволялось ходить к подруге в гости. Дружба началась в первом классе, когда девочек посадили за одну парту. Галина Сергеевна тут же навела справки о соседке дочки, выяснила, что у той отец академик, всемирно известный педиатр, мать — один из лучших в стране гинекологов, и благословила их дружбу. Горти и Кара прошли бок о бок и школу, и институт.

К сожалению, Валентин Петрович скончался, когда дочке исполнилось тринадцать. Потеряв мужа, Галина утроила заботу о дочери, контролировала каждый ее шаг. А родители Карины умерли, когда она пошла на второй курс. Конечно, девушка испугалась, растерялась, и тут ей на помощь пришла Моисеенко.

— Зови меня мама Галя, — велела она, — теперь мы одна семья. Твою квартиру надо сдать, ты поживешь у нас, пока не захочешь жить самостоятельно.

Несколько лет Кара провела в апартаментах бывшей гадалки. Та по субботам раскидывала камушки и говорила:

— Все будет хорошо. Вижу, жених к тебе торопится.

Кара действительно вышла замуж за хорошего парня Глеба, юриста. Они поселились в родительской квартире Кары, которая постоянно забегала к Моисеенко. Идти ей до названой матери меньше минуты, надо лишь пересечь палисадник, дома стоят почти впритык друг к другу. Глеб стал управлять медцентром Моисеенко, Галина Сергеевна и Горти жили в свое удовольствие, все было хорошо. Очень хорошо. Невероятно хорошо. А потом младшая Моисеенко исчезла.

— Если Галина так обожала дочь, то почему она долго ждала, прежде чем начать ее поиски? — удивился Валерий. — И как пропала Гортензия?

— Просто ушла из дома, — пояснила Карина. — Галина зашла в ее комнату и нашла на столе конверт. Естественно, она позвонила мне. Я прибежала, начала задавать вопросы и выяснила, что в квартире посторонних не было, у домработницы этот день оказался выходным. Никакого беспорядка вокруг, ни раскиданной мебели, ни разбитых ваз и тому подобного. Тапочки Горти аккуратно стояли в прихожей. Я заметила в ее спальне открытый флакон духов, подруга забыла его закрыть, хотя обычно Горти была невероятно аккуратна, наверное, собираясь сбежать, она нервничала и не завернула пробку. Но обратите внимание, моя подруга попрыскалась парфюмом. Разве станет это делать женщина, которую похищают?

— Возможно, пузырек стоял открытым давно, — возразила я.

— Нет! — отрезала Кара. — Вечером Гортензия беседовала со мной по телефону и поделилась удачей. Она наконец-то купила духи, которыми пользуется не первый год, весело чирикала: «Каруша, повезло мне невероятно. Зашли с мамой в торговый центр, и я увидела «Цветок ночи». Думала, уж не найду его. Открою запечатанную коробочку завтра». Беседа состоялась около полуночи. Нет, Горти подушилась перед уходом.

— И оставила вожделенный флакон дома, — подчеркнул Александр Викторович. — А что она взяла с собой?

— Ничего, — ответила Карина, — кроме паспорта. И это еще одна причина, по которой Галина уверена, что дочь увели силой. Горти, даже собираясь просто прошвырнуться с матерью по магазинам, брала с собой большую сумку, клала туда гору вещей: таблетки от головной боли, зонтик, расческу, косметику, паспорт, телефон, айпад, конфеты, носовые платки, блокнот для записей, лак для волос... Я иногда шутила: «Ты забыла фен и брашинг, вдруг ветер прическу испортит». Но в тот день она прихватила только крохотную розовую сумочку на длинном ремне, которую я Горти подарила. Все, ей необходимое, осталось дома.

— Давайте послушаем текст письма, — предложила я. — Валерий, читайте вслух.

— Секундочку, подождите меня, — воскликнула Буль, входя в комнату. — Галина приняла лекарство, ей надо минут десять полежать. Она у меня в кабинете.

Глава 4

Крапивин взял листок.

— Дорогая мама! Понимаю, мой поступок причинит тебе боль, но я хочу начать собственную жизнь, потому что до сих пор у меня этой жизни не было. Мама! Я никогда не мечтала стать врачом. И ты знала о моем желании обучаться пению, но не пустила меня в музыкальную школу. Мне уже скоро тридцать лет. Я планирую начать карьеру певицы и не хочу выходить замуж, чтобы стать домашней хозяйкой. Это твой сценарий моей жизни. Я была всегда рядом с тобой, но в конце концов даже железная болванка может развалиться на части. Все, мама. Дальше иди одна. Я не способна более на подвиги дочерней любви, я их и так долго совершала. И мне совершенно не нравится Игорь Глебович. Конец. Я уезжаю далеко-далеко, где осуществится моя мечта о сцене. Я буду петь в лучших театрах мира. Не ищи меня. Со мной все в порядке. Я вернусь, когда стану свободной и независимой. Что бы ты когда-либо ни делала, я любила тебя и, несмотря ни на что, люблю до сих пор! Горти.

— М-да, — крякнул Иван Никифорович, — иногда горячее материнское чувство ребенок не может вынести.

— Письмо напечатано на принтере? — уточнила Аня.

Крапивин показал всем листок.

— От руки написано.

Александр Викторович взял у Валерия послание.

— Текст без единой помарки. Скорей всего, переписан с черновика. Карина, у вас есть образец почерка Гортензии?

— Не сомневайтесь, это она писала, — уточнила подруга, — хотя вы можете проверить. У Галины Сергеевны хранится много школьных тетрадей Горти. Но я узнаю руку подруги, так тщательно, как она, давно уже никто буквы не выводит.

— Просто каллиграфия, — отметил Иван Никифорович. — Гортензия пользовалась чернилами и пером. Нажим, волосяная линия... Красивая кропотливая работа.

Я покосилась на босса. Иван увлекается каллиграфией, у него большая коллекция перьевых авторучек. На прошлый день рождения я преподнесла ему роскошное стило, но оно взорвалось[1].

— Хочется узнать подробности ухода Горти, — продолжал Иван.

Карина выпила залпом остывший чай.

— В день исчезновения Горти якобы пошла вечером ко мне в гости. А я ничего не знала, задержалась в тот день на работе. Галина Сергеевна мне позвонила со словами: «Кара, почему к домашнему телефону не подходишь? Чем вы там занимаетесь? Уже полдевятого, пусть Гортензия возвращается, я встречу ее у твоего подъезда. Вели ей мобильный включить. Почему она его вырубила?» Я стоматолог, объяснила ей, что нахожусь на приеме, у меня в кресле больной с пульпитом. Горти сегодня не видела. Галина запаниковала и отсоединилась. Через минут десять опять позвонила.

---

[1] Ситуация описана в книге Дарьи Донцовой «Любовное зелье колдуна-болтуна».

Карина махнула рукой.

— Я помчалась к ней сразу, как только отпустила пациента. Нашла Галину Сергеевну в полной панике, плачет, кричит, я ничего не понимаю, речь у нее невнятная. С большим трудом ее успокоила и узнала, как события развивались. Галина Сергеевна, обнаружив, что Горти куда-то ушла, бросилась в комнату дочери и нашла там это послание. Утром мы ни свет ни заря были в полиции, Галина Сергеевна прорвалась к начальнику, показала этот листок...

Карина посмотрела на Ивана Никифоровича.

— Понимаю, — кивнул тот, — сам бы сказал: «Гортензии почти тридцать натикало, она имеет право на личную жизнь».

— Вот, вот, — согласилась Кара, — полицейский раз пять повторил: «Состава преступления не вижу. Это не похищение, а добровольный уход». А потом попросту вытурил нас из кабинета. Я знала, что он так отреагирует. Гортензия в своем письме четко указала: ухожу, хочу жить самостоятельно. Я пыталась отговорить маму Галю от похода в полицию, но она словно обезумела, поэтому я решила: пусть походит по кабинетам, услышит, что другие люди говорят, и слегка успокоится. Галина Сергеевна плакала всю дорогу, дома я уложила ее в постель. Но через час пришлось вызвать «Скорую», ее увезли в больницу с гипертоническим кризом. В клинике маму Галю продержали две недели, а когда она поправилась, пришла открытка.

Карина достала из сумки конверт и протянула его мне. Я разглядывала самую обычную почтовую открытку, с одной ее стороны было фото: горы, море, синее небо с облаками. Понять, где сделан снимок, не представлялось возможным, похожие пейзажи есть во многих странах: Греции, Франции, Испании,

Таиланде, Индии... Полно мест на земле, где есть море-океан, каменная гряда и небо. Послание было предельно лаконичным: «Все хорошо. Горти».

— Интересно, — пробормотала Аня.

— Открыток было восемь, — продолжила Карина, — по одной в месяц, включая апрель. Приходят они второго числа. Текст почти всегда одинаковый: «Все хорошо. Горти». Лишь два раза беглянка отступила от правил.

Кара положила перед Аней тоненькую стопочку почтовых отправлений. Попова начала их перебирать.

— «С днем рождения, мама. Горти», «С Новым годом, мама. Горти». Нельзя назвать автора посланий графоманкой.

Я взяла у Анны открытки, стала их рассматривать и одновременно задала вопрос:

— По какой причине вы к нам пришли? Судя по письму, ваша лучшая подруга взбунтовалась. Галина Сергеевна сильно давила на дочь, и у той в конце концов сорвало резьбу. Младшая Моисеенко не желает общаться со старшей. Неприятная история, но Гортензия имеет право сама решать свою судьбу. Почтовые открытки свидетельствуют о ее неплохом отношении к матери, вероятно, когда-нибудь, устроив свою личную жизнь, Горти восстановит связь с ней. Но сейчас она этого явно не хочет. Я подчиняюсь вышестоящему руководству, мне приказано искать Гортензию. Возможно, мы выясним, где она живет. Но, Карина, станет ли ваша подруга счастливее, когда ее убежище обнаружится?

Эдита потянулась к одной открытке, взяла ее, потом уставилась в компьютер.

— Я пыталась втолковать Галине Сергеевне, что дочь нужно оставить в покое, ведь она жива, — пробормотала Кара, — надо подождать, пока Горти сама вернется. Галина Сергеевна меня слушать не хотела. Она начала поиски. В полиции, как вы знаете, ее слушать не стали. А вот частные детективы охотно брались за работу, но, к сожалению, они все оказались шарлатанами. Мать моей подруги, слава богу, после обращения к третьему сыщику поняла, что от доморощенных Шерлоков Холмсов толка нет, и перестала к ним бегать. И что у нас получилось? Август-сентябрь мама Галя болела, в сентябре она стала искать частника. В октябре наняла одного, тот изображал деятельность до декабря, деньги брал, но ничего не делал. В январе Галина Сергеевна наняла другого сыщика, который в начале февраля заявил, что ему надо платить больше. Я уговорила Моисеенко от него отказаться, она нашла третьего. Тот «работал» до марта, взял деньги и смылся, не дав никакой информации. В апреле Галина Сергеевна, получив очередную открытку, пробормотала:

— Горти жива, это главное. Наверное, Кара, ты права. Я слишком давила на дочь, всегда считала ее наивной незабудкой, которую всякий обидит. Гортензия поживет одна, соскучится и приедет. Если я найду ее, это окончательно разрушит наши отношения. Все. Забудем про детективов, они все жулики.

Я не поверила своим ушам. Мама Галя наконец-то произнесла разумные слова. В апреле она не затевала поиски, вроде успокоилась. А в мае не пришла очередная открытка, и Галина Сергеевна снова впала в панику. Я попробовала убедить ее, что послание элементарно могли потерять на почте, но она не желала слушать разумные доводы, твердила: «Горти похищена». Я ей говорила: «Нет, у нее все отлично». Но Галина Сергеевна не успокаивалась. У нее есть несколько клиенток, остались еще с советских времен. Деньги Моисеенко теперь за раскидывание камней с них не берет, бабульки к ней приезжают, сначала гадают, потом чай пьют, болтают. Раз в три-четыре месяца встречаются. У одной дамы сын депутат, думаю, мама Галя его попросила найти настоящих сыщиков, не мошенников. Мне она ничего не сказала. В первый раз от меня что-то утаила. Ну да, она знала, как я к ее инициативе отношусь. С другой стороны, что я поделать могу? У мамы Гали денег лом, она имеет право тратить их куда пожелает, хоть сжечь. Мне не средств, пущенных на ветер, жаль, а ее здоровье. Вот она к вам одна прикатила, и что? Сейчас встать с дивана не может. Хорошо, меня водитель в курс дела ввел, и я сюда помчалась. С полной сумкой лекарств!

— У меня медикаментов целые шкафы, — заявила Буля. — Извините, дам вам совет. Покажите Галину Сергеевну хорошему доктору, мне кажется, у нее проблема с легкими. Я патологоанатом, но начинала как терапевт, правда, работала недолго.

— Вы прекрасный диагност, — заметила Карина, — да, она больна, но мы упорно лечимся и надеемся на лучшее.

— Горти знала, что мать нездорова, и все равно сбежала? — уточнила я.

— Нет, Галине Сергеевне стало плохо после ее ухода, думаю, стресс спровоцировал бурное развитие недуга, — пробормотала Кара. — Пожалуйста, скажите Моисеенко, что вы отказываетесь ей помочь. Что Горти не хочет возвращаться домой.

— Не могу этого сделать, — возразила я, — у меня приказ начальства заняться поисками.

— Думала, что вы тут самый крупный босс, — вздохнула Карина. — А как найти главного?

Я покосилась на Ивана, который сидел безучастно, словно разговор его совсем не касался.

— Передам ваше пожелание нашему шефу. Карина, в письме Гортензии есть фраза: «Мне совсем не нравится Игорь Глебович». Кто он?

— Жених, которого для Горти нашла Галина Сергеевна, — пояснила Хлебникова. — За несколько месяцев до побега дочери мать объявила, что ее любимой девочке пора выйти замуж. Зятя она, конечно, решила выбрать сама. Небось долго женихов изучала и остановилась на Игоре Глебовиче Клебанове. Я не понимала, чем он так понравился Галине. Обычный врач, звезд с неба не хватает. Мне она объяснила: «Я не становлюсь моложе, здоровье слабеет. Что будет с Горти, когда я умру? Она несамостоятельная. Ее надо отдать в хорошие руки. Игорь отличный вариант. Он сын моей старой знакомой, порядочный человек. Я в своей записной книжке порылась, когда о женихе задумалась, и поняла: вот он! Клебанов доктор, он от меня в наследство получит долю в клинике, станет хозяином. Гортензии Игорек понравится, а он ее полюбит, разве Горти можно не полюбить? Я уверена, что у них сложатся прекрасные отношения». Да только моя подружка, узнав, что затеяла мать, и познакомившись с потенциальным супругом, впала в панику.

— Кара! Он противный, с липкими руками. Не хочу даже сидеть рядом с ним. Пожалуйста, побеседуй с мамой, ты единственный человек, кого она слушает. Может, сумеешь ей втолковать, что я не желаю идти замуж за Клебанова. Он мне отвратителен.

Я отправилась к Галине Сергеевне, но та не изменила своих намерений.

— Семья не имеет никакого отношения к любви, это работа по построению крепкого союза, в котором хорошо всем: и мужу, и жене, и детям, и старикам.

Нынешнее поколение глупостей в Интернете начиталось и давай кричать: секс главное, в личной жизни надо лишь удовольствие получать, если партнер вас не удовлетворяет, меняйте его на другого. Нет, дорогая, семья это труд, терпение, умение прощать. Нужно тщательно подходить к выбору спутника жизни, не хватать, как голодная собака, первый кусок со стола. То, что с краю лежит, определенно не лучшее. Игорь Глебович идеальный жених, уж поверь, я изучила его со всех сторон. Я не вечна. Настанет момент, и я уйду. Кто тогда о Горти позаботится? Она не приспособлена к жизни.

— И это правда, — раздалось от двери.

Я повернула голову, на пороге стояла Галина Сергеевна.

Глава 5

У меня звякнул мобильный, прилетело сообщение от Эди: «Попросите у нее последнее фото дочери».

— Гортензия отказалась от помолвки с Игорем, — продолжала Моисеенко. — Клебанов расстроился, он сразу влюбился в мою дочь. Игорь прекрасно воспитан, интеллигентен, образован, ни разу не был в браке, потому что он...

— ...жуткая зануда, — пробурчала себе под нос Карина. — Когда мы у вас вместе чай пили, он разглагольствовал о правильном образе жизни, о том, что надо всем бросить пить, курить, есть мясо, изрекал азбучные истины: «Употребление табака приводит к раку легких. Алкоголь губит здоровье». Вещал это с таким видом, словно делал великие открытия, ораторствовал без умолку. Когда Горти потянулась за пирожным, схватил ее за руку: «Я бы этого не советовал. Очень жирный крем. Такая начинка пагубно влияет на печень». Похоже, у него замашки тирана, едва увидел женщину и тут же попытался управлять ею.

Галина Сергеевна укоризненно взглянула на названую дочь.

— Проявление элементарной заботы ты считаешь деспотизмом? Желание уберечь женщину от глупого поступка авторитарностью? Лично я называю такое поведение заботой. И Клебанов прав, пирожное с кремом не лучшая еда.

— Но ведь не в первые же дни знакомства давать советы невесте? — надулась Карина. — Игорь противный, когда я его увидела, никак не могла отделаться от ощущения, что у красавчика трусы и носки грязные! Хотя он был аккуратно одет и пах одеколоном.

Галина Сергеевна постучала пальцем по столу.

— Понятно теперь, чьи словечки Горти мне повторяла, когда отказалась от удачного замужества. Неужели тебе хотелось, чтобы подруга осталась одна?

По щекам Карины поползли красные пятна. Я решила вмешаться в разговор.

— Сердцу не прикажешь. Ваше желание устроить судьбу дочери могло стать побудительным мотивом к побегу. У вас, случайно, нет с собой фотографии Гортензии?

— Сердце должно слушать голос разума, а не бормотание глупости, — отрезала Галина. — Лучшие браки заключаются по расчету. Главное, чтобы расчет был правильным. Матери виднее, что нужно неразумной дочери. Да, естественно, у меня много снимков Горти с собой в телефоне.

— Вам не трудно дать мне трубку? — попросила Эдита. — Перекачаю изображение.

— Зачем? — бдительно поинтересовалась Моисеенко.

— Чтобы искать Горти, надо знать, как она выглядит, — улыбнулась Аня. — Хотя... можно посмотреть в соцсетях.

— Ее там нет, я уже проверила, — объявила Дита.

Галина протянула ей трубку.

— Моя дочь не пользовалась Интернетом.

— Почему? — искренне удивился Валерий.

— Я ей компьютер не купила, — сердито объяснила нервная мамаша, — не желала, чтобы моя чистая девочка видела грязь, все эти ужасные снимки и читала глупости.

Галина Сергеевна показала на ноутбук Эдиты.

— Я тоже не умею пользоваться адской машиной, но наслышана от своих клиенток, какой там ужас. Секс! Насилие!

— Ну, секс это не всегда ужас, — тихо сказал Валерий, — иногда даже вполне приятен.

Я толкнула парня под столом ногой, он мигом захлопнул рот. Мой телефон пискнул, прилетело сообщение от Эди.

— Ух ты! — помимо воли сказала я.

— Что? — мигом отреагировала Моисеенко. — Какая-то новость о Горти?

Я посмотрела на нее.

— Нет. Прежде чем мы начнем работу, вам понадобится заполнить разные бумаги. Договор, например. Потребуется описание одежды вашей дочери, в которой вы видели ее в последний раз, ее привычек, например, что она любит есть на обед? Можете поработать с нашим сотрудником?

— Да, — кивнула Галина. — Я не верю, что Горти сбежала! Ее украли, предварительно силой заставив написать прощальное письмо, а потом каждый месяц отправляли мне открытки.

Я подавила вздох. Конверт, по словам Карины, лежал на столе в комнате дочери. Горти якобы ушла в гости к Карине, пока Галина принимала душ, посторонних в квартире не было. Гортензию никто не уводил силой. Уж наверное бы девушка закричала и мать поняла: происходит что-то плохое. Только не говорите, что бедолагу усыпили уколом и утащили под плеск воды из душа. Как бы Гортензия тогда составила записку? Нет, она заранее написала послание, потом наврала про встречу с Кариной и сбежала.

Эдита встала.

— Галина Сергеевна, пойдемте в мой кабинет.

— Кара, вставай, — велела пожилая дама.

— Госпоже Хлебниковой лучше остаться, — распорядилась я.

Моисеенко спросила:

— Почему?

Я понизила голос:

— Часть вопросов, которые вам задаст Эдита, очень личные, настолько интимные, что вы не пожелаете давать на них ответ даже в присутствии той, кого считаете почти дочкой.

— Идите, Галина Сергеевна, одна, — отреагировала Карина.

Когда Моисеенко и Эдита скрылись в коридоре, Кара перегнулась через стол и схватила меня за руку.

— Вы уже что-то узнали? Кто-то сбросил удивившее вас сообщение, и потому вы под благовидным предлогом удалили из комнаты Галину?

— Простите, Карина, вам это будет неприятно. Но мы должны показать вам снимок тела, при котором найдена кредитка на имя Гортензии Валентиновны Моисеенко, — сказала я.

— Боже, — прошептала Кара, бледнея. — Ну нет же! Пожалуйста! Не хочу смотреть.

— Надо, чтобы кто-то опознал труп, — подключился к беседе Ватагин, — если вы откажетесь, придется это сделать Галине Сергеевне.

— О нет! — еще сильнее испугалась Карина. — Она не вынесет известия о смерти дочери. Но зачем вам опознание? Документ же есть! В нем фото.

— Нет, — возразила Эдя, — это пластиковая карточка, они без снимков. Необходимо удостовериться, что найденное тело на самом деле Гортензия.

— Понимаю, это очень тяжелая процедура, — вновь заговорил психолог, — но, подумайте, каково придется бедной матери, если она увидит труп Горти.

— Хорошо, — прошептала Кара, — давайте.

— Валера, поверните ноутбук Эдиты экраном к Карине, — попросила я.

Крапивин выполнил мою просьбу. Некоторое время Кара рассматривала изображение, затем закрыла глаза ладонью.

— Это не Гортензия.

— Вы уверены? — уточнила я. — После смерти внешность человека иногда меняется.

— Она всегда меняется, — неожиданно заметила Буль, — душа улетает к Богу, на земле остается смертная оболочка. Естественно, лицо другим становится, пустым.

Меня не удивили слова эксперта, многие врачи и патологоанатомы верят в Бога. Глеб Валерьянович, сотрудник моей прежней бригады, каждое воскресенье в девять утра стоит на литургии. А однажды я случайно увидела программу с участием Натальи Петровны Бехтеревой, академика, научного руководителя Института мозга человека, крупнейшего нейрофизиолога, чьи труды изучают во всем мире. Молодой журналист, задававший ученой вопросы, в какой-то момент бросил фразу:

— Но вы-то точно знаете, что никого там на небе нет.

Героиня программы вежливо ответила:

— Ну что вы, я-то точно знаю, Бог есть, наш Господь милостив и человеколюбив, только поэтому мы до сих пор еще и населяем Землю.

Карина резко выдохнула.

— Я врач, видела трупы, не боюсь их. Боялась опознать тело лучшей подруги, но взяла себя в руки. Да, я уверена, что на снимке другая женщина. Трудно судить по компьютеру, но, думаю, она примерно того же возраста, что и Гортензия, прически похожи. Но это не Горти. Слава богу, не она! Можно мне в туалет?

— Конечно, я вас провожу, — предложила Анна.

— Нет, спасибо, — отказалась Карина, — мне надо минут пять побыть одной.

— Как выйдете из комнаты, поверните налево, последняя дверь по коридору, — объяснила Попова.

Карина ушла.

— И кто в холодильнике? — спросил Валерий.

— Теперь неизвестная женщина, — вздохнула я, — находится в морге при больнице имени Братова. Скончалась от передозировки препарата «Пситомарин»[1].

— Надо же, токсикологию сделали, — восхитилась Буль.

— Когда она погибла? — поинтересовался Иван.

— Тело нашли в понедельник сотрудники магазина «Ласка», — пояснила Эдита, — они пришли на

---

[1] Лекарства с таким названием не существует. Есть препарат аналогичного действия, автор его не называет из этических соображений.

работу и увидели на крыльце мертвую молодую женщину.

— Неприятно, — поморщился Крапивин.

— Да уж, — согласилась Попова.

— Одежда была? — поинтересовался босс.

Эдита кивнула.

— Белый сарафан из тонкой ткани, на ногах балетки, на шее платочек. Еще розовая сумка, маленькая, она валялась неподалеку. Сарафан у нее прямо
атас! Короче некуда, декольте до пупка. Юбка на
ленты нарезана! Наверное, при движении девушка
казалась голой. Она экстремалка, не надела ни лифчик, ни трусики. Да гляньте сами на фото.

— Ага, — протянул босс, — ну-ну... белый платочек
прямо умиляет. Зачем она его повязала? И вообще...

Я насторожилась.

— Что вам не нравится в ее вещах?

— А у тебя вопросы не возникают? — прищурился
шеф.

Я начала внимательно изучать снимок.

— Да нет. Прикид, конечно, мягко говоря, откровенный, но сейчас модно обнажаться, носить тонкие
блузки без бюстгальтера. Многие женщины щеголя-
ют в микрошортах, из них вся попа наружу вывали-
вается.

— Вот смотрю я на вас с Анной, одеты почти
одинаково, — неожиданно сказал Иван Никифорович, — джинсы, пуловеры, кроссовки. Теперь так
модно? Красивые шелковые платья женщины нынче
не носят? Ну, такие, чтобы юбка от ветра развева-
лась? И туфельки с открытыми пальцами тоже?

— Так на улице холодно, — поежилась Анна, —
не июнь, а январь прямо.

— Да ладно, — засмеялся Валерий, — семнадцать
градусов тепла, это не ноль.

— Не ахти погодка, — согласилась я, — две неде-ли дождь лил. В босоножках-балетках не побегаешь, сразу промокнешь, кроссовки самое...

Продолжение фразы застряло в горле.

— Сообразила, — обрадовался босс.

— Что? — не понял Валерий.

Александр Викторович показал на ноутбук Эдиты.

— Тело нашли в понедельник рано утром. Дождь в тот день лил.

— Я поехала в понедельник по делам и пожалела, что только легкую куртку прихватила, надо было ко-жаную взять, — поддакнула Аня.

— Я ботинки осенние надел, — прибавил Иван.

— А незнакомка в легком сарафане и балетках, — прибавила я. — Правда странно?

— Запроси отчет о вскрытии, — неожиданно пе-решел со мной на ты профайлер, — что-то тут не так.

Глава 6

— Как хорошо, дорогая, что ты нашла время зай-ти, — обрадовалась Ирина Леонидовна, увидев меня на пороге, — пирог десять минут как из печки. А Ва-ня еще не приехал, в пробке застрял. Почему ты та-кая бледненькая? Скажу Ване, чтобы перестал нагру-жать тебя работой, на тебе лица нет!

— Дело какое-то мутное, — вздохнула я, развязы-вая кроссовки.

— Ты мне расскажешь? — заговорщически шеп-нула Рина.

— Конечно, — пообещала я, сунула ноги в свои тапочки и поспешила в ванную.

Да, да, в доме шефа у меня есть своя домашняя обувь. Ирина Леонидовна, мать Ивана, купила мне в дорогом магазине шлепки, и у меня не хватило духу признаться, что я предпочитаю бегать по квартире босиком. Ирина Леонидовна замечательная женщина, она так вкусно готовит, что я могу проглотить ее стряпню вместе с вилкой. Она всегда расспрашивает нас с Иваном Никифоровичем о делах и часто дает толковые советы. Мать шефа умеет посмотреть на проблемы под неожиданным углом, а я, услышав ее замечания, изумляюсь. Это же так просто, лежало на поверхности, почему я сама не заметила? Мы с Риной подружились, и я с огромной радостью приезжаю в гости к шефу. Сразу хочу охладить пыл тех, кто решил, что у нас с Иваном роман. Нет! Мы просто друзья. На работе ни я, ни босс не афишируем приятельские отношения, это не нужно. Никто не в курсе, что мы любим проводить вместе редкое свободное время. И есть еще одна тайна, которой мы владеем теперь сообща. По офисам циркулирует слух, что особые бригады создал один весьма обеспеченный человек, он же содержит структуру на собственные средства. Между собой народ называет главного начальника Царь, Император, Их Высочество, а некоторые именуют его Наше Привидение. Почему? Таинственную личность, руководящую системой, никто не видел, даже имя-фамилия главного шефа неизвестны. Два наших начальника Иван Никифорович и Петр Степанович тоже с ним никогда не сталкивались лицом к лицу. Все указания раздаются Царем по телефону. И, конечно, люди фантазируют вовсю. Кое-кто считает, что организация создана некой группой людей, другие, что мы на самом деле подчиняемся МВД, третьи полагают, что мы служим в тайном подразделении ФСБ. Разъяснений никто не дает. Нам платят солидные деньги, у нас самая современная техника и высококвалифицированные специалисты. А вот я, очутившись первый раз дома у Ивана Никифоровича, запутавшись в коридорах просторной квартиры, случайно оказалась в большом кабинете, набитом компьютерами, и поняла: вот он, пульт управления планетой особых бригад. Таинственным Царем, Императором, Самодержцем, руководящим генералами МВД, начальством ФСБ, в общем, всеми, кто, по мнению сотрудников, управляет нами, оказался Иван Никифорович[1]. Сначала я перепугалась до потери пульса, подумала, что меня сейчас с позором выгонят из системы. Хотя все знают: если попал в особую бригаду, обратной дороги нет. Даже на пенсию никогда не отпустят, лет в девяносто превратишься в «спящего» агента, будешь мирно дремать у телика, но если понадобишься, над твоим старческим ухом заиграет боевая труба, и ты помчишься на ее зов, поскрипывая артритными коленями. Но ради меня могут сделать исключение, не каждому удается раскрыть тщательно охраняемую тайну главного начальника.

Вопреки всем моим опасениям Иван не разозлился, мы, наоборот, подружились.

— Таня! — закричала Рина. — Ты утонула в рукомойнике?

— Нет, — ответила я, входя в столовую, — для начала: я не влезу в него, моя тушка никогда не протиснется в сливное отверстие. Я толстая! Надо мне есть поменьше.

— Глупости, — фыркнула Рина, — женщина должна иметь красивые формы, иначе она будет похожа на швабру. Нельзя постоянно сидеть на диете, это напрочь убивает нервную систему. Я вот ем что захочу.

---

[1] О том, как Таня очутилась в гостях у начальника, рассказано в книге Дарьи Донцовой «Бермудский треугольник черной вдовы».

Из моей груди вырвался вздох. Ирина Леонидовна весит сорок пять кило, она всегда кладет на свою тарелку пару ложек еды, не больше. Я же способна слопать грузовик вкуснятины.

— Ну где же Ваня, — засуетилась Рина, — очень неудачно он в пробку угодил. Вот ты молодец, без опоздания явилась.

Я решила защитить Ивана Никифоровича.

— Мне просто повезло.

Ирина Леонидовна пошла в кухню.

— Сейчас посыплю запеканку варникой и... О! Нет!

Я поспешила к ней.

— Что случилось?

Рина хлопнула себя ладонью по лбу.

— Коза беспамятная!

— Вовсе нет, — улыбнулась я.

— Пошла утром в магазин, уставилась как баран на новые ворота на стеллаж со специями и порулила домой, не купив варнику, — посетовала на себя Ирина. — А без нее запеканка теряет весь вкус. Если не натрусить на блюдо варникой, никакой радости от нее желудку не будет.

— Беде легко помочь. Сейчас сношусь в супермаркет, благо он в соседнем доме, — пообещала я.

— Спасибо, — обрадовалась Рина, — но, пожалуйста, найди варнику из Индии. Из Греции, Испании, Африки не бери. И обязательно посмотри, чтобы она была нарублена мелкими кусочками, упаси бог купить молотую...

Ирина Леонидовна умолкла, потом пошла в прихожую.

— Сама схожу. Варника бывает разная, ты запутаешься. Какую сама используешь при готовке? Розовую или желтую?

— Никакую, — призналась я, — впервые от вас про сию специю услышала. На что она похожа?

— На варнику, — пробормотала Рина, натягивая куртку, — принесу — увидишь.

— Там дождь льет, — попыталась я остановить мать шефа, — объясните мне подробно про эту варанаку, тогда куплю, что надо.

— Варнику, — поправила Рина, — ерунда, я не сахарная, от воды не растаю. Лучше натри сыр. Я достала кусок из холодильника, а натереть не успела и, признаюсь, терпеть не могу это занятие, вечно пальцы режу. Жаль, настоящего пармезана днем с огнем не сыскать. Я нашла сыр из Уругвая. Честно говоря, на пармезан он не похож, хотя вкусный. Запах, правда, не совсем привычный, но все остальные сыры в запеканку не годятся. Вера Гавриловна, моя подруга, купила в Интернете сыронатиралку, электрическую. Гениальное приспособление! Опускаешь внутрь кусок — и вжик! Получаешь гору тертого. Мечтаю о такой. Попросила Ваню ее заказать, а он, конечно, забыл. Все, удрапала! Натри сыр, посыпь им сверху запеканку и поставь опять в духовку. Поняла?

— Конечно, — заверила я.

— Умница, — не забыла похвалить меня Ирина Леонидовна. — Сыр лежит на столике, справа от мойки. Терки в шкафу, тебе нужна та, на которой поркат измельчают. Улетела!

Рина выскочила на лестницу и захлопнула дверь. Я вернулась на кухню. Те, кто не первый раз встречается со мной, знают, что кулинария не является хобби госпожи Сергеевой. Считается, что женщина обязана уметь готовить. Возможно, если она хозяйка большой семьи, это правильно, но я живу одна, домой возвращаюсь поздно, питаюсь, как правило, или в нашей столовой, или где-то в городе. Зачем мне учиться варить чихиртму и лепить пожарские котлеты? Впрочем, кое-какой навык общения с плитой у меня есть. Я дважды выходила замуж и в первом браке пыталась стать хорошей хозяйкой. Я могу сварить курицу, геркулесовую или гречневую кашу, картошку. Мне по силам пожарить яичницу, а еще я замечательно кипячу воду для чая и ловко открываю йогурты.

Я подошла к мойке, взглянула налево и сразу увидела не очень большой, граммов двести весом, брусок желтого сыра с темно-бордовой коркой. Почему-то он лежал не на тарелочке, а прямо на рифленой части мойки, куда обычно ставят вымытые бокалы. Я взяла сыр и понюхала его. Галина Сергеевна права, аромат не совсем обычный, затрудняюсь объяснить какой, вроде такой издает виноград. Я вернула сыр на место. К сожалению, производители сейчас везде добавляют ароматизаторы и наполнители, обычные продукты становятся редкостью. Захотелось мне недавно съесть самый простой творожный сырок. В супермаркете оказалось несколько полок с ними. Я увидела сырки с вареньем, сгущенкой, орехами, мюсли, шоколадной начинкой, воздушным рисом, изюмом, лесными ягодами, кусочками экзотических фруктов... Было все, кроме простого сырка без изысков, который полюбился мне со времен детства. Сыр из Уругвая, отчетливо пахнущий виноградом, меня не поразил, уверена, он бывает с разными отдушками.

Я начала раскрывать шкафчики, в одном обнаружила ряд терок, расставленных аккуратной Риной по размеру. На какой из них надо тереть поркат? И что это такое? Корнеплод вроде морковки? Боясь ошибиться, я полезла в Интернет и нашла ответ. На экране телефона появился текст: «Поркат — корень несуществующего волшебного растения, неоднократно упоминаемый в книгах фантаста Волынского-Горова. С помощью натертого порката герои его книг взрывают каменные стены. У каждого воина из серии «Битва планет» всегда при себе есть немного порката и терка, чтобы измельчить корень, как морковь». Я положила телефон в карман и захихикала. Значит, Ирина Леонидовна увлекается чтением научно-фантастических романов, а я об этом понятия не имела. В следующий раз принесу ей в подарок несколько книг любимого автора. Я взяла с полки нужную терку и начала старательно возить по ней желтым бруском. Дело шло невесело. Рина упомянула, что уругвайский пармезан мягковат, но мне он показался почти каменным. Хорошо, что Рина не раздобыла аутентичный сыр, с ним справиться небось еще труднее. Чертыхаясь сквозь зубы, я несколько раз прошлась по терке, и в конце концов выполнила задание. И тут же зазвонил мой мобильный.

— Танюша, — зашептала Ирина Леонидовна, — стою на кассе. Все купила. Как дела? Про сыр не забыла?

— Натерла, — отчиталась я.

— Забыла предупредить, что терку надо...

— Взять морковную, — радостно перебила я.

— Ты знаешь, как измельчать поркат, — восхитилась Ирина Леонидовна.

Мне очень хотелось произвести на нее наилучшее впечатление, поэтому я ответила:

— Конечно.

— Можешь три яйца вкрутую сварить? — попросила Ирина. — Только в СВЧ-печке. Возьми касрупь.

Я изо всех сил постаралась не рассмеяться. У Ирины Леонидовны грамотная речь, но даже у интеллигентного человека есть в запасе странные слова. Моя бабка часто говорила: «Таня, не хомякай весь суп, он на семью сварен». Восхитительный глагол «хомякать», означающий: есть жадно, второпях и много, был, похоже, изобретен самой старухой. И он навсегда остался со мной. Вредной бабки давно нет на этом свете. А я, прибежав домой за полночь с купленной по дороге пиццей, отрезаю большой кусок, начинаю его жевать и строго говорю себе: «Таня! Не хомякай всю пиццу». А у Рины в лексиконе есть слово «касруль». Интересно, кто из ее окружения в детстве называл так кастрюлю?

— В СВЧ-печке, — повторила Ирина, — не на плите.

— Почему? — удивилась я.

— На огне яйца получаются упругими, белок слегка «резиновый», — пустилась в объяснения мать шефа, — и желток будет крошиться. В печке они станут нежными, кремовыми. Поторопись, Танюша! Поставь яйца и сразу насыпь сыр на запеканку. Я в очереди застряла. Одна касса на весь магазин работает.

— Все сделаю, — заверила я.

Глава 7

Я хорошо знаю, что металлическую посуду в СВЧ-печку ставить нельзя, поэтому достала из шкафа стеклянный сотейник, налила туда воды, опустила в нее яйца и призадумалась. Какое время выставить? Три минуты достаточно? Нет, лучше пять, чтобы наверняка. Не хочется увидеть разочарование на лице Рины, когда она станет очищать скорлупу и поймет, что у нее в руках яйца всмятку.

СВЧ на кухне у Ирины Леонидовны висит над столешницей, правее отдельно установленной духовки. Включив печку, я открыла жарочный шкаф, выдвинула оттуда форму с вкусно пахнущей запеканкой, щедро посыпала ее сверху тертым сыром, вернула ужин на место, хотела посмотреть, сколько времени осталось вариться яйцам, и тут прогремел взрыв!

Я на автомате схватила лежащую на столике доску, прикрыла ею голову и отпрыгнула в дверной проем. Что происходит? В квартире шефа сработала бомба? Или... Другая мысль не успела прийти в голову, еще раз послышалось оглушительное ба-бах! Дверка СВЧ распахнулась, оттуда вылетело нечто непонятное, шмякнулось о картину, изображающую двух котов, готовящих котлеты, пробило в бумаге дыру и исчезло. Через секунду из печки вылетела кастрюлька и понеслась прямо на меня. Я взвизгнула и присела. За спиной раздался грохот. Меня многократно тренировали, как нужно вести себя в момент серьезной опасности. И на занятиях с инструктором я всегда действую четко, уверенно, по протоколу. Но никто до сих пор не удосужился объяснить мне, что надо делать, если по комнате летает обезумевшая стеклянная емкость.

Я заползла под дубовый стол и зажмурилась, слушая звон и стук, потом на время установилась тишина и раздался хорошо знакомый голос:

— Ооо!

Я осторожно высунулась из укрытия, увидела, что в кухне стоит Иван, а справа на него летит нечто, напоминающее мяч для пинг-понга, и заорала:

— Чужой!

Шеф метнулся к высокому буфету и в мгновение ока ввинтился в щель между ним и стеной. «Мячик» пролетел в кухонную зону, оттуда незамедлительно послышался звук бьющейся посуды. Я снова спряталась под стол. Что происходит? Это нападение?

В квартиру проникли посторонние? Визит бандитов связан с делом Моисеенко? Или с каким-то другим расследованием, которое проводит не моя бригада? Охотятся на меня или на Ивана Никифоровича? Никто не знает, что я провожу свободное время с боссом, но выяснить, где я порой бываю по вечерам, совсем не трудно.

— Что у нас происходит? — раздался голос Рины.

Я осторожно приподняла скатерть, услышала нарастающий свист...

— Ложись! — крикнул Иван.

Ирина Леонидовна как подкошенная шлепнулась на пол. Я опустила край льняной скатерти, но он тут же зашевелился. Под стол вползла мать Ивана.

— Прямо тайфун Мария, — шепнула она. — В столовой разбита лампа на консоли и всякие финтифлюшки, которые около нее кучковались, пол местами мокрый, непонятные бело-желтые крошки вокруг, рассеяны осколки...

— В СВЧ-печке, похоже, находилось взрывное устройство, — ответила я. — Я поставила яйца, и оно сработало.

— С утра там ничего не было, — пробормотала Ирина Леонидовна, — хотя... я выходила на пару часов, ездила на рынок, заглянула в булочную...

— Опытному человеку заложить взрывчатку недолго, — еле слышно добавила я.

— У нас серьезная охрана и такая дверь, которую невозможно взломать, — возразила Ирина, — и окна неприступны. Дом совершенно безопасен. Ваня правильно оценивает риск своей работы. Поэтому наша квартира сродни бункеру.

— Взломать можно все, — вздохнула я.

— Люди, способные справиться с нашими замками и системой безопасности, должны быть мегапрофи, — забубнила Ирина, — и пожара нет. Просто взрыв произошел. Обычно потом горит. Странно.

— По столовой и кухне летала кастрюля с водой, — поежилась я, — и что-то вроде маленьких белых мячиков. Вы правы, необычная ситуация: посуду не разнесло при взрыве.

В глазах Ирины Леонидовны блеснуло недоумение.

— Кастрюля с водой? Откуда она взялась?

— Я варила по вашей просьбе яйца, — объяснила я.

Ирина Леонидовна начала смеяться.

— Таня! Ты взяла...

— Стеклянный сотейник, — перебила я, — налила в него воду, положила яйца, поставила таймер на пять минут.

Рина, закрыв ладошкой рот, выскочила из-под стола.

— Нет, нет! Там опасно, — испугалась я, — надо саперов вызвать.

— Пустяки, — сказала Ирина Леонидовна и расхохоталась.

Не понимая, что веселого она нашла в произошедшем, я тоже вылезла наружу.

— Ваня, это яйца! — давясь смехом, пояснила мать.

— Какие? — задал гениальный вопрос шеф, зажатый между стеной и буфетом.

— Куриные, — уточнила Рина. — Танюша, их нельзя варить в СВЧ! Они там взрываются, что у тебя и получилось, несколько яиц развалились в хлам, остальные стали по воздуху носиться.

Секунду я переваривала информацию, потом оглядела разбитую лампу, превращенные в крошево фарфоровые фигурки, и начала оправдываться:

— Вы же просили приготовить яйца в печке.

Ирина Леонидовна не стала отрицать:

— Да — но предупредила, что надо взять касруль.

Я показала на осколки, усеявшие пол:

— Вот что от кастрюльки осталось!

— Не может быть, — заморгала Ирина Леонидовна, — касруль пластиковая.

Настал мой черед удивляться.

— В шкафчике были только металлические кастрюли, стеклянная нашлась всего одна...

Рина поспешила в кухонную зону.

— Так это кастрюли. А я говорила про касруль. Вот она!

Рина сняла с полки, висящей около холодильника, фигуру курицы из белого пластика, и подняла ее верхнюю часть. Я увидела на нижней шесть углублений, Ирина Леонидовна начала объяснять:

— Сюда наливается чуть-чуть воды, ставим яйца, закрываем. Вот так!

Рина опустила крышку, и я увидела над крылом надпись: «Волшебный касруль».

— Почему такое дурацкое название? — только и смогла спросить я.

Ирина Леонидовна развела руками.

— Не знаю. Может, по аналогии с кастрюлей? Взрыв был, но бомбы нет, бандиты в дом не заходили. Ваня, вылезай. Однако тебя храбрецом не назовешь, забился в укрытие и не вылезаешь.

— Давайте я замету осколки, — предложила я.

Рина натянула толстые кухонные варежки.

— Пусть пока лежат, а то запеканка перестоит и потеряет аромат. Сейчас посыплю ее варникой, и мы полакомимся. Ваня! Почему ты не выходишь?

— Тут тихо, хорошо, — забубнил шеф, — уютно. Лучше я стоя поужинаю, больше влезет.

Мы с Ириной переглянулись и хором сказали:

— Застрял!

— Нет, нет, нет, — возмутился босс, — просто психологически устал от просторных помещений, в них крайне неуютно. Каждому человеку нужно найти место, где...

— Давай руку, — велела мать, подходя к нему.

Иван подчинился. Ирина стала тянуть его, но вытащить не смогла. Я решила подключиться к ней, и схватила шефа за вторую длань.

— Раз, два, три, — скомандовала Рина.

Я, что есть силы, дернула Ивана.

— Ой! Больно, — пожаловался тот.

— Как ты туда втиснулся? — спросила я.

— Быстро, — ответил шеф, — и без всякого труда.

Ирина Леонидовна сделала пару шагов назад.

— В момент стресса Ваня сжался, а когда очутился между стеной и буфетом, разжался. Эффект резинового мячика в бутылке.

— Точно, — обрадовалась я, — нам классе во втором учительница показала стеклянный сосуд с очень узким горлышком. Внутри был мячик. Никто из детей не понял, как его туда поместили. Педагог растолковала: «Мяч упругий, деформируется легко и поэтому прошел сквозь горло. Теперь он принял привычную форму, достать его иначе, чем разбив колбу, нельзя».

— Ну надо же, — восхитилась Рина, — мне в свое время в классе о том же говорили. У наших учителей все стабильно, и это прекрасно. Делаю вывод: вернуть Ване свободу можно, только разломав или буфет, или стену. Дорогой, выбор за тобой, решай, что крушить?

— Зачем так радикально, — пропыхтел шеф, — можно отодвинуть.

— Стену или буфет, уточни, — потребовала Ирина.

— Буфет, — вздохнул босс, — со стеной сложности возникнут.

— Отлично, — обрадовалась хозяйка, — главное, понять, как действовать. Танюша, упирайся руками вот сюда, я вон туда, и раз, два, три...

Я толкнула буфет, судя по кряхтению, которое издала Ирина Леонидовна, она поступила точно так же. Но сооружение из дуба не сдвинулось даже на миллиметр.

— Если освободите полки, станет намного легче, — посоветовал Иван. — Мама, что там хранится?

— Вверху серебряный сервиз на двадцать четыре персоны, восемь подсвечников из того же металла, в нижнем отделении льняные скатерти, салфетки, за стеклом, сам видишь, бокалы, блюда под торты-пирожные, рыбу, мясное ассорти, — начала монотонно перечислять Рина, — что за верхними дверцами, я забыла, но там полно всего. Ваня, нам с Танюшей, чтобы все это вытащить, год потребуется. Попробуй выдохнуть, авось тоньше станешь, повернись бочком. Может, на четвереньки опустишься и выползешь?

Шеф засопел.

— Последнее я точно не проделаю.

— Нужен рычаг, — сообразила я, — подложим его под ножки, нажмем...

— И буфет опрокинется, — испугался босс.

— Нам не нужен рычаг, — пропела Рина, — нам нужен здоровенный мужик. Ваня, как зовут гору из второй квартиры? Дядька выглядит устрашающе, но он приветливый, всегда здоровается.

— Константин Михайлович, — подсказал сын.

— Нет, — возразила Рина, — вспомнила, он Кирилл Максимович.

— Совершенно точно Константин Михайлович, — стоял на своем босс.

— Кирилл Максимович, — повторила Ирина Леонидовна, которая принадлежала к классу активных спорщиков. — Кирилл Максимович. Чем это пахнет?

Я подергала носом.

— Запеканкой.

— Незнакомый аромат, — удивилась Рина, — никогда его ранее не ощущала.

— Это от сыра, — предположила я, — он благоухал виноградом.

— Странно, — протянула хозяйка, — у уругвайского сыра был другой запах.

— От термической обработки некоторые блюда приобретают специфический вкус, — присоединился к разговору Иван.

— Дорогой, мы говорили об аромате, — поправила его мать. — Ой! Запеканка! Она перестоит в духовке и станет несъедобной. Мне все равно, как зовут великана из второй квартиры. Сейчас приведу его сюда.

Рина кинулась в прихожую, но мне удалось поймать ее за руку.

— Ирина Леонидовна, за помощью отправлюсь я.

— Ты незнакома с соседом, — возразила хозяйка.

— Вы тоже с ним не в близких отношениях, — улыбнулась я, — лучше посыпьте пока запеканку воронкой, а то она испортится.

— Варникой, — поправила Рина, — да, ты права. Вторая квартира. Не перепутай.

— С математикой я не дружу, но цифры до десяти знаю хорошо, — заверила я.

Глава 8

Дверь апартаментов на втором этаже распахнул высокий щуплый дядечка в очках.

— Добрый день, — ласковым голосом завела я, —

меня зовут Татьяна, я из шестой квартиры. У нас случилась небольшая катастрофа. Иван Никифорович случайно застрял между буфетом и стеной. Не мог бы ваш брат нам помочь?

— Я единственный сын у родителей, — неожиданно густым для столь тощего тела басом перебил меня мужчина.

— Ну... может, тогда ваш... э... папа? — осторожно продолжила я и услышала:

— Отец и мать давно покинули этот мир.

— В вашей квартире есть какой-нибудь мужчина? — начала я терять терпение.

— Да, — спокойно подтвердил незнакомец.

Я обрадовалась, сейчас увижу «гору».

— Он дома?

— Да.

— Можете его позвать?

— Не надо.

Я потрясла головой.

— Наоборот. Очень надо.

— Не надо звать, я уже тут, перед вами, — растолковал дядечка, — живу один.

Стало понятно, что беседу надо начать заново.

— Здравствуйте, Константин Михайлович, помогите, пожалуйста, Ивану, он застрял между стеной и буфетом, ему там плохо.

— Да. Конечно. Подождите секундочку, — быстро согласился владелец квартиры и, не закрывая двери, пошел по длинному коридору в глубь своих апартаментов.

Я смотрела ему вслед. В моем понимании гора это кто-то двухметрового роста, весом в полцентнера. С ростом у соседа полный порядок, он выше многих, но большой мышечной массы у него нет. Странно, что Рина считает Константина силачом.

— Готов, — коротко сказал сосед, возвращаясь.

Я опять удивилась. Зачем он взял с собой чемоданчик?

Когда мы вошли в столовую, Константин громко спросил:

— Кому нужна помощь?

Я показала на Ивана.

— Он там.

Сосед подошел к буфету.

— Добрый вечер. Можете вытянуть правую руку?

— Сейчас, — запыхтел шеф, — вот.

— Закатаю вам рукав, не волнуйтесь, — продолжал сосед.

Я села на стул. Однако странно, зачем силачу голая рука босса?

Константин поставил на стол чемоданчик, откинул крышку, достал тонометр и начал наворачивать манжет на предплечие Ивана со словами:

— Не очень, конечно, удобно, но работать приходится в разных условиях.

Я не знала, как реагировать на происходящее. Из кухни высунулась Ирина Леонидовна, глянула на приведенного мной соседа и пропела:

— Танюша, мне нужна твоя помощь.

Я поспешила на зов.

— Это кто? — шепотом осведомилась мать шефа.

— Гора, — коротко ответила я.

— Нет! Тот совсем другой, — возразила Рина, — на саблезубого медведя похож.

— Константин Михайлович открыл дверь, сказал, что живет один, — объяснила я.

— Сто десять на семьдесят, — громко объявил сосед, — слегка пониженное, но это не страшно. Теперь держите градусник.

Мы с Ириной вышли в столовую.

— Простите, Кирилл Максимович, — произнесла хозяйка.

А я одновременно с ней начала:

— Константин Михайлович, зачем...

Потом мы обе замолчали. Шеф издал смешок:

— Уж извините, не первый год в одном подъезде живем, а не познакомились. Меня зовут Иван Никифорович. У стола моя мать Ирина, рядом с ней Татьяна.

— А к вам как обращаться? — поинтересовалась я. — Константин Михайлович?

— Нет, — ответил сосед, доставая из чемоданчика одноразовые перчатки.

— Ага! — заликовала Ирина. — Я права! Вы Кирилл Максимович!

— Борис Петрович, — представился мужик, — врач-фитотерапевт, специалист по поддержанию и продлению жизни.

— А-а-а, — сконфузилась Ирина, — извините.

— Ну что вы, — не обиделся доктор, — наверное, вы спутали меня с Кирсаном Махметовичем, он чемпион, штангист, сейчас тренер, живет во второй квартире.

— Погодите, там вы обитаете, — растерялась я, — только что я звонила в дверь, вы ее открыли.

— Нет, Татьяна, — возразил Борис, — вы спустились на второй этаж и обратились в квартиру один. На первом этаже у нас никто не живет, там просто подъезд. Вторая квартира на третьем этаже.

Я опустилась на стул. Танюша, ты молодец. Сначала запихнула в СВЧ кастрюльку с яйцами, устроила взрыв, а потом, не посмотрев на номер квартиры, притащила для перемещения шкафа не штангиста, а хлипкого доктора. Да еще пару раз сказала ему: «Ивану Никифоровичу плохо». Я имела в виду, что боссу неудобно стоять, втиснувшись в узкое пространство. А врач воспринял мои слова по-своему, не понял, что его зовут в качестве, так сказать, движущей силы, решил, что Ивану необходима медицинская помощь, и поэтому меряет ему давление и температуру.

— У меня такая вкусная запеканка на ужин, — зачастила Ирина, — огромный противень, нам троим его не одолеть, а на завтра оставлять нельзя. Давайте пригласим штангиста Курбана Мефодьевича, он поможет нам решить проблему, а потом все вместе поужинаем, заодно и подружимся.

— Кирсан Махметович уехал на соревнования, — меланхолично произнес врач, — я дал ему витаминов для его спортсменов. Что касаемо меня, то с огромным удовольствием поем, потому как проголодался. Очень мило с вашей стороны предложить мне ужин. Иван Никифорович, и давно вы испытываете желание забиться от жизненных трудностей в щель?

— Ммм, — промычал босс.

— Татьяна правильно обеспокоилась, — продолжал эскулап, — насколько я могу судить по беглому осмотру: ваше физическое состояние не внушает опасений. А вот психическое, м-да. Когда мужчина вашего возраста и комплекции втискивается в щель, где и небольшой собаке не поместиться, это наводит на мысль о шизофренически-депрессивном, казуально-вербально-ментальном трансцендентном состоянии аутонеблагополучия и тревожно-коммуникативном расстройстве самонеосознания душевного комфорта.

— Что? — открыла рот Рина.

— Если коротко, у вашего сына синдром Кавалерова, — выдал Борис. — Моя фамилия Кавалеров, я открыл эту болезнь. Занимаюсь разработкой ее лечения. Создал...

Я решила прояснить ситуацию:

— У нас взорвалась кастрюля с яйцами, все подумали, что в СВЧ бомба, мы с Риной спрятались под столом, а Иван как-то втиснулся и не может оттуда выйти.

— Не стоит смотреть телевизор по вечерам, — вздохнул врач, — это ведет к тревожно маниакальной аффективности, старению мозга и необъяснимым страхам. Зачем и кому понадобилось вам бомбу подкладывать? Вы простые люди, ничем серьезным не занимаетесь. Кроме традиционного медицинского образования я имею еще диплом психолога-профайлера, вижу людей, как аппарат УЗИ. Вот вы, например, Татьяна, повар. К этому выводу легко прийти, увидев вас издали. Ваша мама балерина на пенсии, она готовить не умеет, поэтому вы и выбрали такую профессию, очень в детстве есть хотели. А ваш супруг журналист.

Ирина начала хихикать. А я глупо улыбалась. Надеюсь, член моей новой бригады профайлер Ватагин не похож на Бориса Петровича, который ухитрился попасть пальцем в небо во всех случаях. Я не дочь Ирины, мы с Иваном не супружеская пара. И с профессиями Борис не угадал, хотя я могу понять, почему он ошибся. Меня он превратил в повариху из-за монументальности фигуры. Ирину посчитал балериной на пенсии из-за редкой для дамы ее лет стройности. Хотя в одном господин душевед прав, я в детстве всегда была не прочь перекусить, да и сейчас не жалуюсь на отсутствие аппетита. Но почему Иван журналист? Тот же вопрос пришел в голову и Рине:

— Отчего вы решили, будто Ваня корреспондент?

— Они в любую щель залезут, настырные очень, — объяснил ход своих мыслей врач. — А теперь подумайте, кому могла навредить самая обычная семья? Зачем вас взрывать? Хотите, научу вас делать специальные упражнения, и вы перестанете чего-либо опасаться?

— Нам бы буфетик отодвинуть, — попросила Рина.

— Хорошая идея, — согласился врач, — надо устранить в доме возможность забиться в слишком узкое пространство. Правильно мыслите. Отодвинете мебель, и больному станет понятно: забиться некуда.

— Иван здоров, — возразила Ирина, — он просто застрял.

— Отрицание! — воскликнул врач. — Родственникам трудно сразу принять болезнь члена семьи. У всех одна реакция. Это естественно. Я могу справиться сегодня с проблемой. Но только сегодня. В дальнейшем необходимо...

— Спасибо, — обрадовалась я, — хоть вы и не штангист, но если мы объединим усилия...

— Конечно, — не дал мне договорить врач, вытащил из чемоданчика здоровенный шприц с иглой толщиной с мой палец и, прежде чем мы с Риной успели отреагировать, молниеносно воткнул ее Ивану в плечо. Шеф заорал и выпрыгнул на середину столовой.

— Ура! — закричала Рина. — Карен Мансурович! Вы гений! Несу запеканку. Садитесь к столу.

— Что-то мне не хочется ужинать, — пробормотал босс, потирая руку. — Какое лекарство вы мне ввели, Борис Петрович?

Врач протянул Ивану листок.

— Комплекс витаминов, вот, можете почитать, прекрасный бодряще-успокаивающий состав.

— Ваня, ты откажешься от моей запеканки? — ахнула Рина.

— Вроде ничего плохого, — оценил шеф, отдавая листовку доктору. — Ну что ты, мама, конечно, съем ее дочиста.

Мы уселись за стол, Рина горестно вздохнула.

— Не понимаю почему, но не получилось аппетитной корочки. Танюша, ты весь брусок натерла?

— Ни кусочка не осталось, — заверила я.

— Мама, ты волшебно готовишь, — похвалил ее Иван.

— Корки красивой нет, — пригорюнилась Рина.

— Прости меня за прямоту, но в еде главное не вид, а вкус, — засмеялся Иван и отправил в рот большой кусок запеканки.

Вслед за ним то же самое проделал Борис, а я медлила. Блюдо, приготовленное Риной, сильно пахло, не скажу, что противно, но пробовать его желания у меня не возникло.

— Ну как? — осведомилась Ирина Леонидовна. — Ваня, почему молчишь?

Шеф вскочил и выбежал из комнаты. Борис Петрович схватил бумажную салфетку, прижал ее ко рту и ринулся за Иваном.

— Что это с ними? — удивилась Рина и попробовала свое произведение.

Не успела вилка очутиться у нее во рту, как она подпрыгнула и помчалась на кухню, оттуда незамедлительно донесся плеск воды, затем Ирина Леонидовна крикнула:

— Танюша! Какой сыр ты натерла?

Я пошла к мойке.

— Тот, что вы велели. Он лежал вот здесь, на рифленой части, желтый брусок с бордовой коркой.

Ирина оперлась руками о мраморную столешницу.

— Ой, не могу! Танюша! Я предупредила: сыр находится на столике справа от мойки. А где у нас ребристая часть?

— Слева, — пробормотала я.

Рина начала смеяться.

— Теперь посмотри куда надо. Сыр лежит себе преспокойненько на тарелочке.

Я повернула голову. Действительно, вижу прямоугольный кусок, завернутый в пленку.

— Тебя не смутило, что уругвайский пармезан просто так, без упаковки, валялся на мойке? — веселилась Ирина. — Его странный запах не удивил?

— Ну... — промямлила я, — аромат винограда... эти ягоды часто к сырной тарелке подают... А что я натерла?

Рина расхохоталась.

— Мыло! Я купила его сегодня утром на пробу, мне надоело жидкое, решила попробовать что-то новенькое.

Я попятилась.

— Не может быть! Оно выглядело, как сыр! Не отличить.

— Мыльце сделано специально для мытья посуды, — сгибаясь от смеха, проговорила Ирина, — производители решили: забавно его как кусок эдама оформить! Ой, не могу! Давно у нас такого веселого вечера не было! Сначала кастрюлька с яйцами взорвалась, потом Ваня застрял, затем доктор этот, смешной жутко... И мыло вместо сыра! Ах, слезы из глаз потекли. Прости, Танюша, сейчас вернусь, только носик попудрю.

Ирина Леонидовна убежала. Я секунду постояла, глядя на сыр, потом поспешила в прихожую и стала надевать кроссовки. Деликатная Ирина Леонидовна не упомянула, что все это безудержное веселье произошло благодаря госпоже Сергеевой. Впору под землю от смущения из-за собственной глупости провалиться.

— Ты куда? — удивился Иван, выходя в холл.

— Домой, — пробормотала я, — завтра рано вставать, совещание в девять утра.

Шеф не стал меня задерживать.

— Провожу тебя до машины.

Мы вместе вышли из подъезда, я села в джип, захлопнула дверь и опустила стекло водительской двери.

— До завтра.

Иван помахал мне рукой.

— Таня, у меня к тебе есть предложение.

Я завела мотор.

— Слушаю.

— Выходи за меня замуж, — сказал босс.

Поверьте, я была готова услышать что угодно, но не эту фразу, поэтому от удивления ляпнула:

— Я толстая!

Босс усмехнулся.

— Просто ты обладаешь мышечной массой, обретенной в результате постоянных занятий спортом. А во-вторых, какая разница, что показывают весы? Я хочу взять тебя в жены, а не сделать из тебя примабалерину. Ты подумай, не торопись с ответом.

Иван Никифорович развернулся и побежал к подъезду. Я выехала на проспект и помчалась вперед. Выйти замуж за шефа? Да уж, сегодняшний вечер побил все рекорды по части сюрпризов.

Глава 9

— Думаю, начать надо мне, — сказала Буль, когда все уселись вокруг стола.

— Хорошо, приступайте, — согласилась я.

— Ивана Никифоровича нет, — заметила Анна.

— Он руководит несколькими бригадами, — объяснила я, — и не сможет постоянно приходить на наши рабочие совещания. Что интересного обнаружили, Любовь Павловна?

Буль потерла переносицу.

— Мы помним, что у двери магазина «Ласка» сотрудник, пришедший раньше всех на работу, нашел тело женщины. Он вызвал полицейских, которые оказались отменными головотяпами или элементарными лентяями. Парни отправили покойную в морг и забыли о ней. В сумке, найденной рядом с телом, была кредитка, на ней указаны имя, фамилия, но никто не озаботился сообщить Галине о смерти дочери.

— И хорошо, что полицейские оказались разгильдяями, — зашумела Аня, — благодаря их безответственности Галина Сергеевна не получила стресса. Хотя, конечно, это форменное безобразие! Ну как можно так работать! С полнейшим пофигизмом и наплевательским отношением к людям.

— Меня это не удивляет, — протянул Валерий, — я навидался всякого, когда на земле работал. Иногда даже карманы трупа не проверят, а там паспорт. Тело притянут в морг, одежду на склад сдадут, покойника как неизвестного оформляют. Хорошо, если родственники дотошные, начинают повсюду с фотографией бегать, и какой-нибудь санитар привезенного клиента опознает. В противном случае упокоится бедолага вместе с такими же неопознанными, а семья не узнает, что он мертв.

— Причина смерти: инфаркт вследствие передозировки лекарства «Пситомарин», — продолжала Буль. — Этот антидепрессант давно Россией не закупается, на то есть ряд причин, он имеет массу побочных эффектов, начиная от неукротимого роста аппетита и заканчивая высоким риском развития инфаркта-инсульта. Все медикаменты не рекомендуется запивать алкоголем. Но есть люди, которые плевать хотели на указания врача и инструкцию производителя, проглотив таблетку, они сразу хватаются за спиртное. Реакция организма может быть непредсказуемой. У одних алкоголь изменяет действие лекарства в сторону возбуждения, других, наоборот, вгоняет в сон. Кое у кого пропадает весь эффект от приема препарата: вы его пили, но после стопки водки оно не подействовало. Этакая лотерея, неизвестно, какой билет вытащишь. А вот с «Пситомарином» почти у всех одинаковая ситуация: залил в желудок любое спиртное, оно упало на пилюлю, и тушите свет. Антидепрессант становится во много раз мощнее, человек быстро засыпает. А дальше уж, как Господу Богу угодно. Одни, прохрапев сутки, просыпаются, испытывая ощущение, сходное с сильным похмельем. Другие попадают в больницу, их откачивают, но кое-кого спасти не удается. Из-за крайне резкой реакции «Пситомарина» с «огненной водой» у нас его перестали закупать. Наши люди считают водку панацеей от всех бед, лечатся «беленькой» от простуды, гриппа, поноса, а уж в случае плохого настроения опрокинуть стакан просто сам бог велел. Поэтому сейчас в аптеках «Пситомарин» не найти. Но то, чего нет в аптеке, легко нарыть в Интернете, там тебе что угодно продадут. Характерным признаком отравления «Пситомарином» является темно-синяя кайма вокруг рта, и у нашей покойной она отчетливо видна. В организме этой девушки обнаружили наличие «Пситомарина», равное пяти разовым дозам, и еще большое количество коктейля, который народ называет «Морская пена». Одна его порция содержит шестьдесят миллилитров водки, лимонный сок, сахарный сироп, сырой яичный белок и несколько кубиков льда. Смесь взбивается, получается пена, из-за которой коктейль получил свое название.

— Неизвестная проглотила препарат и начала зажигать, — поморщилась Анна, — очень глупо.

Любовь Павловна встала и подошла к доске, висевшей на стене.

— Могу сказать, что силой в нее ничего не заталкивали и не вливали. Она добровольно воспользовалась лекарством и сама принялась опустошать бокал за бокалом. Но! Вкус водки в «Морской пене» вообще не ощущается, лимонный сок, сахарный сироп и взбитый белок отлично маскируют ее вкус. Женщина могла пить смесь, понятия не имея, что в одной порции шестьдесят миллилитров сорокаградусной.

— Кто-то увидел, как она вынимает блистер и, зная о реакции препарата на алкоголь, начал угощать ее коктейлями, — предположил Валерий. — У нас убийство.

— Мы не можем пока утверждать это наверняка, — охладила я пыл Крапивина.

— Подождите, дайте договорить, — попросила Буль. — Вскрытие в морге сделали тяп-ляп. С трупом работал стажер. Когда я указала на массу допущенных при исследовании ошибок, мне спели песню о маленькой зарплате, о том, что профессионалы уходят в частные похоронные структуры, где получают в разы больше, и с неизвестной-то все ясно было. Ярко выраженная кайма вокруг рта свидетельствовала о приеме «Пситомарина» вкупе со спиртным. Главный прозектор кинул взгляд на погибшую, понял, что та смешала антидепрессант с водкой, велел практиканту: «Потренируйся на простом случае», — и пошел заниматься более интересными делами. Чего же не нашел студент?

Буль выпрямилась.

— Он не понял, что примерно год назад покойная родила. Но и это не самое интересное. Эдита, дай нам фото.

Большой экран на стене посветлел, эксперт взяла указку.

— Зубы. Их нет.

— Совсем? — с недоверием спросил Александр Викторович.

Буль показала световым лучом на челюсти.

— Видите белые отметины? Это импланты, они служат основой для мостов. Не так давно у женщины удалили все моляры-премоляры, на их место одномоментно установили титановые корни, потом навинтили коронки. Стоматологу, который все это соорудил, руки оторвать надо. Денег небось взял гору, а сделал кое-как. Сия красота года на два, на три, а может, и меньше.

— Стоп, — скомандовала я, — сама ставила импланты, их у меня три штуки. Попросила доктора за один визит их поставить, но Аркадий Залманович отказался. По его мнению, этого делать нельзя. Я к Темкину три месяца ходила. А у этой несчастной десять железных штырей, которые, по вашему мнению, сразу установили?!

— Твой врач ответственный человек, — сказала Аня, — посмотри Интернет, там полно объявлений: «Установим любое количество имплантов за день». Кое-кому плевать на пациента, главное, денег срубить. Любовь Павловна, вот вы только что сказали...

— Если можно, без отчества, — поморщилась патологоанатом, — лучше Буля, но можно и Люба и на «ты». Некорректно подчеркивать, что ты намного меня моложе.

— Простите, — неконфликтно отреагировала Анечка, — вот ты, Буля, обвинила прозекторов больницы в невнимательности, но посмотри, они все снимки сделали.

— Как же, — хмыкнула Люба, — это моя работа.

— Сейчас десять утра, — удивилась я. — Когда ты успела?

— Ночью занималась трупом, забрала его вчера вечером, — объяснила эксперт. — Начальник больничного морга чуть не скончался от страха, когда увидел разрешение на вывоз неопознанных останков, подписанное его верховным божеством, сидящим там, — эксперт показала пальцем на потолок. — Не знал, куда лбом передо мной в пол тюкнуться. Работа в особой бригаде приятная штука, я только заикнулась, и Иван Никифорович организовал нужный документ с красивыми автографами.

— Да, это так, — кивнула я, — шеф имеет неограниченные полномочия.

— И он красавчик, — хихикнула Аня.

Люба сдвинула брови, но не одернула Попову.

— Ее зубы, вернее их отсутствие, меня не удивили. У некоторых уже в двадцать лет во рту одни пеньки. Но как установить личность девушки?

— Трудности с идентификацией трупа? — раздался вдруг голос Ивана.

Я вздрогнула, не заметила, как он вошел в комнату.

— Уже работаю, — ответила Эдита, — сравниваю ее фото со снимками пропавших без вести.

— Но ведь можно снять отпечатки пальцев, сделать анализ ДНК, — напомнил Валерий.

— Рою по всем параметрам, — кивнула Эдя. — ДНК Буль взяла, но пока сходства в базах нет. Если покойная раньше пробу не сдавала, мы в пролете. Образец сравнить не с чем будет. И с пальчиками облом. Их нет.

— Как нет? — не поняла я.

— Папиллярные линии нарушены с помощью лазера, — пояснила Люба, — новые технологии. Кожный узор на подушечках ликвидируется с помощью прибора. Ранее преступный мир жег пальцы огнем, кислотой, резал бритвой, но оставались рубцы, глядя на которые сразу становилось понятно: неладно что-то с этим человеком. А сейчас лазер превращает петли и дуги в мешанину, не оставляя от операции ни малейшего следа. Конечно, взяв отпечатки, понимаешь, что их специально деформировали. Но следов-то нет! Подушечки выглядят нетронутыми, доказать, что они подвергались воздействию, невозможно. Человеку говорят: «Алло, дорогой, ты зачем пальчики-то исправлял?» А тот в ответ: «Не понимаю вопроса, я с такими родился». Прибавь сюда пластику лица, документы на другое имя, и упс! Исчез убийца-маньяк-насильник. Вместо него появился добропорядочный гражданин. Остается анализ ДНК, его не подделаешь. Но коли его раньше не брали, то и тут облом. Повторю уже сказанное Эдей: образец сравнить не с чем будет.

Я посмотрела на Ивана.

— Удаленные зубы и переделанные папиллярные линии. Личность неизвестной хотели скрыть.

— Кто-то же должен искать девушку из морга! — возразила Попова. — У нее есть ребенок.

— И что? — мрачно поинтересовалась я. — Мы не в курсе, жив ли он. Известно лишь, что незнакомка рожала.

— Примерно год назад, — снова уточнила Буля, — было кесарево. Младенец мог умереть, или его отдали на воспитание.

— Заявления о пропаже молодой женщины в последние две недели никто не подавал, — объявила Эдита, — и программа не нашла сходства по фото в базе. На ДНК я бы тоже не рассчитывала.

— Тело бросили у магазина «Ласка», — вспомнила я. — Эдита, можешь сказать, где он находится и чем торгует?

— Женская одежда средней ценовой категории, — быстро нашла ответ Булочкина, — у них на сайте написано: «Лучшие элитные коллекции Европы. Берете три вещи, четвертую получите с пятидесятипроцентной скидкой». Наверное, там много покупателей, расположена точка весьма удачно, неподалеку большой офисный центр, поликлиника, кинотеатр, несколько кафе. М-да, труп явно не собирались прятать. И, судя по легкой одежде и балеткам, неуместным в нынешнем июне, тело к магазину откуда-то привезли.

— Почему именно туда? — удивилась я. — Могли бросить где угодно.

— Может, ее убили в соседних домах? — предположил Крапивин.

— Обычно преступники пытаются скрыть труп, а здесь все с точностью наоборот, — заметила Анна.

— Хотелось бы договорить, — нахмурилась Буля. — У покойной очень странные синяки на ногах, на икрах. Пока представить не могу, какой предмет их оставил. Видите?

— Тонкий полумесяц, — кивнула Аня.

— Буква «С», — высказал свое мнение Валерий, — но она в разных видах, по правилам «С» смотрит вправо. Но вот тут она повернута налево.

— Здесь это не «С», а «О», которое распилили поперек, — оживилась я, — оставили лишь верхнюю половинку.

— У нас есть снимки, которые сделала полиция, когда явилась по вызову сотрудников магазина? — поинтересовалась я.

— Вот, любуйтесь, — немедленно ответила Эдя, — тело лежит около входной двери. Может, когда ей стало плохо, она хотела попросить помощи?

— Нельзя отрицать этот вариант, — не стала спорить я, не понимая, что меня беспокоит.

Вроде ничего особенного. Высокая лестница, потом довольно широкая площадка, по бокам которой стоят каменные горшки с цветами, у двери магазина лицом к ступенькам лежит женщина в белом сарафане. Что меня настораживает? И как к погибшей попала кредитка Гортензии?

Глава 10

— Смотрите, — сказала Эдита и показала на экран, — Лариса Федоровна Пашкина, двадцать девять лет. Один раз попала в зону внимания полиции, но вышла сухой из воды. Она просто копия той, что лежит в морге. Зарегистрирована по адресу Краснолесной переулок, дом двенадцать, квартира шесть. Место работы: фрилансер.

— Как ты ее нашла? — спросила я.

Эдя показала на ноутбук.

— Запустила фото лица умершей в поиск. Нигде в наших базах оно не нашлось, значит, девицу не привлекали к ответственности, и вдруг — бац! Только что вылетела фотомордочка с пометкой: «Программа Эксперимент». Сейчас объясню, что случилось. Бокова Наталья Ивановна, сорока девяти лет, вызвала полицию в кафе «Мона». Женщина пошла посмотреть пирожные на витрине, краем глаза увидела, как девушка за соседним столиком, недоев десерт, поспешила к двери, вспомнила, что оставила на стуле свой кошелек, и заорала: «Держите воровку!» Пашкину схватил охранник у двери. Ларису попросили открыть сумку, она ответила отказом. Приехавший патруль забрал всех в отделение. В сумке Пашкиной портмоне не оказалось, но его нашли в кафе на полу. Ларису задержали, утром прибыл ее адвокат, вмиг объяснил полицейским, что кошелек могла уронить сама Бокова, свидетелей противоправных действий Пашкиной нет. На том все закончилось. Но отделение, куда замели Ларису, участвовало в трехмесячном эксперименте, его оснастили камерами и компьютерами. Едва в КПЗ кто-то попадал, автоматически делалось фото и отправлялось в базу. Одно время хотели установить такую технику во всех участках. Снимок любого человека, совершившего даже мелкий хулиганский проступок и отпущенного наутро после сурового внушения, остается навечно в архиве. Но потом посчитали, в какую сумму обойдется эта затея, и забыли о ней. Пашкина очутилась в камере, когда аппаратура вовсю работала. Ее изображение поэтому сохранилось.

— Понятно, — сказала я. — Теперь хочется узнать, как к Пашкиной попала кредитка Гортензии. Лариса ее украла? Или Моисеенко сама отдала ей карточку? И хорошо бы стопроцентно удостовериться в том, что в морге тело Ларисы Федоровны, а не какой-то очень на нее похожей девушки.

— Ну да, — протянула Эдита, — но, думаю, это точно она. Смотрите, на полицейском фото отлично видна особая примета, крупная родинка справа над верхней губой. Отметина похожа на жука.

— У трупа такая же, — оживилась Буля. — Если кто-то выглядит как Пашкина, имеет родинки как у Пашкиной, то она Пашкина.

— Возможно, — согласилась я, — Аня, поговори с соседями Моисеенко, вдруг они что-то интересное расскажут. Валера, выясни как можно больше информации о Ларисе Федоровне, съезди в дом, где она жила, поболтай с соседями. Эдя, поройся в компьютере, нам необходимы все сведения о Пашкиной: кто родители, муж, если это ее труп найден около магазина «Ласка», то возникает вопрос: где ребенок? Я хочу еще раз встретиться с Кариной Хлебниковой, у меня возникло ощущение, что лучшая подруга Гортензии не была с нами предельно откровенна. А еще я собираюсь посетить магазин, где нашли труп.

— А я пока поработаю с бумагами, которые составили полицейские, осматривавшие место преступления, — предложил Александр Викторович, — вдруг чего интересное замечу.

Эдита подняла руку.

— Не успела сказать, что у входа в «Ласку» нет камер. Сейчас почти во всех магазинах есть видеонаблюдение. А в этой торговой точке его нет, и охрана у них тоже отсутствует.

— Как это? — удивилась я. — Наверное, ты ошиблась!

— Нет, — отрезала Эдита, — при желании я могу подключиться к любой видеоточке, установленной на улице. У «Ласки» снаружи нет видеонаблюдения. Мне стало интересно, и я проверила, кто стережет лавку. Никто. Они не подключены на пульт, у них нет договора с каким-нибудь серьезным охранным агентством.

— Может, в задней комнате дежурят охранники с оружием? — предположил Ватагин. — Хозяин решил, что живые секьюрити лучше, чем наблюдение. Вор залезет в зал, пока прикатит патруль, схватит шмотье — и деру, много времени ему не понадобится. А когда сторож на месте, он среагирует сразу.

— Странно, — протянула Эдита, — дед с берданкой — давно ушедший в прошлое персонаж.

— Я имел в виду парней с современными пистолетами, — уточнил психолог.

— Все равно не айс, — уперлась Эдита.

Иван Никифорович поднялся.

— Татьяна, зайди ко мне, есть пара нерешенных служебных вопросов.

Я последовала за боссом, мы поднялись на первый этаж, миновали приемную, в которой у компьютера сидел Антон, помощник Ивана, вошли в просторный кабинет и наконец остались одни. Шеф открыл ящик письменного стола, достал оттуда бархатную коробочку и торжественно произнес:

— Таня, прошу тебя стать моей женой.

Мне стало смешно.

— А где признание в любви?

Иван удивился:

— Разве оно нужно? Я не стану просить руки женщины, не испытывая к ней сильного чувства. Это же понятно. Или ты полагаешь, что у меня есть некий расчет?

Я села в кресло.

— Поскольку жених намного богаче невесты да еще является ее начальником, подозревать в расчетливости надо меня. Понимаю, ты ко мне неравнодушен, но очень хочется услышать признание в любви.

Иван смутился.

— Ладно.

— Давай, — обрадовалась я.

— Ты согласна? — уточнил Иван.

— Сначала надо выяснить, как потенциальная невеста к тебе относится, — посоветовала я. — Вдруг я соглашусь из корыстных побуждений? А слов «Дорогая Таня, я люблю тебя, любишь ли ты меня?» я пока не услышала.

— Ты не станешь проводить свободное время с человеком, который тебе не нравится, — объявил босс.

— Каждой девушке хочется романтики, — жалобно произнесла я, — чего-то необычного, оригинального, запоминающегося на всю жизнь. Обидно как-то просто принять колечко.

Дверь кабинета без стука распахнулась.

— Не помешал? — спросил Димон.

— Конечно, нет, — обрадовалась я. — Что ты тут делаешь?

— Вообще-то я сотрудник бригады, где ты раньше работала, — заявил Коробков. — Почему не берешь трубку? Обзвонился тебе.

Я вынула из кармана мобильный.

— Прости, у нас было совещание, я отключила звук. Что-то случилось?

— Мы с Лапулей приглашаем тебя и вас, Иван Никифорович, на нашу свадьбу, — торжественно объявил Димон, — церемония состоится в ресторане «Кавалер» в августе, вот приглашения. Хорошо, что вас вместе застал, меньше по этажам бегать.

— Вы давно женаты, — пробормотала я. — Или я ошибаюсь?

— Штамп в паспорте есть, — кивнул мой друг, — но красивой церемонии мы не устраивали.

— Подожди-ка! — воскликнула я. — Не вчера дело было, но помню, что покупали Лапуле платье, приехали какие-то ее, уж извини за откровенность, не очень приятные родственники, вроде ресторан арендовали...

— Ага, — согласился Димон, — точно. Саму свадьбу помнишь?

— Да нет, — промямлила я, — кажется, не присутствовала на ней. Может, в командировку улетела?

Коробок покачал головой.

— Нет. Родичи Лапули переругались между собой, и торжество отменили. Жили мы тихо, и вдруг зимой Лапуля мне мозг через трубочку высасывать начала. Хочет белое платье, фату, вопли «горько», букет, подарки, имитацию регистрации, короче, кошмар и ужас. Я сначала отказался, но Лапуля расстроилась, заплакала...

Димон махнул рукой.

— Таняша, ты станешь подружкой невесты. Согласна?

— Почту за честь, — ответила я.

— За неделю до торжества тебе надо будет примерить платье для свадьбы, — продолжал компьютерщик, — приедешь для этого к нам домой.

— Вы решили купить мне наряд? Зачем? — удивилась я. — У меня полно своей одежды.

— Сразу понятно, что ты не замужем, — хмыкнул Димон.

Мне почему-то стало обидно.

— Не надо считать меня старой девой. Дважды ходила в загс.

— Не знаю, как выглядела твоя свадьба в первый раз, а во второй я был свидетелем со стороны жениха, — зачем-то пустился в ненужные воспоминания Димон, — вместе с брачующимися (обожаю это слово, глупее его ничего нет) вы забежали в загс в чем были, в книге подписи оставили — и все бракосочетание. Лапуля же мечтает о торжественной церемонии с соблюдением всех тонкостей. Невеста вся в белом, подруженции в одинаковых платьях, цвет розовый. Все в этом колере, украшение зала, одежда гостей, еда.

— С ума сойти, — восхитилась я. — А многоярусный торт выкатят?

— Непременно, — пообещал Димон.

— Вот почему, когда я недавно заехала к вам в гости, Лапуля решила снять с меня мерки, — осенило меня, — я очень удивилась, когда она притащила сантиметр, но Лапа объяснила, будто ты по работе летишь в Питер, там разводят особую породу голу-

бых коз, из шерсти которых производят пряжу, а уж
ее пускают на вязаные платья. Они продаются только в Северной столице, ты хочешь такое мне на день
рождения купить... Запудрила мне мозги по полной
программе. Вот хитрюга! Она уже тогда к свадьбе готовилась. Почему прямо ничего не сказала?

— Думаю, потому что главное для Лапы устроить
сюрприз, — пробурчал Димон, — удивить друзей. Но
это я так думаю, а что думает Лапуля, неизвестно никому, даже ей самой.

— Вопросов нет, — улыбнулась я.

— Только не вздумай Лапе сказать, что я тебе про
прикид растрепал, — испугался Димон.

— Козы в Питере? — с запозданием усомнился
Иван. — Немного странно.

— Лапуля не всегда складно врет, — объяснила я.

— Да она вообще лгать не умеет, — сказал Димон.

— Что вам купить? — деловито поинтересовался
босс. — А то притащу никчемный подарок.

— Вроде все у нас есть, — пожал плечами Димон.

— Постельное белье всегда пригодится, — решила
я, — комплектов много не бывает, уточню у Лапули
размер кровати.

— Не надо, — замахал руками друг, — она обожа-
ет сюрпризы.

— Тогда сам померяй, — велела я.

— Ладно, — согласился Димон. — Надеюсь, никто из вас не забудет про приглашение?

— Ну что ты, — хором ответили мы с Иваном.

Коробков направился к двери.

— Можешь рассказать, как ты делал жене предложение руки и сердца? — спросила я.

Коробок притормозил и обернулся.

— Лапа очень романтична, поэтому она хотела,
чтобы я нанял карету, запряженную белыми лошадя-

ми, сам сел на коня с розовой гривой, прискакал к нашему дому, спел под гитару серенаду, потом залез по трубе на балкон и протянул ей коробочку с кольцом.

— Здорово, — пробормотала я, — красиво. И ты так поступил?

Димон засмеялся и ушел от ответа. Я посмотрела на Ивана.

— Я вывалюсь из седла, — быстро сказал тот, — и побаиваюсь лошадей, у них зубы здоровенные. По трубе мне тоже карабкаться слабо, природа не оснастила меня присосками на ладонях и ступнях. И ты живешь на двенадцатом этаже, мне туда никогда не доползти, я и до второго не доберусь.

— Ну это же придумала Лапа, — грустно сказала я, — тебе надо что-то свое организовать. Знаешь, никто ради меня никогда не совершал романтических поступков.

Иван посмотрел на бархатную коробочку.

— Значит, кольцо не возьмешь?

Я дала зданий ход.

— Принимаю твое предложение.

Шеф откинул крышку и подал кольцо мне.

— Нравится? Померяй!

— Оно прекрасно, — честно ответила я, надевая колечко с камнем. — Ой! Велико.

— Продавщица уверяла, что оно самое маленькое, — расстроился босс.

— Она ошиблась, — протянула я, показывая, как легко надевается и снимается подарок, — не расстраивайся, его можно уменьшить.

Иван открыл сейф.

— Пусть пока здесь лежит. Зря я Рину не послушал, она советовала тебя в магазин взять. Сказала: «Тане его носить, пусть сама выбирает». Но мне очень уж это колечко по сердцу пришлось.

— Что сказала Ирина Леонидовна, когда услышала о твоем желании сделать ее свекровью? — поинтересовалась я.

Иван закрыл железный шкаф.

— «Давно пора, сколько можно девушке голову морочить». Дословная цитата.

Я встала.

— Странно, что после вчерашнего моего бенефиса со взрывом яиц, приглашением не того соседа и натертым вместо сыра мылом твоя мама не объявила меня персоной нон грата.

— Давай вечером заскочим в магазин? — предложил шеф. — Попросим уменьшить колечко. Или вдруг тебе другое понравится?

— Похоже, сегодня мы не успеем, — пригорюнилась я, — работы выше носа.

— Значит, завтра заедем, хотя лавка круглосуточная, — весело сказал Иван, — я покупал кольцо сегодня в пять утра.

— Надо же! — восхитилась я. — Говорят, народ с каждым днем беднеет, а бриллиантами торгуют и днем и ночью.

Глава 11

Когда я вошла в кабинет Карины, та сразу извинилась:

— Простите, что вам пришлось сюда ехать, но я никак не могу покинуть рабочее место, народ идет и идет. Через час следующий пациент появится. Чай, кофе?

Я отказалась от напитков и без долгих церемоний сразу начала беседу:

— Карина, у Гортензии был с кем-нибудь роман?

Хлебникова подошла к подоконнику и включила стоявший там чайник.

— С такой мамой? Галина Сергеевна следила за дочерью, как за Алмазным фондом не следят. У бедной Горти не было шанса с кем-то познакомиться, мать ей шагу ступить одной не давала.

— Но дочь тем не менее ухитрилась сбежать, — заметила я.

— Исключительно потому, что она соврала про поход ко мне в гости, а мать в этот момент принимала ванну и не могла пойти с ней, — отрезала Карина.

Я поерзала в жестком кресле.

— Галина Сергеевна при всем желании не могла ежесекундно бдеть за дочерью. Старшую Моисеенко свалит сон, а послушная дочка дождется, пока маменька захрапит, и тайком гулять отправится.

— Ночью? — засмеялась Карина. — И куда Горти отправится? Театры закрыты, основная часть магазинов-ресторанов тоже. Даже если посчитать ваше абсурдное предположение возможным, то где развлекаться Горти? Она скромная, молчаливая, из подросткового возраста давно вышла, тусоваться по клубам ей и в голову не придет.

— Ваша подруга в детстве такой же была? — поинтересовалась я. — Чуралась сборищ? Хотя, если вспомнить Галину Сергеевну, то, полагаю, девочке и шага самостоятельно сделать не давали.

Карина открыла коробку с заваркой.

— Может, все же побалуетесь чайком? Один пациент мне его из Англии привозит. Не хотите попробовать знаменитый чай из Лондона?

— В книгах Агаты Кристи герои постоянно лакомятся сэндвичами с огурцами, — улыбнулась я, — один раз я решила себе такие сделать и была разочарована. Очень невкусно. Теперь боюсь потерять иллюзию в отношении английского чая, вдруг он окажется гадким? Почему Галина так стерегла дочь? В чем причина ее страха за Гортензию?

Карина вынула из тумбочки две чашки.

— Все же угощу вас. Я сама задавала себе этот вопрос и никогда не находила ответа. Горти была беспроблемным ребенком, отлично училась, примерно себя вела, слушалась маму.

— А папу? — спросила я.

Карина поставила на маленький столик коробку конфет.

— Валентин Петрович домой возвращался поздно вечером, дочь уже спала. Отец всегда был занят. Я его плохо помню, он скончался, когда мне исполнилось тринадцать. А вот день, когда Валентин Петрович из жизни ушел, в память врезался. На четвертом уроке пришла директриса и забрала Горти. Спустя полчаса прибежала секретарша Ангелина Львовна, взяла ее портфель и объяснила: «Папа Гортензии попал в больницу, у него сердечный приступ. Позвонила ее мама, попросила дочь домой отправить. Если она завтра на занятия придет, не приставайте к ней с вопросами». Но Горти не появлялась в школе долго, ее отправили куда-то к родственнице по материнской линии. Она там несколько месяцев прожила. В школу Горти вернулась лишь в сентябре, сказала, что у тетки жила, сестры отца, о ней она мне раньше не рассказывала. О смерти Валентина Петровича подруга не говорила, а я тоже помалкивала, потому что Галина Сергеевна попросила не заводить разговоры на эту тему. Я, когда первого сентября подругу на линейке увидела, так обрадовалась. Во времена нашего детства мобильных-Интернета-соцсетей не существовало, в селе, куда Горти отправили, даже телефона не было, мы с ней общаться не могли. Я с букетом гладиолусов наперевес кинулась к Моисеенко, помяла цветы, кричу: «Тензи! Как дела!»

Мы с ней друг другу придумали особые имена, которыми пользовались, когда наедине оставались, она Тензи, я Ара. Понятно, что мы просто свои имена сократили. Галина Сергеевна меня отвела в сторону и попросила: «Карочка, Горти очень тяжело вспоминать папу. Если любишь ее, то задуши любопытство. А чтобы ты не мучилась от неведения, объясню: у Валентина Петровича случился инфаркт. К счастью, дочка в школу ушла, не видела смерть отца. Ты уже взрослая, скоро четырнадцать лет стукнет, должна понимать, какой шок испытала девочка, когда директриса ей безо всякой подготовки ляпнула: «Беги скорей домой, твой отец умирает». Нам обеим пришлось пережить трудное время, я от стресса попала в больницу. Теперь ты все знаешь, не терзай Горти расспросами.

Карина замолчала.

— Вы что-то вспомнили, — обрадовалась я.

Кара поджала губы.

— Ничего интересного. Гиперзаботливость по отношению к дочери у Галины Сергеевны появилась только с той осени. Я никогда не задумывалась, почему Галина Сергеевна такая тревожная мать. А сейчас вдруг я сообразила: ее очень напугала скоропостижная кончина мужа. Она стала бояться, что с дочерью тоже может произойти какое-то несчастье, и начала водить Горти за руку. В прямом смысле этого слова. Случаи, когда внезапная смерть кого-то из родных заставляет членов семьи патологически бояться за своих детей, мужа, жену, мать, многократно описаны в учебниках по психологии.

В кабинет заглянула медсестра.

— Что такое, Люся? — недовольно спросила Карина.

— Простите, там Горбунов скандалит, требует вас, — сказала девушка.

Хлебникова закатила глаза.

— Татьяна, извините. Ужасно капризный пациент. Покину вас ненадолго?

— Конечно, — согласилась я и услышала звонок своего мобильного.

Хлебникова ушла, я взяла трубку.

— Знаю, что вы уехали к Карине, — затараторила Эдита, — у меня есть информация, она вам явно пригодится при разговоре. Можете меня выслушать?

— Говори, — разрешила я. Момент для беседы был удачный, Карина покинула кабинет.

— Супер, — обрадовалась Эдита, — я запросила, не заводил ли кто-нибудь на Моисеенко уголовных дел. Нет. Они чисты. Но давным-давно, когда Гортензии исполнилось тринадцать лет, у семьи сгорела изба в деревне. Дом поджег вор, его не поймали, грабитель украл дорогие украшения Елизаветы Гавриловны Браскиной, бриллиантовые серьги и колье, а еще он убил собаку. Преступника не нашли.

— Кто такая Браскина? — удивилась я. — Что она делала с бриллиантами в сельской избушке Моисеенко?

Эдита ответила:

— Пока не знаю, копаю дальше, но вы можете спросить у Кары, вдруг она помнит это происшествие.

— Спасибо, — поблагодарила я.

— Мрбрдр, — пробурчала Булочкина.

— Скажи еще раз, — попросила я, — ничего не разобрала.

— Не за что. В смысле не за что «спасибо» мне говорить, — уже четче произнесла Эдита. — Это я эклер в рот запихнула.

— Приятного тебе аппетита, — вздохнула я.

— Слышу нотки зависти в голосе, — хихикнула Эдита.

— Простите за прерванный разговор, — сказала Карина, входя в кабинет.

Я нажала на экран телефона.

— Ну что вы! Пациенты всегда должны быть на первом месте.

Хлебникова села в кресло.

— Есть люди, которым не объяснишь, что врач не всегда может с ним заниматься, требуют внимания, даже если вы операцию другому человеку делаете.

— Постараюсь надолго вас не задержать, — пообещала я. — Вы сказали, что у Гортензии и Галины Сергеевны никаких родственников, кроме Валентина Петровича, не было?

— Да, это так, — кивнула стоматолог.

— Но, наверное, есть друзья? — спросила я. — Вы упоминали о клиентках, которые до сих пор приходят гадать к Галине? Как их зовут?

— Одна, Есипова Ангелина Михайловна, на днях скончалась, — пояснила Кара, — Молчанову Клавдию Петровну сын забрал к себе, он живет в США, а Голованову Ольгу Сергеевну инсульт разбил. Как-то разом вся компания развалилась. Но они все были значительно старше мамы Гали, им за восемьдесят давно перевалило.

— А кто такая Елизавета Гавриловна Браскина и что за история с пожаром, когда сгорела изба в деревне? — поинтересовалась я.

Кара судорожно закашлялась.

— Господи, кто вам рассказал? — спросила она, справившись с приступом. — Простите, я недавно грипп перенесла, никак кашлять не перестану. Но не пугайтесь, я не заразна. Вот идиот! Обязательно все растреплет.

— Разве информация о пожаре секрет? — удивилась я.

— Конечно, нет, — заверила меня Карина. — С чего бы скрывать то, о чем все знали? Вам просто любопытно, или та давным-давно забытая история может помочь в поисках Гортензии?

— Любые, даже самые незначительные, на ваш взгляд, сведения могут указать нам правильную дорогу, — объяснила я. — Иногда люди произносят, как им кажется, ничего не значащую фразу, а она служит ключом к решению задачи. Один раз мы нашли преступника, потому что консьержка в подъезде жертвы обронила: «Розы — красивые цветы, но они совсем теперь не пахнут, не то что во времена моего детства».

Карина стала перебирать какие-то бумажки на столе.

— Память странная штука, спустя некоторое время события уже выглядят иначе, многое забывается, кое-что представляется не так. Я сама при пожаре не присутствовала, знаю о нем со слов Гортензии. Я считала Елизавету Гавриловну ее бабушкой, Браскина жила вместе с Моисеенко, хлопотала по хозяйству. Горти называла ее баба Лиза. Но потом, мне было лет, наверное, двенадцать, я вдруг сообразила: Елизавета одного возраста с Галиной Сергеевной. Как она может быть бабушкой? Ну и задала вопрос матери Гортензии. Та объяснила: «Елизавета Гавриловна родственница Валентина Петровича. Но, конечно, она не его мать. У Браскиной нет детей, мужа, вот она и приехала к нам. Мы все ее очень любим». Пожар случился летом. У Моисеенко была изба в каком-то подмосковном месте, кажется, она досталась отцу Горти по наследству, название деревни я забыла, вроде Соловьи или Синицы, птичье какое-то. Елизавета Гавриловна обожала огородничать-садовничать. Я на фазенде никогда не бывала, но Горти рассказывала, что у бабы Лизы с ранней весны до поздней осени все цветет, колосится и плодоносит. Меня зимой, когда я прибегала к подруге на городскую квартиру, частенько угощали консервами производства Елизаветы Гавриловны. Такой баклажанной икры и лечо я больше ни у кого не пробовала. Невероятно вкусно. А потом дом сгорел. Баба Лиза поехала в середине мая что-то копать, взяла с собой домашнего любимца семьи лабрадора. Браскина обожала Мими, а та за ней хвостом ходила, рыдала, если Елизавета надолго отлучалась.

Карина умолкла, потом потерла лоб ладонью.

— Честно говорю: плохо помню подробности, да я их и не знала. Мне Горти нашептала, что произошло. Вроде баба Лиза пошла в магазин. Знаете, как в деревнях заведено, сельпо — это клуб. Елизавета Гавриловна с продавщицей, с соседками поболтала, и вдруг крик: «Моисеенко горят». Пожарные долго ехали, когда огонь потушили, во дворе нашли Мими с разбитой головой. Тетя Лиза в дом зашла и поняла: их ограбили. У нее имелись бриллиантовые серьги и ожерелье, она украшения по воскресеньям всегда надевала, традиция у нее такая была, поэтому ювелирку с собой в село привезла. Бархатная коробка стояла в таком месте, куда огонь не добрался. Полка цела осталась, а шкатулки на ней не было. Милиция сразу решила: кто-то позарился на брюлики, увидел, что хозяйка в магазин пошла, залез в дом, а там Мими. Вор собаку убил и здание поджег.

— Неприятная история, — поморщилась я.

— Куда уж хуже, — согласилась Карина. — Елизавета Гавриловна очень переживала, она Мими обожала и украшения жалела, да и последствия были ужасные. Браскина от стресса заболела, сейчас бы сказали, впала в депрессию. Моисеенко ее отправили в санаторий, куда-то на Кавказ минеральную воду пить, а она там умерла. Тяжелый был год для семьи. Зимой в гололед Галина Сергеевна упала, сломала руку, домик в деревне подожгли, собаку убили, баба Лиза умерла...

Кара протяжно вздохнула.

— Если подумать, то в пожаре виновата сама Елизавета Гавриловна. Ну, любила она свой бриллиантовый гарнитур, ну привыкла по воскресеньям в нем щеголять. Но зачем в село его везти? Людей соблазнять? Дом небось как следует не запирался, окна нараспашку... И что за причуда в сельпо за квасом в брюликах ходить? Вот кто-то и соблазнился. Вскоре после смерти Елизаветы Гавриловны инфаркт унес на тот свет Валентина Петровича. Наверное, стресс, который в тот год испытала мама Галя, дал себя знать, у нее сдали нервы, она перепугалась: вдруг и с Гортензией беда приключится, и начала дочку опекать. Гортензия понимала состояние мамы и не роптала. Меня всегда поражало послушание и адское терпение подруги. Раз уж у нас откровенный разговор завязался, скажу правду, Галина Сергеевна легко из себя выходила, она частенько на Гортензию по всяким пустякам набрасывалась.

— А именно? — заинтересовалась я.

Карина опять пошла к чайнику.

— Встречаются женщины, аналог пилы «Дружба», целый день без устали: вжж-вжж-вжж. Тетя Галя могла устроить истерику из-за неправильно поставленных туфель в прихожей.

— А каковы правила размещения обуви? — усмехнулась я.

Карина вынула из шкафа ярко-зеленую упаковку.

— Чаю не хотите, может, кофе попробуете?

Я не хотела показаться капризной, поэтому широко улыбнулась.

— С удовольствием выпью чашечку.

Глава 12

Карина засунула одну капсулу в машину.

— Да в том и беда, что правил не существовало. Попадет Галине Сергеевне шлея под хвост, и она к чему угодно прицепится. Туфельки в прихожей криво стоят, мыло некрасиво на полочке лежит, кефир невкусный, на улице дождь, в Африке война... Без разницы, что случилось, если у Галины Сергеевны возник зуд скандала, непременно его устроит. Мать выясняла отношения с Горти по одной схеме. Сначала вопли: «Почему обувь криво стоит?» Потом через минут пятнадцать бурного возмущения падение на кровать и стон: «Ты мне жизнь загубила, я из-за тебя после смерти папы замуж не вышла. Сто раз могла свою судьбу устроить, но ты не давала!» Слезы, подъем давления, приезд «Скорой»...

— Похоже на истерический припадок, — поставила я диагноз.

— Он и есть, — согласилась Кара, — устрой мне кто такое представление, даже мать родная, я молчать бы не стала. Самый действенный способ вразумить истеричку, плеснуть ей в лицо ледяной воды. Сколько раз я советовала Горти так сделать! Она всегда отвечала:

— Ты же знаешь, это скандал на полчаса. Вскоре мама успокоится, обнимет меня, поцелует, и мы прекрасно будем жить дальше.

Это правда. Полетав на метле, Галина Сергеевна выдыхала, становилась приторно-сладкой, рассыпалась в похвалах дочке. А потом снова очередная истерика.

— Часто Галину так колбасило? — уточнила я.

— Иногда раз в три месяца, иногда раз в день, — пожала плечами Кара. — Я неоднократно вкладывала Горти в голову мысль: надо изменить свою жизнь, отделиться от матери, завести любовника. Подруга говорила: «Кара, я счастлива. Успокойся. Какие мои годы, еще сто раз выйду замуж». А перед побегом Горти Галину словно с цепи спустили, по несколько раз в любое время суток орать принималась. Думаю, это сыграло решающую роль в побеге Горти.

Я взяла из рук хозяйки кабинета чашечку кофе.

— Странно, что она столько лет терпела.

— В конце концов даже ее бесконечная терпелка лопнула, — мрачно перебила меня Карина, — поэтому и удрала.

— Непонятно, почему Гортензия вас не предупредила о побеге, — продолжала я, — ведь понимала, что вы будете беспокоиться.

Карина развела руками.

— Сама не ожидала от нее такого. Но в том, что она сбежала, совершенно не сомневаюсь. Ну сколько можно ходить с мамой под руку? Терпеть перепады ее настроения, которые в последнее время стали постоянными? Сделайте одолжение, бросьте поиски. Возможно, вам удастся найти Горти, но тогда она вернется туда, где ей было очень плохо.

Хлебникова насыпала в чашку сахар.

— У меня муж, работа, поэтому каждый день общаться с Горти не получалось. Но я от нее знала, что поведение Галины Сергеевны стало невыносимым. Я даже посоветовала ей пригласить домой хорошего психиатра. Мне стало казаться, что у мамы Гали развивается заболевание. В день побега дочь возила ее в какое-то кафе, потом они посетили выставку. Или наоборот? Сначала выставка, затем трактир? После трех часов они прошлись по магазинам. Клиника Валентина Петровича приносит солидный доход, его вдова и дочь не стеснены в тратах. Горти не копила денег на то, что ей нравилось. И она была щедрой. Накануне прошлого Нового года я обмолвилась, что мечтаю о сумке «Диор», черной с розовым карманом снаружи. Мне ее так хотелось! До слез! Но не с моими доходами. Аксессуар от Диор стоит бешеных денег, несколько сотен тысяч. Я понимала, что моя мечта мечтой и останется. Но желание обладать сумочкой прямо сжирало, она мне во сне виделась.

Кара одернула блузку.

— Я, конечно, полная дурочка, не повторяйте никогда мою ошибку. Зашла в Интернет на сайт, где торгуют фейками, нашла нужную модель и приобрела ее задешево. Неделю радовалась. Правда, иногда гаденький голосок в голове шептал: «Она не настоящая, китайская подделка». Радость на время утихала, а потом снова расцветала. На восьмой день у сумки оторвались ручки. Я их пришила. Через неделю кожа на боковинах покоробилась, съежилась, фурнитура отвалилась, вдобавок моя покупка стала пачкать одежду, краска линяла...

Карина подперла подбородок кулаком.

— Мне было стыдно признаваться, что приобрела копию, на работе все полагали, будто у меня подлинный «Диор». До того, как разрушиться, аксессуар выглядел идеально. Горти я тоже наврала. А она спустя время спросила: «Ара, почему «диорочку» не носишь? Разонравилась?» Пришлось признаться: «Это фейк, он развалился». Горти меня не осудила, только заметила: «Не стоит верить Интернету». Через месяц тридцатого декабря она подарила мне настоящий «Диор», мою мечту, черную сумку с розовым карманом снаружи.

Хлебникова показала на диван.

— Вон она. Не расстаюсь с этой красотой. Когда я увидела, что принесла подруга, онемела и не хотела принимать презент. Это же такие деньги! Горти меня поняла: «Хорошо, тебе неудобно взять слишком дорогой подарок. Давай считать, что ты у меня кредит взяла. Назначаю взносы по две тысячи в месяц, без процентов». Мне смешно стало. «Сколько же лет придется выплачивать копейки?» Гортензия тоже развеселилась.

— У меня есть только одна подруга. Может, не будем из-за денег спорить? Мне радостно, что я могу осуществить твою мечту.

Кара с нежностью посмотрела на сумку.

— Горти очень добрая. И Галина Сергеевна, несмотря на свои припадки, тоже. За неделю до ухода Гортензии в подъезде, где живут Моисеенко, умер юноша, совсем молодой. Передоз. Что-то он себе вколол и скончался. Так Галина Сергеевна побежала его матери денег на похороны давать.

— Когда я была школьницей, в нашем дворе часто собирали разные суммы, — вспомнила я, — помогали друг другу на свадьбу, поминки, проводы в армию. Соседская взаимовыручка, сегодня ты немного денег дашь, завтра тебе помогут. Правда, не все делились...

Я замолчала. Ни мои родители, ни бабка никогда не открывали кошелек. Если в нашу квартиру кто-то звонил, старуха или мать шептали:

— Танька, крикни: «Дома нет никого, я одна, уходите».

А потом возмущались:

— Опять Верка из двенадцатой по этажам со списком ходит и клянчит. Без нас обойдутся, мы на машину собираем, лишних денег не имеем.

Карина пригубила остывший кофе.

— Так это когда было! Теперь люди иначе себя ведут. Дом Моисеенко перестал быть элитным. Раньше это был кооператив медработников, а теперь муравейник. Часть квартир продана разным людям, часть сдается. Галина помогла совершенно незнакомой женщине.

— Гортензия попрощалась с вами перед побегом? — уточнила я.

— Нет, — твердо ответила Карина, — я не общалась с ней в тот день. Мне в панике тетя Галя позвонила.

Я вернула чашку на блюдце.

— Пожалуйста, не скрывайте от нас ничего, информация дальше офиса не пойдет. Подумайте, может, у Гортензии в последнее время появился сердечный друг? Вдруг она обмолвилась о знакомстве с кем-то в Сети?

Карина покачала головой.

— Компьютера у Горти нет. Она не умеет им пользоваться. Тетя Галя проверяла ее телефон, эсэмэски читала. Из подруг у нее была только я.

— Кредитки у младшей Моисеенко есть? — не успокаивалась я.

— Да, — кивнула Карина, — Валентин Петрович, будто предчувствуя свою смерть, составил завещание. Прибыль от клиники принадлежит Гортензии и Галине Сергеевне. Моя подруга материально ни от кого не зависит.

— Вам знакома Лариса Федоровна Пашкина? — спросила я.

Карина сдвинула брови, потом открыла ноутбук.

— В ближнем кругу такой нет. Сейчас посмотрю среди пациентов. Есть Пашкевич, но это мужчина.

Дверь кабинета противно заскрипела.

— Доктор Хлебникова, — сказал звонкий голос, — вас Георгий Маркович давно ждет, сердиться начал.

Кара встала.

— У нашего главврача пунктик: не терпит опозданий. Уж простите, что ничем не помогла.

— Спасибо, что потратили на меня свое время, — вежливо отозвалась я.

Глава 13

До магазина «Ласка» я добиралась больше часа, а когда наконец очутилась там, где нашли тело Пашкиной, вновь ощутила беспокойство и остановилась, так и не войдя внутрь. Что меня тревожит? На первый взгляд ничего особенного нет. Я нахожусь на шумной улице, район не элитный, не староарбатские переулки, где квартиры стоят немереные миллионы, не Остоженка, не Пречистенка. Но и не то место, где кучно живут недавно приехавшие на заработки в Москву люди. В расположенных вокруг домах скорее всего обитают среднеобеспеченные москвичи. Толпа выглядит прилично, пьяных и бомжей нет. В ста метрах от меня высится большой торговый центр с кинотеатрами-ресторанами. Чуть поодаль многоэтажная офисная башня, неподалеку автобусные остановки, подземный переход, над которым висит буква «М». Я еще раз взглянула на вход в «Ласку», так и не поняв, что меня волнует, стала подниматься вверх по довольно крутой лестнице. Владельцу магазина нужно установить перила, без них неудобно, ступеньки очень высокие, узкие, от постоянно моросящего дождя они стали скользкими, без опоры можно упасть.

— Мама, — раздался сзади дискант подростка, — им сегодня футболки привезли. Давай зайдем.

— Сейчас не могу, — ответил усталый женский голос.

— Что? Опять денег нет? — фыркнул тинейджер. — Ты мне обещала!

Я обернулась. У подножия лестницы стояла женщина с большой коляской, рядом с ней девочка лет четырнадцати с обиженным лицом.

— Им сегодня футболки привезли, — повторила она.

— Завтра заглянем, — пообещала мать.

— Вторую неделю твои завтраки ем, — возмутилась дочь, — сразу скажи: бабло потратила. То, что мне на покупку обещала, бабке на лекарства снова ушло. Да? Или на памперсы Витьке?

— Нет, — возразила мама, — твои деньги нетронуты.

— Пошли! — обрадовалась дочь.

— Наташенька, сегодня не получится, — терпеливо сказала женщина.

— Почему? — заорала дочь.

— Лестница очень крутая, мне с коляской по ней не взобраться, — пояснила мать.

Наташа надулась.

— Подумаешь, оставь Витьку здесь.

— Одного на улице? — рассердилась мать. — Бросить младенца? С ума сошла? Вдруг его украдут?

— И фиг с ним, — буркнула Наташа, — мне футболку вторую неделю обещаешь, скоро лето закончится.

— Оно только началось, — заметила мать.

— Дай денег, одна пойду, — потребовала дочь.

— Они на карте, а кредитка на мое имя.

— И чего? Ты Наталья Волкова, и я Наталья Волкова, могу паспорт показать, никто не подкопается.

— Надо пин-код знать!

— Говори, я запомню.

— Нет, в прошлый раз, когда ты брала мою карту, все деньги потратила. Договорились, что купишь только джинсы, а ты расфуфыкала всю мою зарплату на ерунду. Теперь только со мной пойдешь в магазин. А мне с коляской по ступенькам не подняться! И не вздумай опять предложить оставить Витеньку одного на улице!

— Ты меня ненавидишь, — зашмыгала носом Наташа, — родила этого мерзавца, и все ему!!!

— После такого заявления можешь не надеяться на обновки, — отрезала мать и, толкая перед собой коляску, быстро пошла вперед.

Девочка побежала за ней.

— Ма! Ну ма! Ты же обещала.

Я посмотрела на лестницу. Ступеньки очень неудобные, крутые, узкие, перил нет...

Дверь магазина открылась, в проеме показался мужчина, он вдруг замахал руками, упал на колени, его по инерции потянуло вперед, и он рухнул лицом на плитку. Пакет с надписью: «Ласка» вылетел из руки покупателя и спланировал на тротуар. Я живо подобрала пластиковую сумку, взбежала по ступенькам и спросила:

— Вы живы? Ничего не сломали?

— Вроде нет, — прокряхтел незнакомец.

Я протянула ему руку.

— Можете встать?

— Спасибо вам, — поблагодарил мужчина, поднимаясь. — В магазин идете? Выходите оттуда осторожнее. Там высокий порог, я споткнулся о него и чебурахнулся. Хорошо, что кости целы.

Забрав свой пакет, покупатель, чуть прихрамывая, пошагал вниз. А я не стала заглядывать в «Ласку», вернулась в джип и позвонила Эдите.

— Их величество принцесса Интернета на проводе, — ответила моя новая сотрудница.

— Самодержица особой бригады желает получить информацию, — в тон ей ответила я. — Ну-ка, вышли мне скорехонько фото трупа Пашкиной. Как он лежал?

— Ваш личный джинн уже выполнил приказ, — отрапортовала Эдита.

Я нажала на дисплей, установленный на торпеде, увидела снимок и тут же позвонила шефу со словами:

— Мы ошиблись.

— Кто? Где? При каких обстоятельствах? — поинтересовался Иван.

Я быстро заговорила:

— Думали, что Пашкина шла мимо магазина «Ласка» и упала около него. Она брела, по логике вещей, с вечеринки, где запила таблетки антидепрессанта коктейлем «Морская пена». Можешь Булю подключить к нашему разговору?

Экран мигнул, в верхнем правом углу возник квадрат, в нем появилось лицо эксперта.

— Привет, Тань! У нас селекторное совещание?

Я не отреагировала на шутку.

— Скажи, труп Ларисы мог подняться вверх по высоким ступенькам? Учти, там нет перил.

— Мертвое тело не способно двигаться, — без тени усмешки заявила Люба, — ни разу не сталкивалась со случаем самостоятельного передвижения покойника по лестнице.

Я поняла, что неверно задала вопрос:

— Пашкина незадолго до смерти могла преодолеть более десяти крутых ступеней? Не опираясь на поручни?

— Полагаю, что нет, — после короткого раздумья ответила Буль, — смесь «Пситомарина» с водкой не цианид, за несколько секунд не убьет. Человеку становится плохо постепенно. Голова начинает кружиться, теряется ориентация в пространстве. Пашкина худенькая, думаю, у нее этот процесс развивался быстрее, но все равно, понадобилось бы часа полтора-два, хотя все очень индивидуально, нужно учитывать много факторов, а не только рост-вес.

— Теперь гляньте на снимок с места происшествия, — попросила я, — меня он сразу насторожил, но я не сообразила почему. А сейчас, постояв у магазина и увидев, как один покупатель упал, выходя из дверей, я догадалась, почему ощутила беспокойство. Ну, во-первых, неудобная лесенка, по которой в предсмертном состоянии не вскарабкаешься. Во-вторых, Лариса лежала ногами к двери, лицом к ступенькам.

— Вот же коза! — взвизгнула Буля. — Я себя имею в виду. Не скумекала! Грохнись Пашкина, поднявшись на крыльцо, ее ступни смотрели бы в сторону лестницы, а голова в сторону двери. Лариса выходила из «Ласки».

— Точно, — ажитировалась я, — мужчина, который на моих глазах упал, пожаловался, что в магазине высокий порог, он за него ногой зацепился.

— «Ласка» закрывается в десять вечера, — сказал Иван, — магазин запирал директор, и никакого тела тогда не было. Пашкину нашли утром. Тань, твои мысли по сему поводу?

Я начала фантазировать.

— Лариса банальная воровка. Она где-то спряталась, подождала, пока сотрудники уйдут, набрала вещей, хотела уйти, почувствовала недомогание, споткнулась о порог, упала и умерла.

— Где пакет с краденым? — осведомился шеф. — Почему Пашкина, несмотря на холодный ветреный день, одета в тонкое платье с неприличным декольте и балетки? Откуда у нее кредитка Гортензии?

— Моисеенко пришла за покупками, оставила сумку в примерочной, побежала в зал поменять неподошедший товар, а Пашкина увидела брошенный ридикюль, залезла в него и прихватизировала карточку, — ответила вместо меня Буля, — пакет с вещами стащил припозднившийся прохожий, есть такие люди, им мертвеца обворовать как чихнуть!

— Посмотри на ее уши, — попросила я, — в них сережки. И сумка рядом. Вор забрал бы все.

— Не согласна, — заспорила Люба, — схватить мешок со шмотками это одно, а грабить покойную — стремно. Большинство людей испытывает страх перед трупом. Хотя это глупо, опасаться надо живых.

— За какое время до смерти Лариса выпила коктейль «Морская пена»? — уточнил шеф.

— За час-полтора, — предположила Буль, — еще в желудке были орешки, оливки, маслины. Закуска. Жертва явно гудела на веселой вечеринке.

— Пашкина выходила из магазина, — уперлась я.

— Возможно, — согласился Иван, — значит, гульбанили именно там.

— Необычное место для тусовки, — заметила эксперт.

— Орешки, маслины, оливки, — перечислил босс, — не богатый стол. Можно предположить, что кто-то из сотрудников решил отметить день рождения. И у этого человека пусто в кошельке, снять кафе он не мог, а дома по какой-то причине собрать народ не удалось. Жена, родители, дети, квартира маленькая... Вот и накрыл в подсобке поляну.

— Полиция опрашивала продавцов, директора, — возразила я, тормозя на светофоре. — В отчете нет ни слова о вечеринке, никто о ней даже не заикнулся.

Иван мигом нашел объяснение:

— И понятно почему, начальство в известность не поставили, приглашался узкий круг. Организатор веселья ушел вместе со всеми, потом вернулся, открыл торговую точку и впустил приятелей. Возможно, гости не имеют никакого отношения к торговле одеждой. Пашкина была в их числе. Надо срочно проверить все ее контакты и сравнить их с именами тех, кто работает в магазине, может, так вычислим зачинщика веселухи.

— Ладно, — сдалась Буль, — пусть Лариса — одна из гостей на прездновании дня рождения. Но это никак не объясняет ее неподходящую одежду и кредитку Гортензии.

— Моисеенко тоже находилась там, — придумала я на ходу, — Пашкина у нее карточку украла.

— Таня, ты где находишься? — поинтересовался шеф.

— Испытывая желание съесть слона, тащусь по Садовому кольцу, — грустно ответила я, — оно стоит.

— И в каком ты месте застряла? — полюбопытствовал босс. — Спасибо, Любовь Павловна, мы закончили.

— Всем пока, — попрощалась Буль.

Квадрат на мониторе исчез.

— Неподалеку от Смоленской площади, — уточнила я.

— Езжай в Глазовский переулок и жди меня там, — приказал шеф.

— Зачем? — удивилась я. — Мне до офиса недолго осталось.

— Время к восьми подбирается, рабочий день окончен, — сказал Иван.

— Он у нас ненормированный, — удивилась я, — сейчас Аня и Валерий вернутся, расскажут...

Шеф не дал мне договорить.

— Я велел им по домам катить.

— Минуточку! Это моя бригада, — рассердилась я.

— А я твой начальник, — заявил босс.

Я постаралась говорить спокойно:

— С этим не спорю. Ты имеешь полное право делать мне замечания, раздавать приказы, объявлять выговоры, но своими людьми я командую сама.

— Ладно, ладно, — забубнил Иван, — не кипятись. Хочу тебя пригласить на романтический ужин, поэтому использовал служебное положение в личных целях, разогнал всех по домам.

От неожиданности я проскочила на желтый сигнал светофора. Романтический ужин? Иван Никифорович знает, что такие устраивают?

— Слышишь меня? — спросил босс.

— Не одета для такого случая, — смутилась я, — на мне джинсы и кофта.

— Ты всегда прекрасно выглядишь, — заверил Иван, — да я и сам не в смокинге. Запаркуйся в Глазовском, скоро подскачу, уже еду.

Глава 14

— Садись ко мне в машину, — велел шеф, открывая дверь своего внедорожника.

Я покорно устроилась на переднем пассажирском сиденье.

— Куда направляемся?

Шеф плавно отъехал от тротуара.

— Тут недалеко есть заведение под названием «Удивительное путешествие», очень популярное место, туда запись на полгода вперед.

— Ни разу не слышала о трактире, — призналась я, — но я не хожу в пафосные места, о посещении которых надо заблаговременно предупредить администрацию. Меня вполне устраивают скромные заведения неподалеку от дома или работы. И в последний год я по вечерам перестала ужинать в пиццерии, ты часто приглашаешь меня в гости, а стряпня Рины намного вкуснее ресторанной.

— Да, в маме пропал гениальный повар, — согласился босс, — уж она бы такую харчевню организовала.

— Не предлагал ей заняться бизнесом? — спросила я.

— Что ты, — засмеялся Иван, — с ее занятостью это невозможно. Целый день по работе крутится.

— Рина нигде не служит, — удивилась я.

Иван Никифорович сосредоточенно уставился в лобовое стекло.

— Ну народ! Правила будто не для них писаны! Бегут на красный свет! Прости, что ты сказала?

— Разве Ирина Леонидовна сидит в офисе? — повторила я.

— Конечно, нет, — ответил Иван, — говоря о ее занятости, я имел в виду... э... э... что Рина активно ходит на фитнес, она каждый день в зале.

— Вот молодец, — восхитилась я, — понятно теперь, почему у твоей мамы красивая фигура.

— Еще занятия фламенко, — оживился босс, — клуб любителей музеев, лига художников-примитивистов, вышивание картин, поездки с приятельницами в разные города, походы с ними в театр, консерваторию... У мамы свободной минуты нет. Она вовсе не каждый день что-то вкусное готовит, подчас мы заказываем на дом пиццу.

— Правда? — поразилась я.

— Случается, — кивнул босс, — это ради тебя Рина выкладывается по полной программе. Если я говорю, что в гости заглянет Таня, мама кидается к плите, и мне потом достается какой-нибудь кулинарный шедевр.

— Вот почему ты в последний год постоянно приглашал меня на ужин, — развеселилась я, — ты просто хотел вкусно поесть. А я уж нафантазировала...

Иван воспринял мое шутливое замечание всерьез и начал оправдываться:

— Нет, еда тут ни при чем. Не возражаю, я люблю вкусно поесть, но ради этого не стану звать домой неприятного человека. Ты мне сразу при первой встрече понравилась. Показал твою фотографию маме, она сказала: «Умница и красавица, приглядись к ней». Рина, как обычно, оказалась права, ты умная и красивая.

Я глупо захихикала. Совершенно не умею принимать комплименты. Назови сейчас Иван меня жирной и глупой уродиной, я бы знала, как отреагировать. Но что сказать, если тебя нахваливают?

— Приехали, — сообщил Иван Никифорович, — вход слева.

Я посмотрела на дом, около которого припарковался босс. Более странного сооружения в жизни не видела! Передо мной возвышалось широкое прямоугольное здание без окон и дверей. Я задрала голову. Из крыши торчала очень широкая и высокая труба. На конце этого сооружения находился второй этаж. Правда, есть ли в нем окна-двери, не видно, потому что эта часть дома поднята на высоту сорока, а может, и пятидесяти метров. Я сейчас вижу только его, так сказать, дно. Скорей всего, толстая труба — это шахта лифта, с помощью которого можно попасть наверх. Согласитесь, это как-то странно, хотя многие великие архитекторы создавали сооружения, которые вызывают у простого человека оторопь.

— Пойдем? — предложил шеф.

— Ты уверен, что приехал по правильному адресу? — на всякий случай уточнила я.

— Стопроцентно, — заверил Иван, подводя меня к глухой стене дома.

— Где дверь? — не поняла я.

Иван Никифорович поднес к уху телефон.

— Алло! Путешественники у входа.

Часть каменной кладки отъехала в сторону.

— Ну, вперед, — поторопил шеф.

Я вошла внутрь и опешила. Это же не ресторан!

Я нахожусь сейчас в небольшом зале ожидания аэропорта. За окном видно летное поле, где стоят лайнеры под разными флагами, от них тянутся телескопические трапы.

Я потрясла головой. Танюша, это гигантское фото, ты в самом центре Москвы, какой аэровокзал! И окон у здания нет! Внезапно к одному из самолетов подъехала какая-то служебная машина, замигала желтым маячком, по полю пробежали рабочие в комбинезонах...

— Пассажира Аверьянова Владимира Петровича просят пройти на рейс пятьсот девяносто шесть Москва — Мадрид, — объявило радио.

Мужчина, сидевший на одном из диванов с газетой, встал, к нему подошла очаровательная женщина в красной форме.

— Добрый день, я Нина, в мои обязанности входит сопровождать ВИП-пассажиров в зону посадки, следуйте за мной, пожалуйста.

— Давай сядем, — предложил Иван, — вон два свободных кресла.

— Где мы? — налетела я на него. — Это не трактир.

— Да, — кивнул он, — я обманул тебя, хотел сделать сюрприз. Мы в ВИП-зале аэропорта.

— Из центра Москвы самолеты не вылетают, — усмехнулась я.

Босс подсунул под спину подушку.

— Ты уверена? Столица полна тайн. В советские годы меня один раз случайно занесло на секретный завод на Ленинградском проспекте. Там, не доходя до спорткомплекса ЦСКА, была бензоколонка, за ней находился кирпичный домик. Когда я к нему подошел, решил, что ошибся, нахожусь около большой трансформаторной будки, но нажал на звонок, дверь открылась, а за ней охраны полно, лифты. Вошел я в подъемник, а он как ухнет вниз на минус восьмой этаж. Оказалось, что под землей целый город построен, люди наверху ходят, машины едут, и никому невдомек, что под асфальтом огромное производство. И в столице, кстати, есть аэровокзал.

Я внимательно осмотрела комнату.

— Так он все на том же Ленинградском проспекте. И оттуда за рубеж не летают.

— Господ Лаврентьевых Оксану и Федора просят проследовать на посадку на рейс семьсот десять Москва — Нью-Йорк, — сказало радио.

К нам подошла женщина в красной форме.

— Добрый день, господа Лаврентьевы, меня зовут Нина.

— Простите, мы не Лаврентьевы, — остановил ее шеф.

В глазах служащей появилась растерянность.

— Прошу прощения, компьютер что-то напутал. Секундочку.

Девушка метнулась к ресепшен, схватилась за телефон, с кем-то поговорила и прибежала назад все с той же улыбкой на устах.

— Уважаемые Татьяна и Иван! Наша фирма приносит вам глубочайшие извинения. Прошу вас проследовать на посадку.

Мы вошли в лифт, кабина стремительно помчалась вверх, мне стало весело. Значит, я не ошиблась, труба на самом деле шахта подъемника. Пластиковые двери разъехались. Перед нами оказался вход в самолет, в проеме стояла очаровательная стюардесса.

— Рада приветствовать вас на борту нашего суперсовременного и сверхнадежного лайнера, — защебетала она, — прошу сюда, устраивайтесь. Взлет через пять минут.

Я исподтишка посмотрела на Ивана, он выглядел

донельзя довольным, ну прямо маленький мальчик, получивший в подарок вожделенную игрушку. Я решила поддержать игру.

— О! Смотри, какой салон! Тут кресло, диван, стол и двуспальная кровать!

Иван оглядел интерьер, и я поняла, что он искренне удивлен. Босс открыл рот, явно хотел что-то сказать, и тут снова появилась стюардесса.

— Прошу вас занять места в креслах и пристегнуться. Извините за доставленное неудобство, но таковы правила.

Не успела я защелкнуть пряжку, как «самолет» затрясся, загудел, помчался вперед, и меня слегка вдавило в кресло.

— Как они это делают? — поразилась я. — Полное ощущение, что мы на самом деле поднимаемся в воздух.

— Ты в настоящем самолете, — заявил босс.

— И куда же мы летим? — хихикнула я.

Иван взял меня за руку.

— Я обдумал твои слова насчет отсутствия романтики в наших отношениях и понял: ты права со всех сторон. Я мужлан. Не дарил тебе цветов-конфет, милых подарков, в ресторан-кино не водил.

— Ну почему же, — возразила я, — помнится, мы ходили с тобой в чудесное место, на мне тогда еще платье лопнуло[1].

— Это было по работе, — возразил босс, — в общем, я учел свои ошибки. Сейчас приземлимся в Венеции, сядем в гондолу, и я вручу тебе кольцо.

— Ты мне его уже один раз дарил, а потом убрал в сейф, потому что оно велико, — напомнила я.

---

[1] Эта ситуация подробно рассказана в книге Дарьи Донцовой «Бермудский треугольник черной вдовы».

— Еще раз отдам, — уперся Иван Никифорович, — в романтической обстановке. Ты его возьмешь, а завтра обменяем.

— Уважаемые пассажиры, — забубнило радио, — погасло предупредительное табло, вы можете отстегнуть ремни безопасности. Сейчас будет подан обед и шампанское. Наш полет Москва — Нью-Йорк проходит на высоте десяти тысяч метров. За бортом минус пятьдесят шесть градусов. Время в пути тринадцать часов двадцать минут. Экипаж желает вам прекрасного полета. Командир корабля Алексей Зубов.

— Нью-Йорк? — повторила я. — Вроде ты упоминал про Венецию.

Иван сдвинул брови и нажал кнопку на ручке кресла. Перед нами мигом выросла стюардесса. Шеф посмотрел на бейджик, прикрепленный к ее пиджаку.

— Оксана, куда мы направляемся?

— В Нью-Йорк, аэропорт имени Джона Кеннеди, — отрапортовала красавица.

— У нас билеты в Венецию, — сказала я, — нас не туда посадили!

Оксана вмиг стала пунцовой.

— Не может быть. Господа Лаврентьевы забронировали ВИП-салон нашего сверхкомфортного самолета для путешествия в Америку.

— Охотно верю, — кивнул Иван, — что Лаврентьевы собрались в США.

— Фу, — выдохнула девушка, — как хорошо, когда у пассажиров есть чувство юмора! Здорово вы меня разыграли!

Иван Никифорович встал.

— Лаврентьевы хотят попасть в Нью-Йорк, но мы с Татьяной вознамерились провести время в Венеции.

Глава 15

Оксана заморгала.

— Вы не Лаврентьевы?

— Нет, — хором ответили мы с боссом, и я добавила: — Точно не они.

— Давайте обратимся к капитану корабля, пусть он вернет туристов в аэропорт, — слишком вежливым тоном произнес шеф, и я поняла, что он здорово разозлился.

Оксана заломила руки.

— Простите, это невозможно.

— Почему? — осведомился босс.

— Мы уже в пути, — дрожащим голосом пояснила стюардесса, — вернуться — огромная проблема. Незапланированная посадка стоит офигенных денег, ее производят только в случае угрозы жизни пассажиров или членов экипажа.

Мне надоел глупый разговор.

— Оксана, мы взрослые люди, остановите этот спектакль, объясните организаторам балагана, что они напутали, поменяйте интерьер, и мы отправимся в Венецию.

Стюардесса отступила на шаг.

— Это не имитация, а реальный полет.

— Ну хватит, — рассердилась я, — зовите сюда своего начальника. Предполагаю, что спектакль стоит кучу денег, а их надо отрабатывать. Клиент заказывал Венецию. На фиг ему Нью-Йорк. Если вы попросите в ресторане стейк, а получите манную кашу и официант откажется ее поменять. Ваша реакция?

— Потребую жалобную книгу, — пропищала девушка.

— Отлично, — кивнул Иван, — а мы хотим видеть капитана корабля.

— Он пока не может оставить штурвал, — захныкала Оксана, — через полчаса включится автопилот, тогда пожалуйста! У нас триста шестьдесят пассажиров на борту, много детей...

Мы с Иваном расхохотались.

— Пожалуйста, разверните ваши кресла в сторону вон той двери, — попросила стюардесса, — ВИП-салон полностью изолирован от других помещений, нам не разрешено открывать соединительный коридор, но ваш случай исключительный.

Мы с Иваном одновременно нажали на кнопки в подлокотниках. Сиденья живо повернулись, Оксана открыла коробочку на стене, набрала на панели какой-то пароль. Дверь с шипением отъехала в сторону, я увидела длинный салон, три ряда кресел, множество пассажиров и парочку детей, бегающих по проходу. Все выглядело так реально, что я оторопела. Мы что, и правда в самолете?

— У вас прекрасный компьютер, — хмыкнул Иван, — все как живые, а теперь попросите кого-нибудь из пассажиров зайти к нам.

— Это запрещено, — отрезала девушка.

— Конечно, — кивнула я, — виртуальный человек не может сюда заглянуть.

Оксана опять покраснела и взяла прикрепленную к стене трубку.

— Катя, випы приглашают к ним в гости пассажира эконом-класса. Знаю, но это випы, им все можно. Нет, они думают, что этот полет — спектакль, компьютерная имитация, хотят убедиться, что люди реальные. Хорошо.

Оксана посмотрела на меня.

— Кого хотите позвать? Мужчину, женщину?

— А есть выбор? — засмеялась я. — Давайте представителя сильного пола.

— Какого? — уточнила стюардесса. — Сами выбирайте, чтобы потом не говорили про подставу.

Я показала на парня в джинсах, который сидел боком, выставив одну ногу в проход.

— Можно его?

— Катя, место пять «с», — попросила Оксана.

В поле моего зрения возникла очередная красотка в форме, она сделала несколько шагов по проходу, остановилась около юноши, наклонилась, что-то сказала. Пассажир снял наушники, отложил айпад и громко спросил:

— Бизнес-салон?

— Вип, — поправила стюардесса.

— Я не бобик, чтобы по свисту бегать, — заявил парень.

Девушка вновь наклонилась к нему.

— Ладно, — в конце концов согласился пассажир, встал и... вошел к нам, — здрасти! Круто здесь!

Я не поверила своим глазам.

— Вы настоящий?

— Нет, биоробот, — заржал пассажир. — Что случилось-то? Вау! Выпивон знатный, шампусик... Шикарно випы летят. Кровать! Да! Это не в кресле узком до Нью-Йорка крючиться. Угостили бы! Вон тем коньяковским. Никогда такого не пробовал.

— Арманьяк «Леонардо», — зачастила Оксана, — производится только в одном замке Франции. Сорокалетняя выдержка. Хотите попробовать?

— Ммм, — протянул Иван, — да, пожалуйста, налейте нашему гостю. И нам с Татьяной.

— Ваше здоровьице, — пробасил парень, взяв фужер, — давайте чокнемся!

В ту же секунду к открытой двери ВИП-салона подскочил мальчик лет семи-восьми и с воплем:

— Го-о-ол! — что есть силы поддал ногой красносиний мяч.

Он влетел на нашу территорию, врезался в тележку со спиртным и разбил бутылку вина.

— Капец выпивке! — заржал гость. — Лады, я так и не понял, чего вы хотели, но спасибки за коньяк. Ничего в нем, правда, особенного нет, моя теща дома лучше самогонку гонит. Не жадьтесь, дайте вон ту коробку конфет, жене отнесу. Вон она рукой машет.

Я опять взглянула в набитый людьми салон и увидела полную женщину, которая выглядывала в проход. Поняв, что ее заметили, она крикнула:

— Юрка, хватит там бла-бла разводить, возьми Петьку, он мне все колени оттоптал.

Юрий скорчил гримасу.

— Семейное счастье, понимаешь.

Потом он поднялся, прихватил конфеты, вернулся на свое место и завопил:

— Эй, ежели придет в голову с нами местами махнуться, только свистните.

— Тетя, верните мячик, — заканючил мальчик, подходя к открытой двери.

Оксана отдала ему мяч и задраила дверь.

Мы с Иваном переглянулись, стюардесса вспомнила о своих прямых обязанностях.

— Сейчас будет подан обед, — торжественно объявила она и метнулась на кухню.

— Мы реально летим в Нью-Йорк? — обомлела я. — И как это вышло?

Иван вынул мобильный.

— Не работает.

— Ясное дело, на высоте десяти тысяч метров связи нет, — протянула я. — Можешь теперь рассказать, что ты придумал?

— Позвонил одному человеку, — неохотно начал босс, — честно ему сказал: «Хочу сделать предложение руки и сердца. Я не говорлив. Посоветуй, как удивить невесту и сделать этот день запоминающимся навсегда». Он ответил: «Сейчас все устрою». Через полчаса перезвонил мне другой парень, я его вообще не знаю, со словами: «Все бабы обожают себя Джульеттой чувствовать. Вы сегодня летите в Венецию, завтра вас назад рано утром вернут, паспортов не надо». Когда он последнюю фразу произнес, до меня дошло, что это прикол какой-то, привезут в гостиницу с названием «Венеция», во дворе пруд, на нем гондола. Ерунда полная, но все же лучше, чем в офисе в кабинете кольцо всучить. Мужик мне расписывал, как мы полетим на самолете, я засмеялся, а он обиделся: «Моя фирма «Удивительное путешествие» фуфла не гонит. В Венецию реально попадете. На целую ночь вам приключение. У меня туры вперед на полгода расписаны, но за вас очень просил Витя Алабаев, я ему отказать не могу. Я Лаврентьевых на субботу переставил, а вы сегодня вместо них ту-ту». Накладка случилась, на ресепшен что-то напутали, они нас за этих на субботу передвинутых Лаврентьевых приняли. Не получился сюрприз. Прости.

Я стала утешать Ивана:

— Что ты! Никто еще не дарил мне романтический полет в США! Я в восторге. Какая разница, куда лететь?

— Да? — повеселел Иван. — Интересно, как они это проделывают, если учесть, что у нас нет документов?

— Давай пить шампанское, — предложила я, — сейчас обед принесут, будем получать удовольствие от полета, забудем про Венецию. Я туда не хотела. Фу! Мокро, пахнет плохо, народа полно. В США намного интереснее попасть.

— Чем пахнет? — спросил вдруг шеф.

Я подергала носом.

— Вроде дымом.

— Похоже на то, — насторожился шеф.

— Просьба пассажиров занять свои места, — ожило радио, — мы входим в зону турбулентности, пристегните ремни и не вставайте до особого разрешения.

Мне стало не по себе, я не страдаю аэрофобией, но как-то не хочется рухнуть вниз.

— Полет проходит на высоте десять тысяч метров, температура за бортом минус шестьдесят градусов, — сообщило радио, — наш лайнер абсолютно безопасен.

— И зачем нам знать про мороз, — поежился босс.

Я вцепилась в подлокотники.

— И про высоту они зря вещают.

В салон вошла бледная Оксана.

— Простите, в момент турбулентности нельзя подавать обед. Это запрещено правилами безопасности. Тряхнет самолет, пассажир горячим обожжется. Но вы заказывали на закуску устрицы. Их могу принести, они холодные.

— Значит, все хорошо? — стараясь говорить спокойно, осведомилась я. — Навряд ли в момент катастрофы кормить станут.

— Конечно нет. Зачем наедаться перед смертью? — пропищала Оксана и убежала.

Самолет затрясло.

— Не волнуйся, еще ни один летательный аппарат из-за турбулентности не развалился, — слишком уверенно произнес Иван.

— Кто тебе это сказал? — прошептала я, чувствуя, как желудок, словно лифт, катается внутри вверх-вниз.

— Авиаконструктор Королев, вчера с ним по одному делу беседовал, — соврал босс.

— Он умер в середине шестидесятых годов, — уличила я его во лжи.

— Я говорил с внуком того Королева, — нашелся Иван.

Лайнер задрожал, как больной малярией. Со всех сторон послышались скрип, скрежет... Меня затошнило.

— Тебе плохо? — спросил Иван. — Давай выпьем коньяку. От алкоголя всегда легче. Не бойся, самолет намного надежнее машины.

— Может, оно и так, — согласилась я, — но автомобиль катится по земле, от этого как-то спокойнее.

Иван подал мне бокал.

— Ну, за нашу помолвку.

Я поднесла бокал ко рту, сделала глоток, самолет неожиданно резко пошел вниз, коньяк попал мне в нос, я закашлялась. Послышался резкий хлопок, за иллюминатором неожиданно стало светло. Я посмотрела в окно и заорала:

— Ваня, горим!

Глава 16

Босс тоже посмотрел в иллюминатор.

— Танюша, переместись на кровать. Ляг, подсунь под себя все подушки и одеяла.

Я чуть не потеряла сознание от ужаса, но спросила:

— Думаешь, это смягчит удар о землю?

— Немедленно переберись на матрас, — повторил Иван, — сейчас спросим у стюардессы, что происходит.

Я покорно легла на широкое ложе и свернулась клубочком. Иван встал, сделал шаг. Послышался щелчок, из потолка вывалилось несколько масок и заходили ходуном в воздухе. Дверь в общий салон неожиданно распахнулась, самолет сделал резкий крен, Иван упал на кровать прямо на меня. До моего слуха донеслись истошные вопли и детский плач. Пассажиры эконом-класса явно пребывали в истерике.

— Просим вас сохранять спокойствие, — заорало радио, — наш самолет абсолютно безопасен, он может продолжать полет даже на одном двигателе. Займите свои места. Ваше передвижение мешает маневрам пилотов. Командир корабля принял решение аварийного снижения. Все под контролем. Горит один двигатель. Это ерунда. Сейчас сядем на воду и потушим пожар.

Я вцепилась в босса.

— Ваня!

— Что? — хриплым голосом спросил он.

— Я тебя люблю, — пробормотала я. — Может, ты этого и не замечаешь. Вероятно, ревнуешь меня к Гри...

— Есть немного, — признался шеф, — уж больно активно ты его искала.

— Но ведь я давно перестала, — остановила я его, — я сразу на тебя внимание обратила.

Иван обнял меня.

— А я тебя с первого взгляда полюбил. Вот и выяснили отношения наконец.

— Мы утонем! — закричал кто-то в эконом-салоне.

— Наденьте спасательные жилеты, — велело радио, — возьмите свистки, если окажетесь в воде, дуйте в них, это отпугнет акул. Температура океана два градуса, совсем тепло.

— На фиг нам художественным свистом заниматься, — крикнул какой-то мужик, — люди, хватайте тележку с алкоголем, вон она у випов, наклюкаемся и долбанемся в наркозе.

В наш отсек влетел Юрий, схватил столик с бутылками и вытолкнул его в эконом-салон с воплем:

— Налетай, братва.

Самолет понесся вниз, я вцепилась в Ваню, он прижал меня к себе, и... наступила полная тишина.

Некоторое время мы лежали неподвижно, потом я выползла из объятий Ивана.

— Где мы?

— В самолете, — пробормотал босс.

— Сели на воду? — не веря своим словам, спросила я.

— Наверное, — прокряхтел Иван, — вроде перестали падать.

— Сейчас нас затопит, — запаниковала я.

В ту же секунду погас свет, мы очутились в кромешной темноте. Я опять прижалась к Ване.

— Спокойствие, — пробормотал он, — без паники. Нас спасут.

— Если только лайнер не ушел на дно, — прошептала я.

— Ерунда, поднимут, — бодро заявил шеф, — тысячи людей водолазы спасли. Давай выпьем коньяку, да побольше, заснем спокойно, а когда проснемся, все будет хорошо.

— В такой момент лучше сохранять трезвую голову, — не согласилась я. — Почему молчат остальные пассажиры? Ваня! Они разбились!

— Чушь, — без особой уверенности возразил он, — мы-то живы, с чего им умирать?

— Нас спасла кровать, — всхлипнула я, понимая, что сейчас зареву как маленькая.

И тут под потолком вспыхнули все лампы, заиграла музыка, в салон вошли Юра, его жена, обе стюардессы и мальчик с мячиком.

— Хеппи бердзей ту ю, — завел женский голос.

— Хэппи берздей ту ю, — подхватила компания.

У меня затряслись руки, закружилась голова, к горлу подкатила тошнота, а в животе две огромные кошки стали гонять когтистыми лапами шар для боулинга.

— Дорогая госпожа Лаврентьева, — заорало радио, — фирма «Удивительное путешествие» поздравляет вас с семьдесят пятым днем рождения. Ваш муж приготовил для супруги потрясающий сюрприз «Авария по дороге в Нью-Йорк». Мы надеемся, что наша работа произвела на вас огромное впечатление. Примите букет в знак нашей горячей любви к вам. Ура! Шампанское!!!

Юрий протянул мне охапку роз, смахивающую на клумбу на могиле.

— Разрешите выразить вам свое восхищение. Вы удивительно мужественно держались. У нас редко заказывают аварии, и обычно главные герои... м-да! А вы прямо железная, даже не зарыдали.

— Это было представление, — прошептала я, — пассажирский салон все-таки создан с помощью компьютера и пары актеров. Но как вы угадали, что я попрошу зайти в ВИП-зону именно вас?

— Обижаете, — заулыбалась «жена», — все статисты живые, просто на первом плане сидело несколько подготовленных людей. И мальчик у нас хороший.

«Супруга» Юрия погладила ребенка по голове.

— И Оксана молоток, она кого хочешь убедит, что полет всамделишный.

— Ощущение взлета и падения создает труба, которая соединяет нижний и верхний уровни дома, — пробормотала я. — На самом деле мы находимся в гигантском лифте, который в нужный момент тормозит там, где обустроен «эконом-салон»?

— Простите, мы понятия не имеем о технической стороне дела, — заявил Юрий, — давайте поаплодируем госпоже Лаврентьевой за ее безмерную храбрость, она видела, как горит двигатель, и даже не вздрогнула. Мне показалось, что ваш супруг в какой-то момент по-настоящему струхнул, хотя он знал, что опасности нет.

Иван скрипнул зубами.

— Неужели похоже, что женщине, сидящей на кровати, семьдесят пять лет?

— Нет, нет, нет, — возразил Юрий, — она роскошно выглядит.

— Максимум шестьдесят, — восхитилась его «жена».

Я сделала судорожный вдох. Отлично. Выгляжу пенсионеркой. Бабушка-невеста!

— Мы не Лаврентьевы, — заорал Иван, — а Таня молодая женщина. Мы заказали путешествие в Венецию. Нас перепутали.

Иван повернулся к Оксане.

— Вы же знали, что случился косяк. Почему не остановили спектакль? А я-то, дурак, поверил, что самолет настоящий, в салоне полно людей, детей, и поэтому невозможно вернуться в Москву, пожалел пассажиров, не стал настаивать на своем! Боже, какой я идиот! Разве можно добраться за полчаса до океана? Кретин! Долдон!

Шеф задохнулся от возмущения.

— Вау, — протянул Юрий, — такое с нами впервые, никогда накладок не было!

— Нельзя тормозить спектакль, — заканючила Олеся, — и Юра прав, до сих пор такого не случалось. Меня начальник за невыполненный заказ на двери повесит. Знаете, сколько денег в организацию «Полета в Нью-Йорк» вбухано? Сказать страшно. И кому их возвращать бы пришлось в случае сбоя?

Мне! Да, я никому про путаницу не сообщила, чтобы все нормально сработали, вот!

— Любезнейшая, — процедил Иван, — должен вас разочаровать! Лаврентьевым деньги вернуть придется. Они в Нью-Йорк не слетали!

— Подумаешь, — беспечно махнула рукой девушка, — главное, я свою работу выполнила. Пусть хозяин с ресепшен разбирается. У меня был заряжен полет в Нью-Йорк с аварией. Я его осуществила. Вопросы ко мне есть? Вопросов нет. Вопросы к администратору. А Лаврентьевы вместо вас могут в Венецию отправиться.

Я натужно улыбнулась.

— Навряд ли. Сколько лет главе семьи?

— Ну... может, тридцать, — предположила Оксана, — он сильно супруги моложе.

Я еле встала с кровати и удержалась на разъезжающихся ногах.

— Нет, любящий супруг Лаврентьев в Венецию не отправится. Он явно решил прикончить надоевшую ему жену-старушку. Пожилой даме предстояло скончаться от ужаса при виде горящего двигателя и отбыть в лучший мир, оставив муженьку свое состояние.

Оксана заморгала. Иван взял меня за руку.

— Пошли. Где тут выход?

— За дверью, которая прежде вела в эконом-салон, — сообщил Юрий. — Вы супер! Татьяна! Я ваще вами восхищен! Красавица, умница, да еще и храбрая, прямо агент 007! Вам надо в полиции работать!

Меня стал душить нервный смех.

— А ну отстань от моей жены, — гаркнул Иван, дергая дверь за ручку.

Мы вошли в помещение, оборудованное как зал ожидания, но на сей раз в нем уже не было актеров, изображающих пассажиров.

— С благополучным прилетом вас, — заулыбалась девушка на ресепшен, — с мягким приземлением.

В глазах Ивана вспыхнул огонь, он сделал шаг по направлению к стойке, но я схватила его за руку, вытащила на улицу и, стоя под проливным дождем, сказала:

— Надо поблагодарить Оксану и компанию.

— За что? — вскипел Иван Никифорович.

— Не случись аварии в самолете, мы бы никогда не сказали друг другу о любви, — объяснила я.

Босс встряхнулся, как промокшая собака.

— И зачем их говорить, если и так все ясно.

— Действительно, — хмыкнула я, — но, понимаешь, женщины любят красивые слова, подарки, сюрпризы...

— ...романтические поездки, — подхватил Иван.

Мы посмотрели друг на друга и расхохотались.

— Нет, — простонал шеф, — такое могло случиться только с нами. Давай не будем рассказывать правду Рине!

Я мигом вспомнила про взрыв в СВЧ, соседа-доктора, натертое вместо сыра мыло и быстро кивнула.

— Да! Не надо твоей маме знать о нашем полете в Нью-Йорк.

Глава 17

Утром, выйдя во двор, я увидела там соседа Семена. Он держал в одной руке поводок, на другом конце которого болтался крохотный щенок с кудрявой белой шерсткой. На шее у песика был надет большой пластиковый воротник.

— Собачку купили? — обрадовалась я, вспомнив недавний разговор с Леной, женой Семена.

— Нет, — недовольно ответил Сеня, — Ленка притащила вот эту козявку. Пошла в магазин, а он через дорогу бежал, чуть под машину не угодил. Супруга у меня слишком жалостливая, подобрала его, домой приволокла.

— Хорошенький какой, маленький, — умилилась я. — А почему воротник? Операцию делали?

Семен поморщился.

— Лапу ему зашивали, там рана большая была. Врач сказал, что он на стекло наступил. Да собаки-то дуры, не понимают, куда идут. Порода вроде болонка. Так доктор решил, сказал, она совсем мало вырастет. Ленка давай ныть: оставим ее себе. Но я конкретно жене объяснил: не желаю дома животных! Грязь от них! Шерсть. Тьфу! Решили так: раз уж Ленка сглупила и его подобрала, подождем, пока рана зарубцуется, и найдем ему хозяина. Не нужна мне эта... болонка. Смешно мужику с такой гулять! Дураком себя чувствую.

— Ей холодно, — вздохнула я, — вся трясется, промокла под дождем. Попонка нужна!

— Еще чего, — фыркнул Семен, — не растает. Эй, пошли, некогда тут с тобой шляться.

Он дернул за поводок, щенок взвизгнул, сел и заплакал. Сосед крякнул:

— Вот же нежный какой.

Потом наклонился и подхватил дрожащую собачонку.

— Как ее зовут? — полюбопытствовала я.

— Никак, — пожал плечами Семен, — ей у нас дней пять всего жить. Незачем кличку давать, новый хозяин имя придумает.

Из подъезда вышла Елена.

— Здравствуйте, Таня, — обрадовалась она, — видели, какой у нас котик!

— Вы еще и кота подобрали? — удивилась я.

— Нет, — засмеялась Лена, — это я так собачку зову, Котик.

Семен фыркнул и вошел в подъезд, бормоча по дороге:

— Сейчас заведу этого в дом и спущусь. Ленка, жди меня здесь. До метро тебя подброшу.

— Если вам опять до Библиотеки Ленина, то я могу прямо до места довезти, — предложила я, — опять мимо покачу.

— Ой, вот спасибо, — обрадовалась Елена. — Сеня, ты слышал?

Муж кивнул и исчез в подъезде.

— Дуется из-за щенка, — пояснила Лена, залезая в джип, — беда с этими мужиками, боятся показаться слабыми. Вот что он мне вчера заявил? «Найди ты на дороге нормального пса, типа алабая, я бы и слова против не сказал. Мужская порода. А ты чего приперла? Мелочь. Да меня друзья засмеют! Это все равно что на красном «Мини Купере» ездить».

Я поддержала разговор:

— Чем Семену эта машина не угодила? Хороший надежный автомобиль, оригинального дизайна. На мой взгляд, у него лишь один ощутимый недостаток: большая цена.

— Муж делит тачки на бабские, нормальные и для парней, — пустилась в объяснения Лена, — вот у вас, по его мнению, мужской вариант, и это вызывает у Сени уважение. Недавно он сказал: «Сергеева на правильном джипе рассекает, ездит круто. Хоть и баба, а молодец». Красный «Мини Купер» тачка для блондинок. Если на нем мужчина рулит, то он баба. Это не мое, а Сенино мнение.

— Ваш супруг ошибается, — возразила я, — «Купер» скоростной, и он непрост в управлении.

Лена начала рыться в сумке.

— Но вы же себе такой не приобрели.

— Большой попе нужен просторный салон, — засмеялась я, — не влезу в «Мини Купер». А если смогу в него втиснуться, не вылезу.

— Вы преувеличиваете, — остановила меня Лена, — совсем не выглядите полной, при взгляде на вас делается понятно: в юности вы активно занимались каким-то силовым видом спорта. Ядро толкали? Молот бросали? Штанга? Борьба?

И что я могла ответить соседке? «Ошибаетесь, я до начала работы в особой бригаде даже близко не подходила к залу, в детстве увлекалась другими видами спорта: поеданием макарон с котлетами и выпиванием чая с большим количеством сахара». Первый раз в фитнес меня привел Гри, сначала я висела тряпкой на тренажерах. Зато сейчас занимаюсь по два часа три раза в неделю и совсем не устаю.

— Нашла, — обрадовалась Лена и вытащила из сумки конверт. — Татьяна, я управляю ВИП-спа-салоном.

На меня напал кашель. Интересно, как долго мой организм будет реагировать таким образом на коротенькое слово «ВИП»?

— Вы абсолютно не толстая, — продолжала соседка, — вам не надо худеть. Но! У каждой, даже совсем худой женщины, есть одно проблемное место: жировая складка на брюшке. Хоть обзанимайся с инструктором, пей одну воду, живот, зараза такая, совсем плоским не станет.

— Верно, — грустно согласилась я.

— Чтобы решить эту проблему, создан аппарат «Животостоп», — радостно продолжила Лена, — за пять сеансов противный жир испарится.

— Да ну? — удивилась я.

— Честное слово, — заверила Елена, — никакой боли. Просто лежите на мягкой кушеточке, слушаете любимую музыку, вдыхаете приятный аромат, а косметолог вам животик теплым утюжком гладит. Полный кайф, расслабон и чудесный отдых после тяжелого рабочего дня.

— Никогда о таком не слышала, — призналась я.

Лена открыла сумку и вытащила какую-то бумажку.

— Аппарат новый, и с ним, как с «Мини Купером»: он хорошо действует, но процедура дорогая, далеко не каждая себе ее позволить может. Я очень хочу отблагодарить вас за доброту и внимание. Вот, держите. Здесь талон на бесплатный полный курс с применением «Животостопа». Через пару недель станете еще красивее. Только не отказывайтесь.

— Не буду, — улыбнулась я, забирая подарок, — очень вам благодарна. Может, конечно, у меня пунктик, но мечтаю стать стройнее.

Елена закинула ногу за ногу.

— Мне еще ни разу не встретилась женщина, довольная своим внешним видом. Когда в салоне появляется кудрявая дама, она, к гадалке не ходи, захочет выпрямить локоны. Ежели вижу особу с идеально прямыми волосами, то она собралась их завить. У нас много отличных аппаратов, не один «Животостоп». Вот, видите?

Елена показала на свою ногу. Сквозь тонкий чулок просвечивалось несколько синяков, по форме напоминающих букву «С». Одни отметины смотрели влево, другие вправо, третьи напоминали букву «О», у которой отрезали нижнюю половину. Я моментально припарковалась.

— Что оставило эти следы? Можно я сфотографирую вашу лодыжку?

Елена заморгала.

— А-а-а! У вас тоже была собачка, да? Но зачем вам фото?

Нехорошо врать людям, но рассказывать соседке о трупе Пашкиной с точь-в-точь такими же кровоподтеками, не стоило. Я начала сочинять.

— Мой близкий друг, художник-авангардист, сейчас создает картину «Синяки человечества», это коллаж из фотографий. Ваша нога очень оригинально выглядит, ее снимок займет центральное место на полотне.

— Ради высокого искусства я на все готова, — с придыханием согласилась Лена, — фоткайте. Потом позовете поглядеть на работу?

— Непременно, — пообещала я. — Но почему вы решили, что у меня жила собака?

— Так бланши от Котика, — объяснила Лена, — от щеночка. Ему врач воротник надел, чтобы малыш швы на лапе не разлизал. Котик ходит по дому, не понимает, что у него на шее типа труба от граммофона находится, и тюкается пластиковой воронкой во все. Вчера раз десять мне по ноге врезал. Ночью он плакать стал, и я его в свою кровать взяла. Мы с Сеней спим в разных комнатах, муж так храпит! Семен бы никогда не позволил Котику с нами лечь. А мне жаль малыша, он совсем крохотный, испуганный, на улице настрадался. Котик во сне головой дергал и своей «граммофонной трубой» то по бедру мне заедет, то по боку. Ой, вы припарковались в десяти метрах от Библиотеки имени Ленина. Здесь остановка запрещена, скорее уезжайте. Спасибо вам огромное.

Лена схватила сумку и выпрыгнула из джипа. Я отправила фото ее синяков эксперту и встроилась в поток автомобилей.

Не прошло и пяти минут, как Буля позвонила.

— Чьи отметины? — забыв поздороваться, спросила она.

— Узнала их? — поинтересовалась я.

— Конечно, прямо как у Пашкиной, — возвестила Люба. — Где взяла такие? Скорей говори, я всю голову сломала, кучу предметов перебрала, проволоку сгибала, ну ничто не подходит! Вообще!

Я выложила историю про щенка Котика.

— Умереть не встать, — завопила Буля, — такое никому в голову не взбредет. Защитный воротник!

— Лариса незадолго до смерти общалась с собакой, которой сделали операцию, — подчеркнула я.

— Сейчас высчитаю рост животного, — ажиотировалась Люба, — между прочим, на подоле белого сарафана Пашкиной я нашла пару собачьих шерстинок черного цвета.

— Ну и что нам это дает? — вздохнула я.

— Пока ничего, — приуныла Буля, — но если найдем квартиру или другое помещение, в котором Лариса выпила коктейль «Морская пена», а хозяин станет говорить «В жизни эту бабу не видел» и у него будет собака...

— То, сравнив ее шерсть с волосками, найденными на сарафане, мы докажем, что Пашкина там была, — перебила я Буль, — в общем-то ерунда, осталось отыскать дом. И пса!

— Чем задача труднее, тем она интереснее, — заявила Буль и отсоединилась.

А я стала толкаться в пробке, злясь на столичные власти, которые затеяли смену асфальта в Москве на плитку, а потом решили установить высокие бордюры, отделяющие тротуар от проезжей части. Плитка — это отлично, и бордюры нужны, но из-за строительных работ столицу просто парализовало. Да еще в центре, на узкой Никитской сделали велосипедную дорожку, и теперь на эту улицу лучше не соваться. Горестно вздыхая, я наконец-то добралась до магазина «Ласка» и вошла внутрь. Первое, что бросилось в глаза, было объявление: «В нашем замечательном коллективе есть свободная вакансия менеджера по ремовингу помещения».

— А что делает этот сотрудник? — спросила я у продавца, зевавшего у турникета. — Не знаю слова «ремовинг».

— Полы шваброй моет, — охотно пояснил мужик, — теперь все красиво называется. Ремовинг — это по-английски уборка.

— Здорово, — улыбнулась я и пошла гулять по залу.

Глава 18

«Ласка» оказалась приятным местом. Здесь было чисто, хорошо пахло, отглаженные вещи висели на плечиках, кабинки для примерки были просторными, с зеркалами, крючками для сумок и стульями. Несколько продавцов приветливо всем улыбались и совершенно искренне пытались помочь покупателям. Мое внимание привлекло платье в черно-белую клетку. Я начала его рассматривать, и ко мне тут же подошел парень в форменной жилетке.

— Разрешите дать совет? — спросил он.

Я глянула на картонный прямоугольник, прикрепленный к его лацкану.

— Спасибо, Антон. С удовольствием вас выслушаю.

Продавец сжал в кулаке подол юбки.

— Материал чистый хлопок, вроде это хорошо. Но гляньте.

Консультант разжал пальцы.

— Мнется в секунду. Выйдете утром из дома аккуратненькой, сядете в маршрутку, а из нее вылезете в таком виде, словно одежду коза жевала. Черно-белая клетка классическая расцветка, но вам подойдет однотонная, учитывая цвет кожи и глаз, думаю, небесно-голубая. И платье, которое вам понравилось, стоит с учетом всех скидок, четыре тысячи. А теперь посмотрим сюда.

Антон взял вешалку с соседнего кронштейна, смял юбку в кулаке и потом продемонстрировал ткань.

— Совсем не мнется, потому что к хлопку добавили немного синтетики. Цвет итальянского неба создан для вас. И смотрите на ценник: полторы тысячи. Если вы отложили на покупку четыре, то у вас остается две с половиной, на них вы купите замечательную сумочку плюс платочек. Получается целый комплект. Но...

Продавец на секунду умолк, потом продолжил:

— Вы, наверное, заглянули сюда, не зная, чем мы торгуем, привыкли одеваться в других местах. У вас туфли от Миу Миу, последняя коллекция, брюки «Хлоя», вот кофточку определить не могу. Ой! Черт!

Антон подскочил, потом наклонился.

— Опять ты меня толкнула! А я испугался.

Я посмотрела вниз. Около ног продавца сидел черный мопс точь-в-точь в таком же защитном воротнике, как Котик Лены. Один глаз собаки был закрыт, из века торчали концы хирургических нитей.

— Она потеряла глаз, — расстроилась я, — бедняжка. Как ее зовут?

— Сейчас все обращаются к ней: принцесса Одноглазка по кличке Граммофон, — засмеялся Антон. — С глазом полный о'кей. Куки, так ее зовут, собака нашего хозяина, она об искусственный цветок поранилась, он раньше вон там стоял, имитация куста роз. Растение фальшивое, но шипы у него по-настоящему острыми оказались. У мопсов глаза выпуклые. Куки налетела на колючку, в роговице дырка образовалась, операцию делать пришлось, веко временно зашили, чтобы глаз зажил. Сказали через три недели надо снимать шов, это завтра. Надеюсь, «граммофон» тоже снимут, а то она ходит и на людей им натыкается. У девчонок синяки на ногах образуются, но мы на Куки не злимся, ее у нас все любят.

Я присела около мопсика на корточки и погладила его по спинке.

— Куки, красавица, ты живешь в магазине?

— Это мопсиха Филиппа Игоревича, владельца нашего магазина, он ее везде с собой возит, — пояснил Антон, — мы ее все обожаем, добрая она, веселая, ласковая, очень аккуратная, в торговом зале не безобразничает, по своим делам во дворик бегает. Я собак никогда не обижал, но дома не держал, а пообщался с Куки и решил тоже мопса завести. Но мальчика, я имя ему уже подобрал: Черчиль. Вы будете платье мерить?

— Нет, — вздохнула я.

— Так я и подумал, — кивнул Антон, — оно для вас слишком дешево.

— Наоборот, — тоскливо возразила я, — денег совсем нет. Туфли с юбкой на мне дорогие, но я их не покупала. Работала уборщицей у одной бизнесвумен, а та на ПМЖ за границу уехала. Меня о своих планах заранее не предупредила, новость мне топором на голову упала. Пришла неделю назад на службу, а барыня и объявила: «Таня, завтра я улетаю. Прощай. Ты мне больше не нужна. Дарю тебе одежду и туфли. Носи на здоровье». А зачем мне дорогие шмотки? Лучше б деньгами... Осталась я без работы, к вам зашла, потому что подруга объявление у входа в «Ласку» заметила. Хотела с управляющим поговорить, да вот на платья отвлеклась, очень они все красивые.

— Лучшие в Москве, — гордо сказал Антон. — Думаю, вас возьмут, начальница хочет нанять приличную женщину, не пьющую, не курящую, москвичку.

Мне удалось изобразить полный восторг.

— Это я! На сигареты и спиртное даже не смотрю, готова с утра до ночи работать и родилась в столице.

— Пошли, — пригласил Антон и повел меня к двери с табличкой: «Только для персонала».

* * *

В своем офисе я оказалась около трех часов дня. Сразу заглянула в кабинет Эдиты, хотела задать ей вопрос и замерла. Сегодня у Булочкиной оказались ярко-зеленые волосы, фиолетовые глаза, а губы она намазала синей помадой.

— Это цветные линзы, — пояснила Эдита, увидев выражение моего лица. — Нравится? Смотри, какая кофточка!

Наш вундеркинд встала, и я увидела, что на спине ее толстовки вышита голова поросенка с широко раскрытыми глазами.

— Обрати внимание на пятачок, — попросила Эдя, и в ту же секунду круглый нос свинки загорелся зеленым светом.

— Обалдеть, — пробормотала я.

— На аукционе в Интернете оторвала, — похвасталась Эдита, — вчера в театре на репетиции все обзавидовались. Значит, так. Я проверила основных действующих лиц нашей истории. Карина Хлебникова, в девичестве Рогова, чиста, как младенец. Никаких компрометирующих фактов. Школа, мединститут, везде отличница. Работала в разных муниципальных клиниках. Несколько лет назад перешла в маленькую частную лечебницу «Улыбка». Хлебникова протезист, делает коронки, ставит штифты, импланты. Ее муж Глеб имеет аж два высших образования: экономическое и юридическое, он часто менял службу, в основном работал в мелких фирмах, так или иначе связанных с медициной. Потом он стал генеральным директором клиники, которую основал покойный Валентин Петрович Моисеенко, и работает там. Знаешь, что странно?

— Говори, — велела я.

Эдита продолжила:

— Жена дантист, муж юрист-экономист, занимающий теплое кресло, у них должны водиться денежки. Но Хлебников постоянно должен разным банкам. Мне кажется, он берет кредит в одном, чтобы отдать другому, потом просит у третьего, чтобы заткнуть рот кредиторам из второго, и так постоянно. Сейчас на нем висит двадцать один миллион, добавь к ним банковский процент. Нехилая сумма получается.

Я начала рыться в сумке.

— Некоторым людям хочется получить все сразу, огромную квартиру, дачу, машину, вот и влезают в долги.

— В том-то и дело, что Хлебниковы живут в родительской квартире Карины, у них две старенькие дешевые малолитражки. Дачи нет. Отдыхать за границу не катаются, не шикуют, дорогие покупки не делают. Зарплату Глеб получает достойную, и у Карины неплохой доход, но, судя по онлайн-счетам, они очень часто сидят без копейки.

Я вынула расческу и попыталась привести волосы в порядок.

— Когда у обеспеченных людей нет денег? Когда они потрачены на дорогие покупки. Если они ничего не приобрели, значит, это наркотики, пьянство, игра в казино, дорогое лечение от какой-то болезни, связь на стороне с жадными мужиками-бабами, коллекционирование антиквариата или чего-то другого без оформления сделки. По документам семья ничего не приобретала, а на самом деле, допустим, купила у кого-то картину Леонардо да Винчи.

— Это навряд ли, — засмеялась Эдита, — столько средств у них нет. Если не принимать в расчет финансовые обстоятельства, в остальном у Хлебниковых все в порядке. Под судом и следствием не состояли, закон не нарушали. Не так давно получили загранпаспорта. Теперь об Игоре Глебовиче Клебанове. Москвич. Живет в однокомнатной квартире. Работает психиатром в муниципальной больнице. Имеет бюджетную иномарку. Потом в анкете сплошные «не». Не женат, не имеет детей, не судим, ну и так далее. Средний такой добропорядочный гражданин. Совсем не богат. Но принцесса Гортензия может себе позволить выйти по любви замуж за свинопаса Клебанова. Горти богата, они прекрасно прожили бы на деньги, которые приносит клиника покойного Валентина Петровича. Но, как стало понятно из разговора с Хлебниковой, никакой страсти у Горти к доктору не было.

— Любящая мамочка решила выдать дочку за человека, не имеющего почти ничего за душой? — поразилась я. — Это очень странно. Ладно бы Гортензия влюбилась в Клебанова, тогда понятно, почему речь зашла о свадьбе. Но Горти не хотела создавать семью с Игорем Глебовичем.

— Может, он их обманул? — предположила Эдита. — Наврал про свое богатство?

— А потом приехал в гости на дешевой машине? — усмехнулась я. — Богатый мужчина может одеваться просто, носить дешевые часы, но автомобиль — это святое. Колеса у него будут новыми и безопасными. Где у Клебанова квартира?

— В Капотне, — пояснила Эди.

— Один из самых неблагополучных районов Москвы с точки зрения экологии, — поморщилась я, — жить около постоянно горящего факела нефтеперерабатывающего завода мало кто захочет. Люди с деньгами стремятся в Подмосковье. Очень странная история.

— Теперь о самой Галине Сергеевне, — оживилась Дита. — Она до свадьбы с Валентином Моисеенко носила фамилию Петрова. Будучи свободной женщиной, Галина Сергеевна жила неподалеку от столицы в поселке Брусково. Родители Гали давно скончались, ее воспитывала бабушка, на момент бракосочетания тоже покойная. А вот Валентин Петрович коренной москвич, он из семьи врачей, его отец и мать были стоматологами.

— Хлебная профессия, — отметила я, — хорошие зубные врачи всегда были на вес золота.

— Моисеенко имели просторную квартиру, дачу, машину, — перечисляла Эдита. — Брак Валентина с Галей можно считать мезальянсом. Бедная девушка пленила парня из обеспеченной семьи. Брак они заключили в студенческие годы, жених и невеста вместе учились в медвузе. Галя ребенка не сразу родила, некоторое время они работали, потомством не обзаводились. Валентин жил с родителями, и Галю привел в их апартаменты.

Я сразу вспомнила про свою соседку Лену.

— У некоторых пар возникают проблемы с зачатием, вероятно, Моисеенко лечились.

— Не исключено, — согласилась Эдита, — но в конце концов на свет появился мальчик, а через пару лет Гортензия.

— У пропавшей есть брат? — удивилась я.

— Был, — вздохнула Эдита, — его звали Никита. Когда парнишке исполнилось пятнадцать, он умер от сердечного приступа. Никита страдал сердечным заболеванием. Проблемы начались в школьном возрасте, у ребенка развился порок сердца, мальчика перевели на домашнее обучение. В пятнадцать он скончался. Вскоре умер Валентин Петрович.

— Может, кончина сына спровоцировала инфаркт у отца? — предположила я. — Но Хлебникова ни словом не упоминала о брате подруги.

— Никита давно умер. Карина решила, что нам сведения о нем не нужны, — пожала плечами Эдита, — подросток умер в больнице, ничего необычного в случившемся не было. К сожалению, не все дети доживают до взрослого возраста. Вернусь к Валентину Петровичу. Он сразу после перестройки открыл клинику для лечения наркоманов-алкоголиков. Сейчас это большой медцентр со стационаром, в котором еще есть санаторное отделение для лиц в депрессии или тех, кто страдает от хронической усталости. Весьма успешное предприятие с отличной репутацией. После кончины Валентина учреждение перешло в руки Галины Сергеевны и Гортензии. В случае смерти одной из совладелиц вторая становится единоличной хозяйкой всего.

— Гортензия богатая невеста, — констатировала я.

— Да, в отличие от Карины Хлебниковой, у нее материальных проблем не было, — согласилась Эдита. — Моисеенко вполне благополучны, но... есть небольшая странность. Не могу найти никаких сведений о детстве Галины Сергеевны. Первый документ, в котором упомянута Петрова, это приказ о зачислении ее на первый курс мединститута. Далее все прозрачно.

— В чем проблема? — не поняла я. — Ты пять минут назад сообщила, что Галя рано потеряла родителей, воспитывалась бабушкой, жила в деревне Брусково под Москвой. Какие сведения нам еще нужны?

— Все данные из анкеты, которую Петрова заполнила будучи абитуриенткой, — продолжала Эдита. — Документ подавался в августе. В сентябре Петрову поселили в общежитии, сделали ради нее исключение, москвичам и жителям ближайшего Подмосковья мест не давали. Но Галине выделили койку. Почему? Весной того года, в апреле, в Брускове случился масштабный взрыв, взлетел на воздух склад с баллонами бытового газа. Он находился в этой деревеньке, и там работало большинство местных мужиков. Населенный пункт разметало под корень, было много жертв, среди них бабушка Галины.

Став студенткой, Петрова написала на имя ректора заявление, попросила место в общежитии, приложила справку о том, что лишилась жилья вследствие взрыва, вот ей и помогли.

Глава 19

Я по-прежнему не понимала, куда клонит Эдита.
— И что?

— В то время существовал закон о внеочередном обеспечении квартирами лиц, пострадавших от несчастных случаев, — терпеливо объяснила девушка. — Брусково сгорело дотла, погибли люди, документы, которые хранились в местной администрации, но бумаги в других местах уцелели. Я выяснила, что оставшиеся в живых в короткий срок перебрались в новый дом в поселке Охотничий. Есть список выживших и перечень новоселов, два эти документа совпадают. Но один человек не въехал в уютную квартиру, не дали ему новое жилье. Вот, убедись.

Эди показала на ноутбук. Я подъехала на своем кресле и увидела на экране текст: «Новикова Антонина Георгиевна, однокомнатная квартира номер семь с ремонтом. Гаврилюк Иван Петрович и Гаврилюк Леонид Иванович пяти лет — двухкомнатная квартира номер пятнадцать».

— Ордера выписали всем, кроме одного человека, — пояснила Эдита, — а теперь скажи, кому не досталось квадратных метров? Изучи списки.

— Галине Сергеевне Петровой, — сразу поняла я.

Эдита хлопнула ладонью по столу.

— И почему ее обошли? Чем девушка хуже других?

Я призадумалась.

— Галя — вчерашняя школьница, наивная, защитить ее некому. Кто-то из местных чиновников решил обмануть девочку и забрал себе выделенные ей метры. Увы, такое случается. Кое у кого ни совести, ни чести нет, ради собственного благополучия готовы у сироты жилье отобрать.

— Может, и так, — неохотно согласилась Эдя, — но мне что-то не нравится.

— А именно? — спросила я. — Уточни.

— Не знаю, — вздохнула Эдита, — царапает как-то.

— Это было так давно, — сказал Валерий.

Я подпрыгнула на стуле.

— Ты здесь?

— Недавно вошел, не хотел вам мешать, — ответил Крапивин. — Галине Сергеевне много лет, почему ей в юности квартиру не предоставили, никому не интересно.

Эдита взглянула на Валерия.

— Да?

— Эдак можно и до египетских пирамид дорыться, — засмеялся тот.

Эдита встала.

— Меня нервируют неразвязанные узлы, некомфортно как-то. Теперь о банковской карточке Гортензии. Этот пластик Моисеенко завела вскоре после побега. Кредитками, которые были выданы ранее, когда беглянка жила с матерью, она не пользуется. У нее сейчас две «Визы», обе обычные. Деньги поступали неравномерно, она их приносила сама в кассу. Суммы разные: двадцать, тридцать тысяч. Самая крупная, сто, была под Новый год. Траты у нее обычные, в основном какие-то магазины, кафе, торговые центры, салоны, постоянной клиенткой Моисеенко нигде не стала, два раза в одно место не заглядывает. То ли ей нравится новизна впечатлений, то ли она боится, что маменька вычислит ее местонахождение. Сейчас у нее на счету триста тысяч. Когда Гортензия придет в банк, чтобы внести очередную сумму, вычислить нельзя. Сажать там нашего человека бессмысленно. В марте она там ни разу не появилась, зато в мае была четырежды, в разное время. Пойду в буфет, ватрушку куплю. Кому-нибудь принести булочку?

— Да, — хором сказали мы с Валерой.

— Быстренько смотаюсь, — пообещала Эдита и убежала.

— Может, устроимся в переговорной? — предложил Крапивин. — Попова уже там.

Мы переместились в другую комнату. Едва Аня увидела меня на пороге, как сразу затараторила:

— Я поговорила с соседями Моисеенко. Большая часть их не знает. В доме много квартир сдается, кое-где поменялись прежние хозяева. Почти все опрошенные отвечали на мой вопрос о Гортензии одинаково: «Моисеенко? Я с ней не знаком». Из старых жильцов там трое: сама Галина Сергеевна, Ираида Федоровна Закревская и Вера Владимировна Маркова. Закревская очень милая, на вид ей лет двести. Она заявила: «Гортензия? О! Чудная женщина, мы дружили. Ей нравится Вольдемар, мой племянник».

— Ага! — подпрыгнул Валерий.

Аня хихикнула.

— Я сначала тоже обрадовалась. А Ираида продолжила: «Но Волик погиб в тысяча восемьсот двенадцатом году, когда Александр Невский Москву сжег. Гортензия не вынесла горя и утопилась в Тибре».

Крапивин поднял брови.

— Тибр?

— Река такая, — пояснила Анечка.

— И где она течет? У меня с географией плохо, — признался Валерий.

— В Италии, — ответила я, — но где бы прекрасный Тибр ни струился, понятно, что дама не в себе.

— А вот Вера Владимировна нормальная, — продолжала Аня. — Раньше у дома был сквер, где стояли лавочки. Мать Марковой иногда там дышала воздухом вместе с Галиной Сергеевной. Сейчас на месте скверика парковка, мать Веры давно вышла замуж за немца, вот уже пятнадцать лет живет в Германии. А младшая Маркова с Гортензией никогда не дружила, они только здоровались при встрече. Вот и все, что я разузнала.

— Ватрушки на всех взяла, — весело объявила Эди, появляясь в комнате, — последние десять штук сцапала. Сзади какой-то прикольный дедуля стоял, весь в наколках, на голове хаер, на шее собачий ошейник, в ухе болт торчит. Увидел, что я булочки беру, и загундел: «Девушка, зачем вам столько выпечки, в дверях застревать станете, когда все слопаете». Я ему ответила, что булочки для Сергеевой, он сразу и заткнулся.

— Это Коробков, — усмехнулась я, — твой коллега из другой бригады. Мы с ним раньше вместе работали. Он компьютерный гений.

— Да? — с недоверием спросила Эдита. — Выглядит он необычно.

Я покосилась на зеленые волосы, фиолетовые глаза и синие губы Булочкиной.

— Думаю, вы друг другу понравитесь.

По комнате поплыл запах кофе, Крапивин поставил на стол чашку.

— Теперь о Ларисе. В доме, где прописана Пашкина, о ней никто ничего не знает. Это общага, коридор, комнаты, ванная-туалет и кухня общие. Не было у Пашкиной отдельной квартиры. Народ там меняется очень быстро. Но за дверью номер шесть обнаружилась постоянная жиличка, комендант Ольга Сергеевна, очень ласковая хлопотунья. Едва я про Ларису расспрашивать начал, как тетушка стала меня угощать. Вытащила из холодильника пирожки собственного приготовления, бутылочку из буфета добыла. «Перекуси, сыночек, бегаешь днями напролет, ой как мне тебя жаль». И дальше в таком духе.

— Ольга Сергеевна регистрирует у себя нелегальных мигрантов? — перебила Валерия Аня.

— Приятно, когда девушка не только красива, но и умна, — заметил Крапивин, — точно. Я на нее нажал и получил истерику: слезы, демонстративный прием лекарства. Но я терпеливый. В конце концов Ольга Сергеевна призналась, что ее лучшая подруга работает паспортисткой. Дамочки мошенничают на пару, одна находит клиентов, вторая делает им документ о регистрации. Зарплата у подруженций маленькая... Далее цитировать комендантшу не стоит.

— Ясно, что ничего не ясно, — протянула я. — Откуда Пашкина в Москву заявилась?

— Из Марманска, — ответил Валера, — город за Уралом, если, конечно, можно верить паспорту, который Лариса Ольге Сергеевне отдала. Я записал данные ее прописки в Марманске. Эдита, можешь глянуть?

— Не вопрос, давай сведения, — тут же согласилась Булочкина, хватаясь за мышку.

— Ватрушки гениальные, — похвалила Аня, запихивая в рот последний кусок, — вкуснее никогда не ела.

— Суперские, — подтвердил Крапивин.

Я потянулась было к тарелке, но отдернула руку. Танюша, сладкие булочки с жирным творогом не относятся к числу твоих друзей. Если проголодалась, возьми в столовой салат из свежей капусты с морковкой. Но рука не вняла голосу разума, схватила ватрушку. «На диету можно и завтра сесть!» — сказал вкрадчивый внутренний голос.

— В городе Марманске и правда жила Лариса Федоровна Пашкина, — сообщила Эдита, — паспортные данные совпадают с данными нашего трупа, хорошая девушка, по профессии педиатр, родом из замечательной семьи. Папа у нее доктор исторических наук, мать преподаватель музыки, бабушка главврач одной из поликлиник, а дедушка капитан дальнего плавания. Деда и бабушки в живых уже нет, а родители здравствуют.

— Прикольно, — протянула Аня, — в семье не без урода. Может, она и получила диплом детского врача, но по профессии работать не хотела. Придется

Пашкиным о смерти Ларисы сообщать. Можно, это не я сделаю?

— Не надо хороших людей нервировать, — протянула Эдита. — Зачем их зря волновать.

— Ну ты и сказала, — возмутилась Попова, — «зря волновать»! Хоть дочь и оторва, да своя. Предлагаешь ее за госчет захоронить? Тайком от семьи?

— Не надо Ларису в гроб укладывать, — пропела Эдита.

Аня вытаращила глаза.

— Ты совеем того, да? Оставить ее в холодильнике навечно?

— Она жива, — догадался Крапивин.

— Молодец, — похвалила Эди, — орден «Умная голова» тебе на грудь, Лариса распрекрасно себя чувствует. Она теперь не Пашкина, а виконтесса Харди и живет на краю света в Новой Зеландии. Вышла за обедневшего, но родовитого иностранца и сейчас закатывает банки с вареньем из инжира на своей ферме. Хотя, не знаю, растут ли в Новой Зеландии фиги. Несколько лет назад настоящая, еще незамужняя Пашкина подала заявление о смене паспорта. Девушка честно призналась: выбросила на помойку старые джинсы и только через пару дней сообразила, что там в кармане лежало удостоверение личности. Странно.

— На мой взгляд, нет, — возразила Попова, — просто растеряха. Интересно, как ее паспорт попал в лапы нашего трупа? И кто у нас в морге?

— Знаешь, почему ситуация показалась мне странной? — спросила Эдита. — За потерю или порчу паспорта предусмотрен штраф. Поэтому все, кто простирал бордовую книжечку в машине, утопил ее в реке или не пойми куда дел, всегда врут в полиции: «У меня сумку украли в магазине, паспорт там лежал». В этом случае ты не виноват, поэтому с деньгами не расстанешься.

— Лариса слишком честная, — поставила диагноз Аня.

— Думаю, дело в другом, — не согласилась Эдита и повернула свой ноутбук экраном к нам. — Кто на фото?

— Пашкина, — ответила я, — в смысле наш труп, только живой.

— Пашкина, — кивнула Эдита, — но не Лариса, а Ирина Федоровна, тридцати трех лет.

— Сестра Ларисы, — пробормотала я.

— Сводная, от первого брака отца, — пустилась в объяснения Булочкина. — Федор Семенович ранее был женат на Варваре Груздевой. Семья просуществовала менее двух лет, Федор подал на развод, оставил крошечную дочь и спустя некоторое время повел под венец Светлану Ивановну Морозову, та родила ему Ларису. Пара живет счастливо много лет. Ирина же хорошо известна полиции Марманска, она с десяти лет клиент детской комнаты: воровство у одноклассников, учителей. В четырнадцать девочка очутилась в специнтернате, в шестнадцать пошла на курсы, получила специальность «мастер ногтевого дизайна». Так красиво называется маникюрша. В восемнадцать девица отправилась на зону за кражу кольца и серег у клиентки, отсидела три года, вышла по условно-досрочному. Работала официанткой, кассиром на бензоколонке, продавцом в супермаркете. Пару раз задерживалась во время облавы на проституток, ее ругали и отпускали. Все. Вот уже несколько лет о ней нет никаких сведений.

— Можешь найти номер телефона старших Пашкиных? — спросила я.

— Уже набираю, — кивнула Эди, — громкая связь включена.

В комнате раздались длинные гудки, один, второй, третий, четвертый... На десятом я уже хотела отсоединиться, но тут услышала раздраженный женский голос:

— Слушаю вас.

Глава 20

— Светлана Ивановна? — уточнила я.

— Да. С кем имею честь беседовать?

— Вас беспокоят из Москвы, — начала я, — из...

— Полиции, — сделала поспешный вывод женщина, — понятно. Давно ждем вашего звонка. Ирина? Да? Ее арестовали?

— Нет, — возразила я, — немного другое.

— Что? — сердито спросила мачеха.

— Очень неприятно сообщать вам, — забормотала я, — к сожалению, Ирина Федоровна скончалась. Соболезную вашему горю.

— Слава богу, — донеслось из трубки.

Я промычала нечто невразумительное.

— Похоже, вы меня осуждаете, — зашипела Светлана Ивановна. — Да только вы ничего не знаете. Я жила с мерзкой девчонкой много лет, кормила ее, одевала-обувала, пыталась учить, вытаскивала из неприятностей. Мамаша этого счастья пила беспробудно, трезвой ее давно никто не видел.

Женщина закашлялась, я воспользовалась моментом, чтобы задать вопрос:

— Ирина была алкоголичкой?

Светлана справилась с кашлем.

— Нет, к водке она не прикасалась и так этим гордилась, будто нечто великое совершила. Уж лучше б пила, как мать. Варвара наливалась спиртным, ехала к бывшему мужу, звонила в дверь и качалась у нас на пороге со словами: «Федя, помоги, я твоя законная». И так лет двадцать! Ее не смущало, что они с моим супругом всего ничего прожили, что у Федора давным-давно другая семья. Считала себя единственной, потому как мой муж имел глупость с пьянчугой обвенчаться. Послушал свою мать, ненормальную святошу. Но пьянство Варвары было проблемой только нашей семьи, наружу ничего не вытекало. А Ирина воровка, проститутка, позор, несчастье и горе Пашкиных, занималась разбоем, грабила людей, и, когда ее за руку хватали, потерпевшие говорили: «Это дочь Пашкиных». Не все знали, что мерзавка от первого брака, считали ее моим ребенком. Я от стыда сгорала. Ирина вещи красть в пять лет начала, еще в садике у воспитательницы сумку сперла. Федор девчонку всегда жалел. Как же! Папа от ее мамы к другой жене ушел! Муж привел эту гадину в наш дом. О Ларисе не подумал, какой пример ей пакостница подавала! Слава богу, моя дочь генетически честный человек, к ней грязь не прилипла. Но ведь могла! Последняя радость, которую нам устроила Ирка, — кража паспорта Ларочки. Слава господу, потом она пропала с горизонта. Но от каждого телефонного звонка я вздрагиваю. Знаю, рано или поздно шалаву снова посадят.

— Вы не заявили о краже документа, — упрекнула я Светлану, — сообщили, что выбросили его с джинсами.

— И что? — взвилась та. — Выговор мне объявите? Мы не хотели разбирательства! Хватит с нас Геннадия Кривоносова, которого паршивка обчистила.

— Кто такой Кривоносов? — спросила я и услышала историю про местного бандита, организовавшего в городе агентство эскорт-услуг.

По документам девушки были студентками, а по

сути проститутками, обслуживающими клиентов. Ирина стала работать на Кривоносова. Отцу и мачехе она врала, что взялась за ум, ходит на курсы стилистов. Светлана понимала, что падчерица лжет, а Федор, ощущавший свою вину перед дочерью, верил ей, радовался ее исправлению. А потом Ира пропала. Сначала Пашкины не беспокоились. Молодая женщина и раньше могла по неделе в квартире не показываться, у Иры было много знакомых, да и остаться ночевать у людей, с которыми час назад свела знакомство, для нее не являлось проблемой. А вскоре Лариса обнаружила пропажу паспорта.

— Все ясно! — закричала Светлана. — Мерзавка украла документ и смылась. Федя! Немедленно иди в полицию, сообщи о воровстве.

— Нет, нет, — испугался профессор, — девочку могут посадить!

— Так ей и надо, — пошла в разнос жена, — больше нельзя молчать. Гадина наберет кредитов, а долги банк с Ларочки будет взыскивать.

Муж растерялся, а дочь сказала:

— Мама, не шуми. Скажу, что выбросила старые брюки на помойку, забыв, что там в кармане паспорт. Если возникнет ситуация с кредитом, ко мне претензий не предъявят, я просто получу новый паспорт, а старый аннулируют.

Но Светлана жаждала мести, она хотела, чтобы Ирину нашли и наказали за кражу. В самый разгар бурной семейной сцены в дверь квартиры позвонили. К Пашкиным приехал Геннадий Кривоносов и рассказал такую историю.

Ирина, которую Геннадий отправил сопровождать некоего богатого человека, оказалась в его квартире. Клиент много выпил и заснул. Девушка отправилась гулять по комнатам, забрела в спальню уехавшей отдыхать жены хозяина, увидела беспечно открытую шкатулку с драгоценностями, взяла ее и удрала.

— Велите дочери вернуть брюлики, — попросил Кривоносов, — если не получится, я подключу свою службу безопасности.

Федор побледнел и не смог ничего сказать, а Светлана заплакала.

— Понятия не имеем, куда эта дрянь подевалась! Она больше недели дома не показывается. Где ее искать, мы не знаем.

— Лады, сам найду, — кивнул Геннадий. — Оставлю у вас своего человечка на всякий случай, он на лестнице посидит. Вдруг мамзель прискачет домой? Мне шум не нужен, вам, наверное, тоже.

Перепуганные Пашкины согласились. Бандитского вида парни, сменяя друг друга, недели две сидели на подоконнике в подъезде. Потом наблюдение исчезло.

— Я догадывалась, что эта мерзавка к своему любовнику в Москву поскакала, — завершила рассказ Светлана, — но помалкивала. А теперь вы звоните! Значит, я правильно думала!

— Знаете его имя? — обрадовалась я.

— Филипп Игоревич Несмеянов, — сообщила собеседница, — лентяй, лоботряс, сын приятеля моего мужа. Ни работать, ни учиться не хотел. Представляете, мальчик из хорошей семьи начал торговать всяким фуфлом на рынке. Вместо того чтобы получить высшее образование, открыл на рынке палатку и торговал женским бельем. Отец Филиппа чуть со стыда не сгорел. Позор просто. Предъявил недорослю ультиматум: или тот прилично себя ведет, или он ему не родня. А Филька взял и уехал в Москву, с родителями он совсем не общается, но в Марманск приезжает. У него здесь торговый центр и пара клубов. Вот уж что запретить надо, так это шалманы, где оголтелая молодежь пьет водку и пляшет до утра. Где с ним Ирина познакомилась, понятия не имею, но она с Филиппом повсюду таскалась, в рот ему смотрела. Один раз я ей сказала:

— Нельзя приходить домой в пять утра, еле-еле стоя на ногах. Во-первых, это некрасиво, а во-вторых, опасно. Кто-нибудь увидит на пустой ночной улице окосевшую девицу в платье размером с носовой платок и изнасилует.

Ира ответила:

— Не твое дело. Меня на машине привезли.

Следовало промолчать, но ведь, если Ирину изуродуют, убьют, Федя с ума сойдет! Я попыталась образумить нахалку.

— Еще лучше! То, что опасно садиться в автомобиль к незнакомцам, девочки усваивают лет в семь!

Ирина такое лицо сделала.

— Ага! Первоклассники боятся, а десятиклассницы про страх забывают. И кто тебе сказал, что я ехала с посторонним? С Филом была. Он мой жених. Я его люблю.

Мы тогда крепко поругались!

Светлана умолкла, потом уже иным тоном спросила:

— И что теперь делать? В смысле с телом?

Я продиктовала Пашкиной телефон и предупредила:

— Пусть ваш муж соединится с Георгием Дмитриевичем Рагозиным, тот объяснит, как надо действовать. Но господину Пашкину придется прилететь в Москву для оформления документов.

— А могут ваши люди ее похоронить и ничего не говорить Феде? — попросила Светлана. — Необходимые деньги я пришлю. У супруга прямо комплекс, он считает, что во всем виноват. Думает, что у доченьки его распрекрасной душевная травма случилась из-за того, что она в нежном возрасте развод родителей пережила. Вот уж глупость несусветная! Тысячи детей в таком положении оказываются и только единицы по кривой дорожке идут. Неделю назад Федя сказал: «Ирина за ум взялась, замуж вышла, раз мне не звонит, денег не просит, значит, у нее все хорошо. Я очень рад, что дочь судьбу свою устроила». Федор такой наивный. Искренне полагает, что тридцатилетняя баба может измениться к лучшему. Он никогда о плохом не думает, вечно повторяет: «Все будет хорошо». Если муж узнает о смерти Ирины, он инфаркт заработает. Не говорите ему ничего.

Мне пришлось возразить:

— Простите, но это невозможно.

— Вам трудно, что ли? — разозлилась собеседница. — Деньги прямо через час получите. Закажите нашему несчастью гроб и отправьте его в крематорий.

— Ммм, — протянула я. — Не имею права брать у вас даже рубль. Простите, Ирина была замужем? Вы только что процитировали слова ее отца, он про мужа упоминал.

— Не зря народ говорит, что от полицейских помощи не жди, — закричала Светлана. — Вы понимаете, в какое положение меня поставите? Я сказала Феде, что его пакостница звонила, сообщила, что улетела в Америку на ПМЖ вместе с мужем. Да, я соврала! Но из благих побуждений. Хотела освободить супруга от чувства вины. А сейчас вы звоните и про ее смерть сообщаете! Не смейте нам докучать! Все! Чао!

Из трубки полетели частые гудки.

— Интересный человеческий экземпляр, — пробормотала Эдита, — некоторые люди на собак похожи.

Крапивин схватил последнюю ватрушку.

— Дита, где ты видела пса, который бросил своих хозяев и пошел пить водку с приятелями? Видела немецкую овчарку, ротвейлера, мопса, чихуахуа, которые шатаются пьяными по улицам? Встречала таксу, тойтерьера, способных настучать на приятеля ради получения должности? А вот люди все это проделывают с легкостью. Некоторые экземпляры человеческой породы не надо даже сравнивать с собаками, потому что животные умны и благородны, а двуногие глупы, злы и эгоистичны до омерзения.

— Какая у тебя собака? — спросила я.

— Лабрадор ретривер, — после небольшой паузы ответил Валерий, — нам с женой ее на свадьбу подарили.

— Вы же холосты, — удивилась я.

— В разводе, — поправил Крапивин, — но живем с бывшей супругой в одной квартире, остались друзьями.

— Бывает же такое, — восхитилась Эдита, — расплевались, разбежались, а живут вместе.

— Филипп Игоревич Несмеянов родом из Марманска. Имеет на родине один торговый центр «Ласка», а в Москве второй. Несмеянов не олигарх, но достаточно обеспечен, чтобы жить на широкую ногу.

Я подошла к стеклянной доске и взяла фломастер.

— Давайте предположим, что Ирина забеременела от Филиппа и решила использовать свое интересное положение, чтобы стать законной женой Несмеянова. Но он не желал иметь супругу-воровку.

— Аборт она не сделала, — принялась развивать мою мысль Аня, — небось молчала в тряпочку месяцев до четырех-пяти, пока живот виден не стал. А затем вылила новость на голову любовника. Тот в загс не помчался, однако стал давать Ирине деньги. Ясно теперь, зачем она в «Ласку» пришла: за звонкой монетой. А в тот день Несмеянов устроил вечеринку. Ему надоела побирушка, и он...

— Напоил ее коктейлями, знал, что Ира пьет антидепрессант, несовместимый с водкой, — заржал Валера. — Анюта, мой двоюродный брат Родион работает на кабельном телеканале, там сериалы часто показывают. Женщины от них в восторге, прямо прилипают к телевизорам. Хочешь, познакомлю тебя с Родей? Ты ему то, что нам сейчас рассказала, озвучишь и гору денег за сюжет для телемыла получишь. Шикарная многосерийка получится, бабы обрыдаются. Но, извини, это ж полная фигня!

Аня поджала губы, а я постучала карандашом по столу.

— Спокойно. В любой, даже самой невероятной на первый взгляд версии есть рациональное зерно. Если верить Светлане Ивановне, то Ирина была любовницей Филиппа. Она могла приехать с ним в Москву и в день смерти прийти в «Ласку». В магазине в этот момент находилась Гортензия. На тему, как она там очутилась, что делала, думать не станем. Ирина нечиста на руку, она украла сумочку Горти, в которой лежала кредитка. Могло так быть?

— Ну да, — пожал плечами Валерий.

— Добрый день! — громко сказал Александр Викторович, врываясь в комнату с двумя большими коробками в руках.

— Да уж вечер скоро, — хмыкнула Аня.

— С утра я с разными людьми беседовал, — сообщил профайлер. — По дороге проголодался, подумал, вы тоже есть хотите, прихватил пиццу. Поскольку пока не знаю ваших вкусов, взял одну с колбасками, а другую с морепродуктами.

— Готов слопать обе, — потер руки Валерий.

— Обжора, — кокетливо заметила Аня.

— Хороший аппетит признак отличного здоровья, — возразил Крапивин, — доброты души и хозяйственности, поэтому я сейчас заварю всем чай-кофе.

Глава 21

— Что вы интересного узнали? — спросила я профайлера, взяв кусок пиццы.

Ватагин встал и начал ходить по комнате.

— Меня заинтересовало, почему Галина Сергеевна так боялась за Гортензию. Да, бывают мегатревожные матери. Есть несколько причин, которые побуждают их водить ребенка на строгом ошейнике. Первая. В ранней юности мамаша наделала глупостей, ну, допустим, родила в четырнадцать лет, одна заботилась о ребенке, хлебнула горя и теперь не желает, чтобы дочь повторила ее судьбу. Вторая. Мать когда-то подверглась насилию, она не послушалась своих родителей, пошла гулять с малознакомым парнем, и все закончилось плохо. Девочка никому о своей беде не рассказала, сама справилась со стрессом. И вот теперь, повзрослев, зная, чем может обернуться беспечность, никуда не отпускает дочь. Третье. Глубокий родительский эгоизм. Мать, всегда жившая при хорошем муже, посвятила себя семье, занималась исключительно хозяйством, воспитанием детей и внезапно стала вдовой. Ее жизнь теряет смысл. Супруг умер, что ей делать? О ком заботиться? О дочери! Но ведь девочка тоже может уйти из жизни. Например, попадет под машину или заразится смертельной болезнью. Значит, надо оберегать ее изо всех сил. А теперь давайте вспомним, что сумасшедшей мамашей Галина стала после смерти Валентина Петровича. До этого, по словам Карины, она не давила на Гортензию. Полагаю, в нашем случае мы имеем последний вариант. Галина Сергеевна панически боится остаться одна и поэтому не отпускала от себя Гортензию. Но спросим теперь...

— Она не родственница, — пробормотала вдруг Эдита. — Извините, Александр Викторович, что перебила вас.

— Ты о ком? — не поняла я.

Лежащий передо мной телефон тихо звякнул, я посмотрела на прилетевшее сообщение от Ивана: «Зайди, когда освободишься».

— О Елизавете Гавриловне Браскиной, которая жила одно время с Моисеенко. Родители Галины скончались, когда дочь еще ходить не умела, — продолжала Эдита, — я уже говорила, что из-за взрыва погиб весь архив поселка Брусково. Отчего умерли родители, узнать не могу. А вот бабушка стала жертвой взрыва склада газовых баллонов. В анкете, заполненной при поступлении в вуз, Галина указала, что никого на белом свете не имеет. Значит...

Я пожала плечами.

— Значит, Елизавета Гавриловна родня со стороны Валентина Петровича.

— И снова мимо, — возразила Эдя, — у родителей Валентина братьев-сестер не было.

— Наверное, Браскина гувернантка, нанятая для Никиты, — вдруг сказал Александр Викторович, — чтобы посторонние люди не задавали ненужных вопросов, Елизавету позиционировали как тетю.

— Воспитательница вполне могла быть в семье, — согласилась я. — Но зачем представлять ее родственницей? И женщина, которая следит за ребенком, ни у кого не вызывает удивления.

— Вот не дали вы мне рассказать до конца, — вздохнул Ватагин, — Эдита перебила. Нетерпеливая такая.

— Простите, — смутилась девушка, — я поняла, что Елизавета Гавриловна не связана кровными узами с Моисеенко, и не сдержала эмоций.

Александр Викторович снова сел.

— Галина с Валентином не хотели, чтобы посторонние узнали о проблемах Никиты. У мальчика не было кардиологического заболевания.

Эдита показала на компьютер.

— В свидетельстве о смерти подростка...

— Это бумага, ее составили люди, — отмахнулся профайлер, — а они любят деньги. И, как известно, бумага все стерпит, можно любую ерунду написать.

— О! Знаю, почему из Елизаветы сделали родню, — обрадовался Валерий. — Галина небось вскоре после родов вышла на работу, для Никиты наняли няню. Моисеенко нашли хорошую женщину, а договор с ней не заключили, налог государству не платили, боялись, что соседи ментам стукнут, что у них в доме нянька без оформления живет.

— Прежде чем разводить турусы на колесах, дай мне договорить, — остановил Крапивина Ватагин.

— Трусы на колесах, — захихикала Аня, — ой, не могу, никогда такого выражения не слышала. Зачем трусам колеса?

— Турусы на колесах, — поправила Эдита, — это выражение означает: «болтать впустую, нести чушь». В древнерусском языке было слово «тарасъ», так называли деревянную башню на колесах, которую монголо-татары использовали при взятии русских городов. Подкатывали ее к крепостной стене и швыряли сверху камни, или на башне стояли лучники. Русским воинам тарасъ казался чем-то фантастическим. Со временем «тарасъ» стали произносить как «турус», а спустя века сочетание «турусы на колесах» приобрело значение «глупость какая-то». Есть еще одно объяснение: у тех же монголо-татар были улусы, войлочные кибитки на колесах...

Александр Викторович кашлянул и посмотрел на меня.

— Эдита, — остановила я девушку, — спасибо, это очень интересно, но не надо сейчас этимологических экскурсов. Мы поняли, что турусы на колесах означает болтать глупости. А теперь дадим возможность Александру Викторовичу высказаться, не будем его перебивать.

Ватагин откинулся на спинку кресла.

— Я решил собрать побольше информации о Моисеенко.

— Я кучу всего о них нарыла, — неожиданно обиделась Эдита, — и могу еще накопать. Только скажите, что вам надо, и получите это.

Профайлер открыл портфель и вынул толстый ежедневник.

— Дита, в Интернете много как хорошего, так и плохого, как правдивого, так и лживого. Но есть люди, которые не пользуются Интернетом, не заводят аккаунты в соцсетях. Я подумал, вдруг исчезновение Гортензии каким-то образом связано с медцентром, которым они с матерью на паях владеют. Там лечатся наркоманы, алкоголики, не самые миролюбивые и законопослушные граждане.

— Женщины Моисеенко не врачи, — парировала Эдита, — они с пациентами не сталкиваются, с ними доктора работают.

— Верно, дружочек, — не стал спорить Александр Викторович. — Но над дверью висит вывеска: «Центр Моисеенко», в фойе стенд с фото Валентина, Галины и Гортензии, рассказ о том, как создавалась клиника. У людей создается ощущение, что Моисеенко самые главные. Кто-то мог, допустим, решить отомстить

Горти за неудачное лечение своего родственника. Надо же проверить все варианты, а такой тоже возможен, вдруг девушку похитили, чтобы отомстить Галине? Я решил узнать, не было ли в центре скандалов.

— Любая ссора моментально оказывается в Интернете, — стояла на своем Эдита, — я все излазила. Никаких трений с клиентами у них не нашла. Вы не доверяете мне?

Александр Викторович открыл блокнот.

— Наша команда только собралась. Это первое дело, которое мы расследуем вместе. Давайте сразу договоримся: непрофессионального человека в особую бригаду не возьмут. Так, Татьяна?

— Это исключено, — подтвердила я, — сначала отдел персонала тщательно изучил послужные списки, личные дела, потом кандидаты прошли тестирование, собеседование. Вас отобрали из десятков претендентов.

Ватагин взглянул на Эдиту.

— То, что я отправился добывать кое-какую информацию, не делает никого глупым сотрудником. Ваше желание быть лучше всех похвально, но, повторяю, вы плаваете в темной воде Интернета. А некоторые люди, например мой приятель, психиатр Владимир Гатманов, с компьютером на «вы». Володя доктор наук, профессор, председатель одного из ученых советов, он знает массу всего о коллегах, клиниках, но никогда не доверит сведения ноутбуку. Вам от него ничего не добиться, а я могу у Гатманова обо всем спросить. Володя сказал, что клиника Валентина Петровича хорошая, там на самом деле оказывают помощь наркозависимым людям и алкоголикам. В больнице есть ВИП-отделение...

Я вздрогнула, почесала шею, нос...

— ...для обеспеченных людей, — продолжал Александр Викторович, — оно отличается от того, куда кладут тех, кто победнее, только условиями содержания, палаты одноместные, с санузлом. Но врачи и лекарства у всех одинаковые. И кое-кому помощь оказывают бесплатно. Никаких скандалов там никогда не было. Володя назвал Валентина Петровича гениальным администратором. Моисеенко приватизировал здание и прилегающий к нему парк, провел ремонт, набрал отличный врачебный персонал, ухитрялся доставать лекарства, которых в России днем с огнем не найти. Но врач Валентин был средний. До того, как создать собственный медцентр, он работал обычным психиатром. Научных трудов не писал, диссертаций не защищал. Дотошно исполнительный, всегда действовал по учебнику. Володя, будучи студентом, проходил практику в психиатрической лечебнице, где служил Моисеенко. Знаете, как его там за глаза называли? «Электричка». Валентин Петрович вовремя приходил на работу, в определенный час уезжал домой, неукоснительно выполнял все правила. Когда он вдруг стал владельцем клиники, многие в это не поверили. Володя до сих пор думает, что идея создания медцентра пришла в голову не Моисеенко, а его ближайшего друга и однокурсника по медвузу Степана Калягина. Вот он был врач от бога, к нему люди своих родственников наркоманов-алкоголиков со всей страны везли. По мнению Гатманова, у Моисеенко с Калягиным сложился прекрасный дуэт. Валентин занимался хозяйственно-административными вопросами, Степан — лечебными и научными. После смерти Валентина Петровича Степан Ильич продолжал работать в медцентре, потом постригся в монахи, сейчас живет при монастыре в селе Красное, основал там больницу, бесплатно лечит зависимых от бутылки и разных препаратов людей. Он уже в возрасте, но вполне бодр, и ни малейших признаков ослабления умственной деятельности я у него не заметил.

Глава 22

— Вы ездили в Красное? — уточнила я.

— Ну да, потому и задержался, — кивнул Ватагин, — до деревеньки рукой подать, тридцать пять километров от МКАДа. Без проблем нашел и село, и Степана Ильича, он живет возле больницы. Она небольшая, но хорошо оснащена, там работают три врача, несколько медсестер. Калягин приветливый, спокойный, сначала выяснил, почему я Моисеенко интересуюсь, узнал об исчезновении Горти и ушел куда-то. Я его целый час ждал, потом он вернулся, сказал, что получил благословение на рассказ, и изложил следующую историю.

Родители Степана и Валентина дружили, поэтому мальчики познакомились в детстве. На глазах Степы Валя привел в дом Галю, та была какая-то испуганная, забитая, услужливая, готовая все делать по хозяйству. Родители юноши знали, что невестка пережила трагедию, смерть бабушки, и изо всех сил старались отогреть ее. Спустя некоторое время Галочка чуть оттаяла, даже начала улыбаться, но родить ребенка не хотела, а когда в конце концов на свет все-таки появился Никита, молодая мать первое время боялась к нему прикасаться, потом освоилась, но все равно при каждом удобном случае старалась подсунуть малыша Софье Николаевне, матери мужа. Свекор со свекровью решили, что Галочка неопытна, да и поспать ей ночью хочется. Софья бросила работу и занялась внуком.

Когда Никита превратился в симпатичного мальчишку, в Галине проснулись материнские чувства, она стала больше заниматься сыном. Софья Николаевна была очень рада, она шепнула Степану:

— Некоторые женщины так устают после беременности и родов, что долго в себя приходят.

Степан не захотел расстраивать тетю Соню, не сказал, что Галя вообще не хотела ребенка. Валентин сразу после свадьбы решил стать отцом, а жена возражала: «Прости, я не создана для материнства. Давай жить только для себя». Пару лет Валя не нажимал на супругу, а потом у них случился скандал, в процессе которого супруг объявил, что в его понимании настоящей семьей может быть ячейка общества, в которой минимум двое детей, а он мечтает о четырех-пяти сыновьях. Если у Гали другие планы, то лучше им разойтись.

Галина перепугалась, залепетала, что ее родители погибли в аварии, она росла сиротой при очень строгой бабке, которая почем зря лупила внучку за любую провинность.

— Вдруг мы с тобой внезапно умрем? — плакала Галя. — Что тогда ждет наших деток?

Валентин успокоил жену, и она согласилась родить. Сначала на свет появился Никита, через два года родилась Гортензия.

Когда мальчик пошел в первый класс, начались проблемы. Во втором классе Кита поймали на воровстве, он утащил кошелек из сумки учительницы. Дело замяли, мальчика перевели в другую школу. Галина была очень напугана, она плакала и говорила мужу:

— Никиту надо отдать в монастырь, отвезти на какой-нибудь далекий остров, пусть живет в скиту под наблюдением святых отцов. Может, они его исправят.

Степан, в присутствии которого прозвучали эти слова, обомлел. Ну и ну! Валентин тоже опешил и сказал жене:

— Кит маленький, он совершил плохой поступок и раскаивается. Все будет хорошо, дети часто хулиганят.

В новой гимназии Никита ничего не крал, но через полгода после его появления кто-то жестоко замучил и убил собачку, жившую во дворе, затем повесили кошку, которая часто заходила на школьный двор. Потом жильцы соседнего дома рассказали учителям, что кто-то сжег на костре котят, обитавших в подвале, а через год Никиту поймали в зооуголке, где он задушил двух кроликов. Директриса попросила забрать мальчика и посоветовала показать его психиатру.

Валентин Петрович и Степан Ильич в тот момент только организовали клинику. Они были очень заняты. Моисеенко сказал жене:

— Найди хорошего детского специалиста, займись Никитой.

Но Галина впала в истерику:

— Нет, не хочу. Его надо срочно изолировать, он маньяк-убийца. Таких не оставляют на свободе, их запирают на сто замков. Сейчас мальчик мучает животных, но он подрастет и перекинется на людей.

Степан Ильич понимал, что Галина отчасти права. Большинство серийных убийц начинают с уничтожения несчастных собак и кошек. Если ваш ребенок проявляет жестокость по отношению к четвероногим, необходимо немедленно показать его опытному психологу. С другой стороны, история криминалистики знает изуверов преступников, которые обожали не только своих, но и чужих домашних любимцев.

— Мальчика надо обследовать, — сказал Степан жене друга.

— Это обязан сделать отец, он психиатр, — затопала ногами Галя, — а не я. Не пойду к доктору. Не хочу.

— Прекрати скандалить, — обозлился Валентин, — знаешь ведь, какое у нас со Степой трудное время, медцентр открыли, теперь его раскрутить надо.

Жена умолкла, а потом неожиданно спокойно произнесла:

— Отлично. Можете заниматься великими делами. Но денег больше ни копейки от меня не получите.

Ватагин встал и пошел к чайнику.

— Стойте! — воскликнула Аня. — Медцентр возводился на средства Галины Сергеевны?

Александр Викторович открыл коробку с чаем.

— Я сам удивился. Степан Ильич уверяет, что да. Маловероятно, что глубоко верующий человек, монах, будет врать.

— Думаю, сумма понадобилась не маленькая. Где она ее взяла? — спросила я.

— Степан Ильич ничего о размере регулярных вложений не сообщил, но про стартовый капитал объяснил. Когда друзья заговорили о создании клиники, первый заданный ими вопрос звучал так: «Где раздобыть необходимые средства?» Валентин сразу сдался, поднял лапки, объявил:

— Не для нас история, мы нищие.

Но Степан не хотел сдаваться.

— Мы найдем инвестора.

Мужчины начали поиски человека, который вложится в их проект, но все, кто соглашался это сделать, выдвигали грабительские условия, требовали себе львиную долю предполагаемой прибыли. В какой-то момент друзья отчаялись, и вдруг Галина сказала:

— У меня есть украшения покойной матери.

— Никогда их не видел, — поразился Валентин, — ты ни разу о драгоценностях не упоминала.

Жена забубнила:

— Родители были обеспеченными людьми, отец работал ювелиром на заводе, дома мастерил украшения под заказ, мать занималась тем же. Деньги в нашем доме водились. Я не помню своих родителей, и бабушка о них ничего не рассказывала. Но незадолго до моего четырнадцатилетия старушка попала в больницу, испугалась, что умрет, и разоткровенничалась со мной. Моих папу-маму большие заработки испортили, они стали пить, отец сел подшофе за руль и не удержал машину на повороте. В семье было много драгоценностей, отец бабушки тоже был ювелиром. Анна Сергеевна взяла побрякушки, принадлежавшие зятю и дочери, положила их со своими кольцами-серьгами-ожерельями и спрятала в погребе, сделала там тайник. Мне она велела: «Если Господь меня приберет, возьми коробку, это тебе на безбедную жизнь». Сейчас пришло время продать мое приданое, будут нам деньги на клинику.

И на самом деле, через день Галя принесла большую шкатулку, в которой лежало много добра. Кое-что оказалось дешевым ширпотребом, кое-что старинными дорогими вещами. Особую ценность представляли крупные бриллианты прекрасного качества. Степан Ильич был настолько удивлен «Алмазным фондом», что навсегда запомнил мешочек, из которого жена друга высыпала богатство, он был из синего бархата с вышитой золотыми нитями мордой тигра. Когда Валентин Петрович увидел богатство, у него вмиг пропали лень и апатия, он развил бешеную деятельность, продал камушки, вложил вырученные деньги в клинику. Медцентр оформили как совместную собственность семьи Моисеенко. Степану Ильичу, не давшему ни копейки, Валентин предложил стать совладельцем. Но психиатр отказался, он взял на себя лечебную работу, стал получать солидный оклад. В период становления медцентра в него постоянно требовалось вливать все новые и новые средства, в плюсе хозяева оказались далеко не сразу. История с Никитой случилась в момент, когда Галине снова пришлось залезть в коробку с украшениями матери. Степан Ильич помнил, что до начала скандала с мужем Галя как раз достала брошь удивительного дизайна: черный ангел держит в руках большой рубин в виде сердца, а перед ним лежит ниц белый херувим. Украшение было настолько необычным, что даже совершенно равнодушный к ювелирным изделиям Степан Ильич восхитился, взял брошь в руки, перевернул ее и обнаружил на оборотной стороне какой-то герб и две буквы, наверное инициалы. Пока Калягин рассматривал украшение, Галина и Валентин поругались из-за Никиты, и жена сказала:

— Кто заставил меня родить мальчика? Я не хотела детей, но ты настоял. А теперь тебя интересует только клиника. Не желаешь заниматься проблемой маленького чудовища? Несмотря на то что сам являешься психиатром и лучше меня поймешь коллегу, работающего с детьми, не собираешься поехать с Никитой на прием? Отлично. Мне придется самой ребенка к специалисту сопровождать. Но как ты со мной, так и я с тобой! Не отдам тебе брошь, себе оставлю. Доставай деньги где хочешь.

Валентин испугался и повез Кита куда следует. Назад он вернулся в возбужденном состоянии, сразу соединился со Степаном и рассказал, что по всем исследованиям-тестам выходит, что его сын социопат. Вылечить мальчика невозможно...

— Почему? — удивился Крапивин.

Александр Викторович отнес свой чай к столу и сел в кресло.

— Социопатия это не грипп, не краснуха, не туберкулез. Диссоциальное расстройство личности таблетками-уколами не вылечить. Такой человек характеризуется игнорированием социальных норм, импульсивностью, неспособностью формировать привязанности. Он равнодушен к чувствам окружающих, никогда не ощущает своей вины. Социопата бесполезно наказывать, он не сделает никаких выводов и через час после того, как пообещал не воровать, украдет снова. Для него характерны лживость, безответственность, неспособность к систематическому труду и нечистоплотность в отношении своих финансовых обязательств. Но! Страдающие диссоциальным расстройством часто очень умны, хитры, изворотливы и обаятельны. Если такой человек со слезами на глазах расскажет, что у него вчера умерла обожаемая мама и ему срочно нужны на похороны деньги, которые он вернет через пару дней, ваша рука сама собой протянет ему нужную сумму. Спустя время станет понятно, что кровные потеряны навсегда, и вы удивитесь, что такой приятный человек на самом деле подлый обманщик. Большинство серийных убийц, насильников и садистов принадлежит к племени социопатов.

Ватагин замолчал.

— Это не лечится? — задал еще раз все тот же вопрос Валера.

— Таблеток, превращающих социопата в нормального члена общества, не существует, — вздохнул Александр Викторович, — обычно подбирают препараты, снижающие агрессию. Считается, что с социопатами хорошо работают психотерапевты. Но не все психологи умеют общаться с такими личностями, и пациент должен сам принять решение лечиться. Если привести его силой, ничего не получится.

— Не повезло Галине Сергеевне, — пожалела Моисеенко Аня.

— Да уж, — кивнул профайлер, — не очень хорошо у нее пасьянс сошелся. Валентин Петрович понимал, что Никита — это бомба с часовым механизмом, от него можно ожидать любых неприятностей. Отец решил держать мальчика под неусыпным наблюдением. Он нанял Елизавету Гавриловну, детского психолога, и поселил ее в своем доме. Никите и Гортензии сказали, что она их тетя, приехала из другого города. Мальчик с девочкой не интересовались биографией «родственницы». Горти была еще маленькая, она верила каждому слову родителей. А Никите было наплевать на окружающих.

Елизавета Гавриловна ни на шаг не отпускала мальчика. Ему сделали справку от кардиолога и обучали на дому. После уроков тетя Лиза вела подопечного на спортивные занятия, по выходным они посещали музеи, театры, разные выставки. День Никиты планировали так, чтобы у него не оставалось даже минуты свободной. Но как воду ни береги, а она отверстие найдет и утечет.

Глава 23

Отец и нянька знали, что физическая активность идет Никите на пользу. Поэтому Елизавета Гавриловна ездила на дачу Моисеенко и сажала там огород. Никите вменялось в обязанности вскапывать грядки, выдирать сорняки. Фазенда располагалась в тихой деревеньке, оживление в которой начиналось в первых числах июня, когда туда съезжались внуки местных жителей. И вот тогда Елизавета Гавриловна становилась бдительной вдвойне. Никиту она никогда не отпускала одного с веселой компанией ребят. Но в мае в деревушке были одни местные жительницы, шесть-семь пенсионерок, ни денег, ни дорогих вещей у них не имелось. Никита же последние полгода вел себя прилично, был вежлив, услужлив, и Елизавета Гавриловна расслабилась. В роковой день она, приготовив обед, читала на веранде, Никита играл с лабрадором в саду, психолог прекрасно видела подопечного. Несмотря на весну, погода выдалась жаркой. Елизавета Гавриловна захотела пить, налила себе кипяченой воды из кувшина, опустошила стакан, вскоре ощутила непреодолимое желание заснуть и дальше ничего не помнила. Очнулась она на земле, на лицо ей лилась вода, Елизавета Гавриловна не поняла, что происходит. Соседи объяснили ей, что в доме вспыхнул пожар, Никита не пострадал, он спал во дворе в гамаке. А Елизавету вытащили из пылающей избы бабушки соседки. Несмотря на преклонный возраст, в момент опасности старушки вели себя храбро.

Вскоре после этого происшествия Валентин сказал Степану:

— Лиза отказывается у нас работать. Теперь мы знаем, почему полыхнул огонь. Никита украл снотворное, которое пьет Галя, подсыпал его в воду в кувшине. Он заранее готовился к преступлению, хотел убить Елизавету Гавриловну. Мальчик поджег дом, когда она заснула. Он надеялся, что после ее смерти останется без опеки, и Никита убил несчастного лабрадора, который начал лаять, когда он запалил занавеску. Я вынудил сына рассказать мне правду. Воспитательница теперь опасается за свою жизнь.

— Что ты собрался предпринять? — осведомился друг.

— Пока не знаю, — мрачно ответил Валентин. — За что нам это с женой? Мы спокойные, никогда никому не причинявшие вреда люди. Отчего у нас социопат родился?

— Сам знаешь, генетика — это лотерея, — пожал плечами Калягин.

— Ты веришь в наследственную социопатию? — поморщился Валентин. — Полагаешь, что какой-то наш предок был Соловей-разбойник?

— Не мне тебе объяснять, что четкого понимания механизма возникновения диссоциального расстройства нет, — протянул Степан, — у вас так фишка легла. Готовься к большим проблемам, Никита вступил в подростковый возраст.

— Угу, — пробормотал Моисеенко.

Елизавета Гавриловна уволилась. Родители объяснили, что тетя уехала в санаторий. Спустя месяц брату с сестрой сообщили, что родственница не вернется, она скончалась. Гортензия не горевала, у нее близких отношений с психологом не было. Никита изобразил скорбь, даже заплакал, но отец с матерью понимали, что сын устроил спектакль.

Потом Галина Сергеевна поехала в какой-то подмосковный дом отдыха, взяв с собой Никиту, Гортензия осталась дома. Мать отсутствовала всего сутки, потому что случилось несчастье. Никита умер, у него от анафилактического шока остановилось сердце.

Александр Викторович замолчал.

— Ну и ну! — воскликнула я. — Возникает куча вопросов. Галина Сергеевна решила подышать свежим воздухом, взяв с собой проблемного ребенка? Оставила Горти на попечение отца?

— Не вижу ничего особенного, — возразила Аня, — был май, девочка еще ходила в школу. Отец мог утром ее разбудить и доставить на занятия. Днем Гортензия либо сама возвращалась домой, либо оставалась на продленке.

— Анафилактический шок? — повторила я.

— О нем в документах нет ни слова, — быстро стуча по клавиатуре, заявила Эдя, — в медкарте мальчика есть запись о пороке сердца, из-за которого его перевели на домашнее обучение.

— Мы теперь знаем, что с сердцем у Никиты проблем не было, — произнес Валерий, — это придумали, чтобы перевести социопата на домашнее обучение.

Эдита перестала печатать.

— На записи про порок сердца медкарта в поликлинике заканчивается. Более нет ничего. Есть свидетельство о смерти. Все. Могу найти, из какой больницы выдали справку.

— Попробуй, — согласилась я, — может, Степан что-то напутал? Или забыл? Он сказал Ватагину, что Елизавета спала дома, и если бы не соседи, ей суждено было погибнуть. Никита устроил пожар, чтобы убить цербера. А мне Карина говорила про грабителя, который украл бриллианты тетки, пока Елизавета ходила в магазин!

— Елизавета Гавриловна придумала пропажу семейных реликвий, соврала деревенским детективам, чтобы те не стали искать причину пожара. То-то мне показалось странным, что женщина на дачу ювелирку притащила, — заметил Ватагин. — Степан ничего не напутал. Но и Карина сказала ту правду, которую ей сообщила Моисеенко.

— Брошь с ангелами, — воскликнула Эдита, — я вбила ее описание в поисковик, и выпала ссылка на блог пользователя Alenuska. Давайте прочитаю вам. «Ранней весной этого года я поехала на барахолку в раздел украшений. Обожаю бижутерию, но она нынче очень дорогая. Поэтому шарюсь на «блошке», там можно отрыть суперское, купить не особо дорого изделие у самодеятельных ювелиров, кто увлекается созданием браслетов, серег, колье. Среди массы безвкусного дерьма подчас попадаются пристойные штучки-дрючки. Я гуляла среди лотков и вдруг наткнулась на оригинальную брошь, черный ангел с рубиновым сердцем в руках, перед ним лежит ниц херувим. Вещь показалась мне привлекательной, я ее начала внимательно разглядывать. Женщина за прилавком предложила:

— Если возьмете, сделаю скидку.

Я ее разочаровала:

— Не ношу изделий с ангелочками, они для меня слишком сладкие. Правда, ваше мне нравится.

Ювелир объяснила:

— Это сюжет испанской легенды. Добрый ангел влюбился в зло, решил, что его светлое чувство сделает черную сущность белой. Но ничего не получилось, черный ангел вырвал у херувима сердце и разбил его. Когда-то у моей мамы имелась точь-в-точь такая брошь, она ее постоянно носила. Украшение дорогое, антикварное, с настоящим рубином. Оно было на маме, когда она пропала. Много лет назад, когда я была школьницей, мама исчезла. Мы с папой ее искали, но безрезультатно. Спустя несколько лет нам позвонили из милиции. Оказалось, что мамочка попала в руки садиста, серийного убийцы, его наконец-то поймали, преступник, надеясь на снисхождение, выдал места захоронений убитых им женщин. Одна из них оказалась моей мамой. Очень надеюсь, что для Раскольникова в аду особое место приготовили.

Я сначала не сообразила, при чем тут герой романа Достоевского «Преступление и наказание», и спросила у мастера:

— Раскольников? Простите, не понимаю, почему вы его упомянули.

Женщина ответила:

— Это фамилия того маньяка, который мою маму и других женщин убил. Я постоянно делаю копии маминой броши, их охотно берут. Но никому историю про нее не рассказывала. Не знаю, что на меня сегодня нашло, разболталась с незнакомым человеком.

Я не стала покупать брошь. История, рассказанная женщиной, потрясла меня. Это ужасно — потерять мать и через годы узнать, что она была жестоко убита. Мне больше не хочется покупать бижутерию на блошином рынке».

Эдита подперла щеку кулаком.

— Вот такая история в блоге. Интересно, каким образом ангел с рубином оказался у матери Галины Сергеевны?

— Ответ на вопрос мы не получили, — вздохнула Аня.

— Полагаешь? — спросила Эдита.

Мой телефон замигал, я увидела имя звонившего и вышла в коридор.

— Ты занята? — осведомился Иван.

— Завязли в обсуждениях, — ответила я. — А что?

— Можешь к девяти вечера к нам домой подъехать? — спросил шеф. — Я сообщил маме, что мы женимся.

Я почему-то испугалась.

— А она что?

— Сейчас печет какой-то особенный торт, — засмеялся шеф. — Так как? В двадцать один подойдет? Я отъеду по делам, но к назначенному часу примчусь.

— Хорошо, — сказала я, потом пошла в туалет и взглянула в зеркало.

Помню, как, собираясь в первый раз в гости к Ивану, я разоделась и накрасилась по полной программе. Очень уж хотела понравиться его матери. Сейчас, хорошо узнав Рину, я поняла, что не стоило ради нее накладывать на лицо макияж толщиной в палец и напяливать платье-бюстье. Ирина Леонидовна ценит элегантность, естественность, мои брюки и пуловеры ее не раздражают. Но сегодня-то особый день, вроде как помолвка. Если уж совсем честно, я выгляжу слегка помятой. После проведенной в «самолете» романтической ночи я не успела заехать домой, сразу помчалась на работу. У меня в кабинете есть зубная щетка, запас одежды, я постаралась привести себя в порядок, но волосы торчат в разные стороны, глаза красные, джинсы с пуловером прекрасная одежда, но в день, когда Ирина Леонидовна узнала, что вот-вот станет свекровью, будущей невестке надо надеть платье.

Забыв о делах, я поспешила в женскую раздевалку к своему шкафу и стала изучать его содержимое. На работе возникают разные ситуации, подчас нужно переодеться. У нас есть костюмерные, но я держу свой запас шмоток. И что у меня сейчас на вешалках? Пара черных брюк, несколько блузок, пуловер, жакет и платье, темно-синее с белым воротничком, оно на мне очень хорошо сидит. В последний раз я щеголяла в нем, если память мне не изменяет, в январе, когда пришлось беседовать с иностранным дипломатом-мусульманином, я тогда решила, что лучше не ехать к нему в брюках. Но с той поры прошло несколько месяцев, а мой вес, увы и ах, увеличился.

Я достала платье и примерила его. Так. Понятно, где аккумулировались набранные килограммы. На животе! Сейчас ткань некрасиво обтягивает валик чуть пониже пупка. Я затаила дыхание, втянула брюшко и постояла несколько секунд. Ну да, в этом положении я выгляжу лучше, но... Я сделала выдох и приуныла. Что делать? И тут на память пришла соседка Лена и подаренный ею абонемент на бесплатные процедуры.

Живо переодевшись, я порылась в сумке, позвонила в салон, договорилась, что приеду в шесть часов, вернулась к сотрудникам и сказала:

— Думаю, нам надо еще раз поговорить с Галиной Сергеевной. Александр Викторович, позвоните Моисеенко и спросите, когда она может с нами встретиться. Я завтра съезжу в «Ласку», прикинусь претенденткой на место уборщицы и попробую узнать, кто там ночью справлял день рождения. Эдита, свяжись с техотделом и попроси, чтобы мне быстро сделали документы для исполнения роли поломойки. Что вы думаете о смерти брата Гортензии? На мой взгляд, она весьма подозрительна. Мальчика неожиданно увозят в Подмосковье, и там он умирает от анафилактического шока?

— Они его убили, — воскликнула Аня, — я имею в виду родителей. Поняли, что от него впереди одно горе, и решили проблему.

— Не хочется верить в это, — вздохнула я, — Анечка, опроси соседей Моисеенко, поговори с ними о Гортензии. Мать и дочь после смерти Валентина квартиру не меняли. Может, кто-то из жильцов помнит Никиту. Валера тебе поможет. Зайдите в близлежащие магазины, кафе. Вдруг там найдется официантка, которая обслуживала Горти и какого-нибудь мужчину. Думаю, Гортензия не ушла в никуда, у нее было подготовлено жилье и, вероятно, есть любовник. Галина Сергеевна все же не могла ежесекундно стеречь Горти, девушка ухитрилась с кем-то познакомиться, может, она уходила из дома, когда мать засыпала.

Глава 24

— Повесим кофр с вашим платьем вот сюда, — защебетала администратор на ресепшен, увидев приглашение Лены. — Мы рады вас приветствовать. Алиса! К тебе пришла Татьяна.

Из коридора вынырнула очень худая, если не сказать тощая, женщина, она окинула меня взглядом. Лицо ее озарила такая радостная улыбка, что я обернулась посмотреть, кто за мной стоит. Но нет, я находилась в приемной одна.

— Танюшенька? — пропела косметолог. — Я Алисочка. Вас прислала наша любименькая Еленочка? Пойдемте, кошечка! Вот сюда, налево, заинька! Вторая дверка, рыбонька. Отличненько. Усаживайтесь в креслице и рассказывайте, мышенька, что вы хотите.

— У меня сегодня помолвка, — начала я.

— О-о-о! — закричала Алиса. — Вы невеста! Лисонька, вам от нас положен подарок! А-а-а! Какое счастье! У вас будет своя семья! От такой новости на душе цветут тюльпаны. Лошадка моя, можете молчать. Я уже догадалась. Любимый позвал вас на встречу со своей мамой сегодня?

— Да, — ответила я.

— И вам, бурундучку, хочется выглядеть офигительно, — запрыгала в кресле Алиса, — прямо суперпупер три туза!

Я попыталась вставить свое слово в поток восторженной речи:

— Да, но...

— Ваше платье, которое еще недавно гениально сидело, сейчас обтягивает жир на животе, который не пойми откуда взялся, — перебила меня косметолог.

— Похоже, вы экстрасенс, — улыбнулась я, — мысли читаете.

— О нет, белочка моя, — застрекотала Алиса, — талантом шариться в чужом мозгу Господь меня не наградил, просто все пациентки с порога рыдают: «Алисочка! Спаси! Платье ужасно сидит, а у меня день рождения, свадьба, поход в гости, театр...» Выбирайте, что вам подходит. Вы не оригинальны, мой кузнечик, у всех одна проблемка. Но я ее решу!

— За один раз? — осторожно уточнила я.

Алиса показала на аппарат, стоящий у стены.

— Вот он, наш любимый мальчик. Сейчас объясню. Это «Животстоп». Чтобы избавиться от бяки на животике, надо пройти десять сеансов.

Я горестно вздохнула, Алиса подмигнула.

— Барсучонок мой, не следует впадать в уныние раньше времени и вообще никогда нельзя расстраиваться. У нашего очаровательного аппаратика есть экстремальная насадка. Предупреждаю: процедурка даст кратковременный эффект, всего на десять часов. Но вам хватит этого времени, чтобы предстать перед мамашей без живота. Потом придете ко мне, и в обычном режимчике мы избавим вас от пакости.

— Это больно? — предусмотрительно уточнила я.

— Ой, да вы что! — всплеснула руками косметолог. — Сплошной кайф. Легкое пощипывание. Ну, приступаем?

— Давайте, — согласилась я.

Алиса начала носиться по кабинету со скоростью бешеного таракана и трещать как сорока.

— Ложимся, верблюжоночек, на кушетку! Сначала, лягушоночек, разденемся! Ножки укроем тепленьким, плечики тоже, животик выставим. Не пугаемся, я наношу жирорастворяющую сыворотку.

Я вздрогнула, возникло ощущение, что в районе пупка ползает ледяной слизень.

— Простите, крольчоночек, знаю, что прохладно, — пропела Алиса, — греть состав нельзя, пропадет эффект. Но ведь не больно?

— Нет, — заверила я.

Алиса прикрепила ко мне присоски.

— Оп-оп-оп. Осталось включить, и прибор заработает. Но, гусеничка моя, зачем вам просто так лежать? Давайте освежим мордочку. Про маску-скафандр слышали?

— Что это? — полюбопытствовала я.

Косметолог показала пакет.

— Шикарная штука. Моем личико, накладываем тканевую штучку с прорезями для глаз-носа-рта и спим. Двадцать минут. А когда проснетесь!..

Алиса заломила руки.

— Аленький цветочек! Юная роза! Пион-бутон. Само совершенство. Свекровь, конечно, перекосит от зависти. Но спать-то вам не с ней, а с мужем. Будущий супруг от вашей красоты будет хотеть вас через каждые полчаса! И так весь день!

— Боюсь, это помешает моей работе, — хихикнула я, — и у меня прекрасная свекровь, мы дружим.

Алиса открыла пакет.

— Хомякушечка моя! Когда женщина говорит: «Ах, ах, моя свекровь прямо с первого взгляда произвела хорошее впечатление», — я ей отвечаю: «Кенгурушечка! Брось на нее второй взгляд». Поверьте мне, женщине, состоящей в очень счастливом четвертом браке: мужья нам попадаются разные, а свекрови одинаковые. Это особая порода людей именуется: «свекровь обыкновенная, отряд фальшиво-ласковых; подотряд: на мозг капающие; вид: недовольных; семейство: мечтающих поменять свою невестку на идеальную невестку соседки». Ну, не будем о грустном. Кладу вам на мордочку масочку!

Мне на лицо шмякнулась холодная скользкая ткань.

— Потерпите, тигронька, — попросила Алиса, — минутный дискомфортик. Опля. Готовенько. Как у нас пойдет дело дальше, мартышечка? Включу «Животстоп». Присосочки будут сами перемещаться по животику. Не пугайтесь. Они ползают и жир утаптывают. Немного щекотно, и все. Иногда клиентка пугается, кричит: «А-а-а! Они сейчас свалятся». Не переживайте, никуда они не денутся. Сеанс занимает двадцать минут. Во время него включается антижировая лампа, она освещает все тело. Под ее лучами станут тоньше руки-ноги-шея. Когда после десяти лет стажировки в Париже я год назад пришла на работу в этот салон, то весила сто кило, а сейчас во мне и пятидесяти нет. А почему такой эффект случился? Я, наивная черепашка, сидела около каждой клиентки во время сеанса. И, полюбуйтесь, совсем растаяла. Слава богу, приехал представитель фирмы и объяснил мне, что надо выходить, когда идет сеанс, иначе вес минусовым станет. Но как человека на аппарате бросить? Поэтому мы приобрели капсулу! Посмотрим сюда.

Алиса открыла дверь большого стеклянного шкафа, внутри вспыхнул свет, и я поняла: это что-то вроде томографа, внутри видна труба.

— Включу вам музычку, — чирикала Алиса. — Какую вы предпочитаете? Или лучше аудиокнигу? У нас есть роман, не помню, какого автора, его все прямо обожают! Детектив! Поиск преступника.

— Лучше тихую мелодию, — попросила я.

Алиса подошла к столу и начала рыться в коробке.

— Давно никто музыку не просил. А! На этом диске написано: «Тихая». Прямо ваш заказ. Если станет не по себе, кричите, я буду за дверью караулить. Внутри капсулы переговорное устройство, у меня вот такая штученька, из нее ваш голосок будет доноситься. Ох! Чуть не забыла. Не шевелитесь во время сеанса, иначе может не получиться нужный результат. Ну, вперед, червячок мой.

Алиса впихнула кушетку внутрь трубы и захлопнула дверь. Воцарилась тишина. Через секунду до моего слуха донеслось мерное гудение и чьи-то крепкие пальцы схватили мои запястья и щиколотки. Я посмотрела на руки и увидела, что они прикреплены к лежанке чемто вроде наручников, но не железных, а кожаных.

— Добрый день, — произнес вкрадчивый женский голос.

Я поняла, что со мной общается какая-то сотрудница салона, решившая проверить мое самочувствие, и поздоровалась.

— Муза Петровна, — медленно продолжал голос.

— Таня, — представилась я.

— Тихая, — вкрадчиво прозвучало в капсуле, — кандидат наук, доцент кафедры выживания человека в экстремальных условиях современного социума.

— Таня, просто Таня, — повторила я, — Сергеева.

— Аудиолекция номер семь, — после краткой паузы продолжила Муза Петровна, — как выжить среднему медперсоналу при общении с пациентами клиник пластической хирургии и спа-салонов.

И тут только до меня дошло! Я беседую с записью. Слово «Тихая» на диске, который включила Алиса, означало не приятную для слуха музыку, это фамилия лектора. Я прикрыла глаза. Спать нельзя. Если задам храпака, потом проснусь с больной головой. Очень хорошо, что косметолог перепутала диски.

В капсуле что-то загудело, присоски начали тихонечко двигаться. Я расслабилась, закрыла глаза и стала слушать лекцию Музы Петровны Тихой.

Глава 25

— Первое, что вам надо запомнить, — вещала Муза Петровна, — существо, которое вы видите перед собой в кабинете, не человек. Мама, папа, бабушка, дедушка, брат, сестра, муж — это люди, а то, что вошло в рабочую комнату, — клиент, пациент, но никак не человек. Врача пациент боится, поэтому вся его агрессия выльется на средний медперсонал. Это вы виноваты, что клиент нажрал задницу размером с коня на памятнике царю Александру Третьему. Это медсестра повинна, что у вздорной бабенки, которая сидит в процедурной, комплекс неполноценности высотой с Килиманджаро, от которого дурочка пытается избавиться, вшив себе импланты седьмого размера. Это на бедную девушку в белом халате налетит с претензией пенсионерка, у которой после лазерной процедуры морщины не исчезли. Доктор спрячется в ординаторской, а вам навоз раскидывать.

Гудение сменилось щелчками, присоски стали подпрыгивать, я ойкнула. Не очень приятно они щиплются, но ради красоты можно потерпеть. А Муза Петровна вещала дальше:

— Вам хочется сказать: «Клиенты! Идите отсюда на фиг. Никакие импланты не приведут к вам мужа. Не в маленьких сиськах дело, а в отсутствии у вас мозга и воспитания. Но мы получаем в клинике зарплату, а в стране безработица. Поэтому клиенту-пациенту надо угождать. Не хочется? Вспомни, что мыть туалеты на Казанском вокзале намного хуже, чем работать в клинике. Не помогает? Думай, что в кабинет пришло портмоне, ты ему потрафила, и оно денежку выплюнуло. Не пришлась медсестра кошельку по душе? Фиг тебе, сиди без новых туфель. Итак. Если хочется назвать существо на приеме дурой, козой, овцой, балдой, бабкой всех самаркандских верблюдов, жирной тушей, то сразу прикуси язык. Из чувства самосохранения. За это выгонят. Есть чудная методика, помогающая в подобных случаях. Именуй клиента: зайчик, котик, мышечка, фазанчик, кроличек. Подумай, на какое животное этот ходячий ужас похож, придумай уменьшительно-ласкательное прозвище и сюсюкай. Порой приходится весь зоопарк перебрать, пока нужное найдешь, но это того стоит. Злость растает, ты развеселишься. Клиент, дурень, улыбается, услышав «зайчик», думает, ты с ним нежничаешь. Невдомек идиоту, что он кликуху за свои кривые, тощие, волосатые ноги получил!

В капсуле что-то зазвенело, присоски начали щипаться с вывертом, мне стало ощутимо больнее, но я слушала лекцию, открыв рот.

Муза Петровна повысила голос:

— Научитесь никогда не говорить клиенту правду! Какая от нее польза? «Ах, скажите, я хорошо после массажа выгляжу?» «Нет! Как была мятая тряпка, так ею и осталась. Только дуры по шесть тысяч рублей за жмаканье лица чужими руками платят». И что? Кому от вашей честности хорошо будет? Уж точно не вам! Как разговаривать с цыпленочком-крокодильчиком? Краткие примеры. Входит лапушка после круговой подтяжки, говорит: «Узнаете? Я Иванова». Ваше первое желание заявить: «Вау! Вам теперь лучше ходить с бейджиком. Чего-чего, а опознать вас нет шансов». Но мы говорим: «О! Вам сделали максимально естественный лифтинг». Видите последствия неудачной ринопластики? Да я бы сама хотела произнести: «Мамочка! Выглядите так, будто вас мордой о стол возили». Но нет, нет, нет. Говорим: «Прекрасно. Ваш прелестный носик примет нужную форму через три месяца. Он должен осесть и укрепиться». За это время слоненок-поросенок привыкнет к своему новому хоботу-пятачку и перестанет взвизгивать от страха, глядя в зеркало, будет считать, что он прекрасен. Общаетесь с верблюжонком-теленком, у которого второй, третий, четвертый подбородок? Хочется назвать его пеликаном? Но нет, нет, нет. Улыбаемся и заявляем: «У вас генетически тяжелая нижняя челюсть, она придает вам вид уверенного в себе человека».

Резкая боль в районе груди заставила меня взвизгнуть. Я посмотрела вниз и оцепенела. Присоски, выстроившись треугольником, быстро ползли к моей шее. Муза Петровна продолжала вещать, но я перестала ее слушать и приказала резиновым кругляшам:

— Эй, остановитесь.

Оранжевые присоски ускорили шаг.

— С ума сошли? — закричала я, видя, как они резво подбираются к моему подбородку. — Живот внизу, жир там!

Батальон нападающих остановился. Я выдохнула.

— Не забывайте приказывать гусенку-лягушонку не двигаться во время процедуры, — ворвался в ухо речитатив Тихой, — если что пойдет не так, сломается аппарат, клиента дернет током, случайно намажете ему волосы не протеиновой маской, а кремом для эпиляции, и шевелюра, упс, растает, не кричите: «Мама! Это я виновата!» Нет! Нет! Нет! Это он сам идиот! Шевелился во время сеанса. Вы же его предупредили: «Не надо!» А он ступил! Вертелся, чесался, пить просил, пукал, чихал, вот пусть теперь и рассекает лысым, сам виноват.

Что-то мягкое прыгнуло мне на губы и ущипнуло. Я сообразила, что присоски добрались до лица, хотела закричать, но не смогла даже пискнуть. Резиновые присоски плясали на моих щеках, носу, на шее, а по животу кто-то бил теннисным мячом. Я вертелась, как червяк, который сообразил, что его сейчас насадят на крючок, но фиксированные руки-ноги не давали свободы маневрам.

— Если котик-собачонок собрался уходить, — громко заговорила Муза Петровна, — ни в коем случае не просите чаевые. Скажите нежно: «Вам понравилось? Мне так приятно было с вами заниматься.

К сожалению, сейчас редко встречаются такие умные, интеллигентные, прекрасно воспитанные, щедрые люди, как вы. Всегда вам буду рада. Я пока здесь работаю, но не исключена возможность ухода, увы, зарплата копеечная!» Если жабеночек-поросеночек после этого не вытащит из кошелька купюру, то он гнусный кабан, мерзкая свинья. Но здесь уж ничего не поделаешь. Глядя уходящему пациенту в спину, тихо повторяйте про себя: «От всей души, от бескорыстного моего сердца желаю тебе добра огромного, удачи неиссякаемой, богатства неисчерпаемого». Не злитесь, это портит карму. Пусть жадина выметается, греха на душу не берите. Когда скупердяйка очутится на пороге, вы ее нежненько предупредите: «Дорогой мой гусеночек, поверните по коридорчику направо, не ходите налево, там сейчас родственникам гробик одного поросеночка выдают, он во время лазерной эпиляции два часа назад неожиданно скончался. Аппаратик его током дернул, и кирдык. Зачем вам скорбную процедуру видеть?» Больше вы жабу алчную в клинике не увидите никогда!

Я что есть силы дернула правой рукой, освободила ее, отодрала присоску от рта и завопила:

— Спасите!

Дверь открылась, в трубу всунулась Алиса.

— Заинька, что случилось?

Услышав слово «заинька», я сразу поняла: Алиса внимательно выслушала лекцию Музы Петровны. Но почему косметолог, увидев диск с надписью: «Тихая», не сообразила, что там вовсе не музыка? Не спрашивайте, ответа я не знаю. Может, этот носитель случайно попал к дискам с мелодиями для клиентов? Или Алиса забыла фамилию милейшей Музы Петровны?

— Очаровательно выглядите, кожа приобрела приятный розовый оттенок, — верещала Алиса, снимая с моего лица маску.

— Присоски на щеки переместились, — пожаловалась я.

— Да не может быть! — всплеснула руками Алиса. — А-а-а! Вы, наверное, шевелились! Я же вас предупредила: лежим смирненько! Ну ничего. Все равно подействовало. У вас овал лица подтянулся, морщины ушли навсегда.

Поливаемая градом комплиментов, я натянула халат и спросила:

— Не знаете, куда отнесли кофр с моим платьем?

— Очень жаль, что вы уже уходите, — заулыбалась Алиса, — редко встретишь такую милую, красивую клиентку.

Меня стал душить смех, а косметолог продолжала:

— Приходите, буду ждать. Правда, не знаю, как долго еще здесь проработаю, зарплата грошовенькая.

Я открыла дверь.

— Спасибо. Спрошу на ресепшен про свое платье.

— Танюшенька, — голосом сладким, как лучший шербет на восточном рынке, завела Алиса, — не ходите направо...

Я обернулась.

— Знаю. Там сейчас родственникам гробик клиента отдают. Жаль беднягу, час назад откинул тапки после эпиляции. Лазер ему печень проткнул.

Глаза Алисы вылезли из орбит, я не смогла сдержать смех, выскочила в коридор и налетела на женщину лет пятидесяти, которая тут же спросила:

— Вы Татьяна Сергеева?

— Она самая, — давясь хохотом, подтвердила я.

— Я Валентина, отведу вас в раздевалку, — сказала сотрудница салона.

Пока я натягивала платье, Валентина стояла рядом, потом предложила:

— Давайте молнию застегну.

— Спасибо, — обрадовалась я, посмотрела в зеркало и вздохнула.

— Все хорошо, — приободрила меня Валя, — грудь, талия на месте. Платье прекрасно сидит.

— Складка на животе осталась, — призналась я, — сегодня у меня помолвка, я надеялась избавиться от «бублика», но он по-прежнему тут как тут. «Животстоп» не помог.

— Если дадите мне триста рублей, я решу вашу проблему в пять минут, — понизила голос Валя.

— Нет. Хватит с меня на сегодня аппаратов, — отказалась я.

— Не волнуйтесь, за десять секунд станете стройной, — пообещала женщина.

Я подумала, что три сотни не такая уж большая сумма, ею можно пожертвовать, и отдала Валентине купюры. Она ушла и вернулась с пакетом.

— Держите, это утягивающие панталоны. Надевайте их поверх колготок.

— Почему? — удивилась я.

— Это не нижнее белье, — терпеливо объяснила Валентина, — они сделаны из особой ткани, могут вызвать раздражение на коже. И стирать их часто не надо, эффект уменьшится.

— Поняла, — воскликнула я, натянула панталоны, ощутила, как они тисками сжали нижний этаж моего тела, осмотрела себя в зеркале и чуть не запрыгала от восторга.

— Валечка! Спасибо! Живота совсем нет!

— Только не рассказывайте на ресепшен, что я вам приволокла, — попросила тетенька, — они меня убьют. Бабы такие деньги на их «Животстоп» тратят, а он не помогает. Штанишки же копеечные, а какой эффект.

— Супер! — восхитилась я. — Один размер потеряла, но белье сильно сдавливает.

— А как иначе брюхо убрать? — пожала плечами Валентина. — Не беспокойтесь, они крепкие, не разорвутся.

* * *

Ровно в назначенный час я позвонила в дверь квартиры шефа.

— Мама, Таня пришла, — закричал Иван, увидев меня.

Рина влетела в холл.

— Ура!! Вешай курточку на крючок. Ой, забыла! Ирина Леонидовна убежала.

— Ты красная. Не заболела случайно? — спросил жених. — И лицо какое-то странное.

— Все отлично, — ответила я.

Босс прищурился.

— В самом деле? Дышишь как-то странно.

— Запыхалась, пока от парковки спешила, — соврала я.

Не говорить же Ивану, что на мне корректирующие панталончики, которые так стиснули живот, область диафрагмы, попу и бедра, что я не могу сделать полный вдох. Как ноги связаны с легкими? До сегодняшнего вечера я полагала, что никак, но, примерив панталоны, поняла: бедра стиснуты, воздух в легкие почти не поступает.

Глава 26

— Прекрасно выглядишь, — отметил Иван Никифорович, вешая на крючок мою куртку. — Платье красивое, ты в нем еще стройнее, чем в джинсах.

— Дорогие мои, — закричала Рина, появляясь

в холле с квадратным предметом в руках. Судя по раме, это какая-то картина, которую моя будущая свекровь держала лицом к себе. Я видела лишь надпись на оборотной стороне: «Стоимость сто рублей».

— Как я счастлива, — со слезами на глазах продолжала Ирина Леонидовна, — думала, Ваня никогда не решится признаться Танечке в любви. Ходил, вздыхал, потел, сопел... Ну что за народ мужчины! Надо было давно сказать... Иван...

— Что? — вздрогнул шеф.

— Ну? — спросила мать.

— Что? — повторил Иван Никифорович.

— Делай предложение, — подсказала Рина, — надевай колечко, а я вас иконой благословлю. Взяла в спальне старинный образ, ему несколько сот лет. Ваня!

— Да? — дернулся шеф.

— Я жду, — напомнила Рина, — а Таня стоит.

— Может, проведем церемонию после ужина? — трусливо осведомился босс. — Я не подготовился морально, не собрался, не написал текст...

— Ты передумал на мне жениться? — уточнила я.

— Конечно нет, — возмутился Иван, — я не свистел какой-то. Просто... болтать языком не мое хобби. К чему слова? Хочу взять тебя замуж, значит, понятно, как отношусь к тебе.

Рина закатила глаза.

— Вылитый отец! Тот мне один раз за всю жизнь буркнул: «Люблю тебя». Никифор тогда объелся салатом из черной редьки, слопал целый таз, у него начались колики, муж решил, что умирает, и отважился перед смертью сообщить о своей любви. Ваня! Обними Таню, поцелуй ее, скажи: «Дорогая, обожаю! Лучше тебя никого нет. Пойдем вместе рука об руку навстречу солнцу». И я вас благословлю.

— Ну и текст, — пробормотал Иван. Потом прижал меня к себе.

Я услышала, как бешено колотится сердце шефа, и вдруг поняла, что не дышу. К мертвой хватке корректирующих штанишек добавилось крепкое объятие Ивана, и кислород совсем перестал поступать в мои легкие, в глазах запрыгали черные мухи, голова закружилась, как у пьяной.

— Ваня, отпусти Танюшу. Она пришла красная, как огнетушитель, а сейчас... — испугалась Рина.

Иван Никифорович разжал руки.

— Танечка, ты в порядке? — спросила Рина.

Я поняла, что могу дышать, и на радостях набрала полную грудь воздуха.

Рина повернула к нам икону лицом.

— Дорогие дети! Держа в руках этот...

Я сделала второй глубокий вдох, раздался тихий щелчок, что-то скользнуло по ногам, живот, ноги и диафрагму перестало стягивать. Я покосилась вниз и обмерла. На полу у моих туфель лежали корректирующие панталончики. Похоже, у них лопнула резинка на талии.

— Этим образом, — продолжала Рина, слава богу, не заметившая пока конфуза, — хочу вас...

Я, глядя в лицо Ирины Леонидовны, начала осторожно переступать ногами. Надо запихнуть белье под консоль. Только бы хозяйка дома не посмотрела вниз.

— Мама, у тебя в руках не икона, — сообщил Иван.

— А что? — осеклась мать.

— Постер, изображающий двух котят, который ты утром у метро купила, — сдавленным голосом ответил сын.

Я посмотрела на предмет, который держала будущая свекровь, и прикусила губу. Да, это точно не святой образ, а картинка с изображением двух котят, черного и рыжего.

— О-о-о! — простонала Ирина Леонидовна. — Я решила благословить сына и невестку кошками! Стойте, не шевелитесь, я сейчас вернусь!

Рина умчалась, а я попросила Ваню:

— Не мог бы ты принести стакан воды?

— Конечно, — кивнул босс, сделал несколько шагов по направлению к кухне, потом повернулся и показал на лежащие на полу штанишки: — Из тебя что-то выпало.

— Это носовой платок, — нашлась я, — всегда ношу его за поясом колготок, когда в платье нет карманов.

— Неудобно, наверное, его доставать, — удивился Иван.

— Я уже здесь, — раздался из коридора голос Рины. — Ваня, ты куда? Сбежать надумал?

— Таня воды попросила, — пояснил сын и ушел.

Я поняла, что наступил подходящий момент, перешагнула через панталончики...

— Не скучаешь? — спросила Рина, вбегая в прихожую.

Я ловким движением запулила белье под консоль и весело ответила:

— Вовсе нет! Вас всего минутку не было.

Глава 27

Около полуночи я приехала во двор своего дома, вылезла из джипа и увидела соседа Семена, который гулял со щенком. На собаке был непромокаемый комбинезон защитного цвета с надписью: «Спецназ».

Я помахала Сене рукой.

— Добрый вечер.

— Привет, — ответил тот, — поздно вы с работы.

— Репетиторствую, — вздохнула я, — кое-кто из учеников только вечером может заниматься. Какой у Котика роскошный наряд!

— Его зовут Кутузов, — разговорился Семен, — имя я ему дал в честь великого полководца, моего кумира. Дождит на улице, пес мерзнет, мокнет, вот купил подходящий комбез. Ленка на голубой губу раскатала, нашла хрен знает чего в бантиках, рюшах! Но я взял этот. Кутузов же пацан!

— Отличная вещь, — похвалила я, — мужская. Поздно вы гуляете.

— Представляешь, — неожиданно перешел со мной на «ты» Семен, — Кутузов очень аккуратный, ни одной лужи дома! Терпит. Я его вчера за попис на кухне отчитал, поставил перед собой и коротко объяснил: «Дома не срать». И что? А все! Ни разу он больше не нагадил. Я, когда училище лейтенантом закончил, в Барнауле служил, были у меня под началом солдаты. Так им сто раз повторять приходилось, чтобы затвердили, чего от них требуется. А Кутузов? Только мой приказ услышал, кивнул, и все! Вот бы срочникам его разум. Завтра пойдем с ним на занятия по военно-караульной службе.

Я посмотрела на щенка, который размером был чуть больше моего кулака.

— Уверена, что Кутузов будет первым среди учеников. Так вы его не отдаете?

— Куда? — не понял сосед.

— Вроде хотели другого хозяина ему найти, — напомнила я.

— Зачем? — пожал плечами Семен. — У него уже есть старший по званию, это я. Пошли домой! Вперед!

Собачонок бойко потрусил к подъезду, дорогу ему

преградила лужа, щенок присел, прыгнул и плюхнулся прямо в середину «водоема».

— Ну ты даешь! — с укоризной произнес Семен, вытаскивая псину. — Весь промок! Эхма! Еще простудишься, дуралей! Ладно, сам отнесу тебя наверх. Таня, видела, какой он храбрый? Как лев скаканул! А ему эта лужица как океан!

Держа собаку под мышкой, Семен пошел к подъезду. Я двинулась за ним, увидела, как грязные лапки щенка пачкают дорогую куртку соседа, и сказала:

— Сеня, лучше поставь Кутузова на тротуар, он тебе одежду измажет.

— Плевать на шмотку, — махнул рукой Сеня, — вон сколько воды нахлестало, еще простудится. Босиком ведь. Вроде сейчас для животных сапоги продают, надо завтра поискать. Баловать я его не собираюсь, куплю один набор, недорогой. Ленка ему пижаму приобрела, голубую в звездочках. Вот это зряшная трата денег. А комбез «спецназ» и сапоги военные необходимы. Я из него настоящего мужика воспитаю.

— Конечно, — поддакнула я, входя в лифт, — из Кутузова получится прекрасный солдат.

Глава 28

В «Ласку» я приехала к девяти утра и стала прохаживаться перед закрытым магазином. Через минут пятнадцать на дорогой модной иномарке прикатила женщина, припарковала машину и поднялась по лестнице. Я со всех ног кинулась к ней.

— Здрасти, я Таня! Прибежала пораньше. Вы, наверное, хозяйка магазина?

— Что вы хотите, Таня? — усмехнулась дама и начала рыться в сумке из кожи несчастного крокодила.

— Место уборщицы еще не занято? — пролепетала я. — Возьмите меня, пожалуйста.

— Пьешь? — прищурилась незнакомка.

Я затрясла головой.

— Нет, нет, нет. Никогда.

— Опыт работы есть?

Я вытащила из матерчатой торбы, висевшей на плече, несколько бумажек.

— Во! Убирала подъезды, там еще рекомендации от двух семей, где сейчас домработницей служу. Но это мне не помешает у вас убирать. К Епифановым надо в десять вечера приходить, а к Буйковым в семь утра.

Женщина открыла магазин.

— Заходи.

Я сгорбилась и поплелась за ней. Дама отвела меня в роскошно обставленный кабинет, села в офисное кресло, обитое зеленой кожей, и показала на стул в центре комнаты. Я смиренно устроилась на краю сиденья, сложила руки на коленях, выпрямила спину и замерла.

— Как тебя зовут? — начала допрос начальница.

— Таня, — пролепетала я, — Сергеева. Москвичка. Не из понаехавших. Жильем обеспечена. От родителей трешка осталась. Две комнаты сдаю студенткам.

— Ну, это мне неинтересно, — поморщилась дама, — я Лаура, владелица «Ласки», сама не занимаюсь общением с клинингом, но тебе повезло. Слушай меня внимательно.

Я уставилась на тетку. Перед тем как ехать в магазин, я внимательно изучила список сотрудников, который раздобыла Эдита. Лаура на самом деле Елена Ивановна Хрюнова, тридцати пяти лет, родилась в городе Валайске, в столицу прибыла двадцать лет назад, поступала в медицинский, но не попала, работала санитаркой в разных больницах, потом резко сменила сферу деятельности, ушла в торговлю и вот уже два года управляет предприятием Филиппа Несмеянова. Елена, или, как она себя называет, Лаура, не владеет торговой точкой, она сотрудница на окладе.

— Условия таковы, — продолжала тем временем Лаура, — шесть рабочих дней. С восьми тридцати до восьми вечера. Праздников нет. Если прозвенел звонок, возвещающий о закрытии бутика, а в примерочной есть покупательницы, ждешь, пока они уйдут. Узнаю, что их поторопила или нахамила клиенту, — уволю в момент. Бюллетень не оплачивается, медстраховки нет, премии не предусмотрены. Если кто-то даст на чай, в конце смены деньги надо сдать старшему продавцу. Узнаю, что спрятала их, — уволю. Не советую красть товар, повсюду камеры. Об обязанностях расскажет Марианна, найдешь ее в зале. На службе носишь форму — нашу фирменную футболку, низ — черные брюки или юбка. Необходима медкнижка. Действующая. Голова чистая, причесанная. Маникюр, легкий макияж, на лице всегда улыбка. Испытательный срок три месяца. Оклад на это время двенадцать тысяч. Если возьмем на постоянную, тогда девятнадцать. Начать можешь сейчас. Времени на обдумывание нет. Есть минута на решение. У нас очередь из поломоек перед дверью каждый день выстраивается, тебе повезло на меня наткнуться.

— Спасибо, где ведро, тряпки и все остальное? — спросила я.

Лаура сделала жест рукой.

— Найди Марианну. Ко мне в кабинет более не заходи.

Спустя несколько часов я, вспотев от беготни, собирала вещи, которые покупательницы побросали в кабинках. Почти все женщины, обнаружив, что платья им не подошли, швыряли их как попало и уходили. А в мои обязанности, как выяснилось, входило не только мыть полы, но и наводить везде порядок. В районе обеда я слегка приуныла. Надеялась поболтать с продавцами, но те не желали беседовать с уборщицей. Все мои попытки завязать разговор разбивались о холодные лица сотрудников и их слова:

— Если у вас больше вопросов нет, протрите кафель у входа.

Все как один спешили дать понять, что я не их поля ягода, нахожусь у подножия социальной лестницы и не стоит мне отвлекать тех, кто взобрался на верхнюю ступеньку.

Я оттащила шмотки в зал и решила посмотреть, что находится за запертой дверью, которую украшает грозная табличка: «Вход строго воспрещен». Створка открывается с помощью карты-ключа, но для меня это не проблема. Побывав в «Ласке» первый раз, я сфотографировала «гнездо», к которому надо приложить пластиковый прямоугольник, и наш всезнающий и все умеющий техотдел выдал мне отмычку. Прогресс неостановим, одни люди изобретают замки, другие придумывают, как их отпирать без ведома хозяина. И те, и другие совершенствуются в своем мастерстве. Нехорошо без спроса залезать на чужую территорию, но я не вор, мне надо найти Гортензию.

Запертая дверь находилась в дальнем темном коридоре, куда не заглядывали покупатели. Я выждала момент, когда все продавцы были заняты, шмыгнула в закрытый отсек и увидела кронштейн, на котором висели красные платья разных размеров. Я окинула их взглядом. Ну и ну! Неужели кто-то покупает подобные? По мне так все они вульгарны и ужасны. Короткие юбки либо нарезаны на полосы, либо сшиты из совершенно прозрачного материала, у всех платьев декольте невероятной глубины и широкие пояса с громадными, усеянными стразами пряжками. Может, эту одежду не собираются выкатывать в торговый зал? Нашли в одном из тюков это великолепие и убрали подальше, чтобы потом...

Так и не придумав, для какой цели можно использовать этот кошмар, я без проблем открыла запертую дверь, очутилась в длинном, тускло освещенном коридоре, прошла по нему до конца, уперлась в кирпичную стену и удивилась. Зачем так тщательно закрывать коридор, который никуда не ведет? Может, из-за вещей? У стены стоит еще один кронштейн с такими же красными платьями, как те, что я только что видела. Правда, на сей раз они длинные, в пол. В кармане затрясся мобильный, я вынула его, увидела на экране «Эдя» и прошептала в трубку:

— Что случилось?

— Я такое узнала! Ну, ваще просто, — начала фонтанировать словами девушка, — ты не поверишь. Представляешь...

Дверь, ведущая в коридор, начала медленно открываться, резко запахло дорогим мужским одеколоном.

— Филипп! — раздался голос Лауры. — Ты зачем идешь туда?

— Не твое дело, — грубо ответил баритон.

Я услышала стук каблуков, прервала разговор, метнулась за кронштейн, присела и выдохнула. Спасибо, жуткие платья, что у вас длинные юбки.

— Ты не зашел ко мне, — обиженно сказала Лаура.

Филипп отреагировал коротко:

— И?..

— Нам надо поговорить, — уже тише продолжила управляющая.

— Не сейчас.

— А когда?

— Не знаю.

— Но мне очень надо!

— Я занят.

— У тебя нет ни минутки для меня?

— Нет.

— Почему?

— Занят.

— Неправда! — возмутилась Лаура. — Я знаю, где и с кем ты вчера был.

— И?..

— Нам надо поговорить. Ты не можешь со мной так поступить!

— Как?

— Прогонять, как надоевшее животное. Я не кошка. Скажи!

— Ты не кошка, — повторил Филипп, — у кошки четыре лапы и хвост. У тебя две ноги и хвоста нет. Не мешай.

Лаура всхлипнула.

— Ты меня разлюбил!

— Нет.

— Значит, еще любишь, — обрадовалась управляющая.

— Нет.

— Ответь нормально. Ты меня не разлюбил, но ты меня не любишь. Как это понимать?

— Как сказано. Я тебя не люблю. И не разлюбил, потому что никогда не любил.

— Что? — возмутилась Лаура. — Вспомни нашу поездку в Италию! Мы были как Ромео и Джульетта.

— Ей было тринадцать, а тебе круто больше, — засмеялся Филипп, — отстань.

— Но я... — начала Лаура.

— Заткнись! — приказал собеседник. — Если хочешь сохранить наши хорошие отношения и свой доход, захлопни пасть. Я могу быть другом, а могу и на ... послать. Как стану относиться к тебе, зависит исключительно от твоего поведения.

Раздалось цоканье каблуков, потом хлопок двери, управляющая ушла. Филипп рассмеялся, послышался звук шагов, шорох. Я чуть-чуть раздвинула вешалки и увидела широколицего мужика, он стукнул ладонью по тупиковой стене коридора, и почти сразу перед ним возникла полоска тусклого света, она стала расширяться, я поняла, что в глухой стене есть дверь. Филипп двинулся вперед, дверь закрылась. Я выбралась из укрытия и, включив в айфоне фонарик, начала внимательно изучать место, где, как мне вначале казалось, заканчивался коридор.

Минут через пять мне удалось обнаружить кирпич, который при нажатии уходил в стену, обнажая небольшую нишу. В ней справа горела крохотная красная лампочка и был виден терминал, куда надо вставлять карточку-пропуск. Я сфотографировала «замочную скважину», вернула камень на место, вышла в торговый зал и налетела на старшую продавщицу Марианну, которая незамедлительно принялась отчитывать меня:

— Где шляешься? В кабинках шмотья горы! Покупательницы жалуются, что им вещи мешают. Уволю!

Я прикинулась испуганной.

— Ой! Не надо! Мне очень работа нужна. Честное слово, я бегала к кладовщику, относила вешалки, и сразу стала коридор мыть, отдраила его до блеска.

— Вот теперь точно за дверь выставлю, — объявила девушка.

— За что? — всхлипнула я.

— Врать не надо. В коридоре ты не была, я только что оттуда, пол сухой. И грязный, — отрезала вредная начальница.

Я показала рукой налево.

— Там посмотрите, пол сверкает.

Марианна уперла руки в боки.

— Молодец. Утром чем меня слушала?

Я шмыгнула носом.

— Ушами.

— Ногами, — передразнила меня продавщица, — я сказала четко и ясно: моешь полы только до этого коридора. Дальше не шастай.

— Почему? — удивилась я. — Там пыли полно было! Кронштейн с вешалками стоит, еще платья запачкаются.

— Лаура приказала то помещение не убирать, — неожиданно мирно объяснила Марианна. — Надеюсь, ты вещи не трогала?

Я прикинулась полной идиоткой.

— Не-а. А надо было?

Марианна закатила глаза.

— Боже, на какой грядке растут такие кадры? Там шмотье, которое Лаура для випов подобрала. Тряпки специально подальше откатили, чтобы кто-нибудь из дур-продавщиц их кошкам с улицы не продал. У нас среди випов много знаменитостей, им лучшее из каждой закупки отваливают.

— Машка! — крикнул кто-то из зала. — Подойди.

Противная девица поморщилась и пошла на зов, возмущаясь:

— Людмила! Я не Машка! Я не из деревни. Меня зовут Марианна!

— Так и хочется ей вмазать, да? — спросил тоненький голосок.

Я повернулась и увидела худенькую женщину с туго набитым черным мешком для мусора в руках.

— Машка противная, — продолжала она, — ты новая уборщица?

— Да. Таня, — представилась я.

— Роза, — улыбнулась тетушка, — гладильщица.

— Давайте выброшу мусор, — предложила я и потянулась к пакету.

Роза засмеялась.

— Там вещи.

— Платья? — спросила я.

Гладильщица развязала узел, стягивающий горловину мешка.

— Вот.

— Все скомканы, — удивилась я, — кое-как запихнуты. Думала, дорогие красивые наряды возят иначе.

— Ты никогда прежде в магазине не работала? — предположила Роза.

Я начала переминаться с ноги на ногу.

— Это первый опыт. Мне понравилось. Вот смотри, что покупательницы дали.

Я полезла в карман и вытащила приготовленные, ждущие своего часа две тысячные купюры.

— Вечером сдам их Марианне. Пока не отдала, может, меня еще денежками угостят.

В глазах Розы мелькнула тень зависти.

— Повезло тебе.

— Да, — кивнула я, — одной тетке помогла платья застегивать, а другой вещи приносила, консультант куда-то смылась.

— Мне никогда ничего не перепадает, — грустно протянула Роза, — машу весь день утюгом, в зале не показываюсь. Вчера видела в булочной коробку конфет с орешками. Тысячу стоит. А где ее взять? У меня после оплаты коммуналки едва на жизнь остается. Забери деньги себе, не неси Марианне, у нее и так жизнь сырная-жирная. Она сюда, как ты, уборщицей нанялась и за пять месяцев карьеру сделала.

— Вот бы мне так, — ахнула я.

— Ну, если готова со всеми начальниками в кабинетах запираться в любое время, когда им приспичит, то флаг тебе в руки, — фыркнула Роза.

— Ой, нет, — поежилась я.

— Я тоже брезгливая, — кивнула Роза, — значит, бегать тебе со шваброй, а мне утюгом размахивать, и никогда нам больших денег не заработать.

Я протянула Розе тысячу:

— Держи.

— За что? — поразилась она.

— Ты единственный человек, который мне сегодня козью морду не состроил, — объяснила я, — несправедливо получается, я сразу две штуки в первый день работы огребла, а ты тут давно и ничего не имеешь. Господь велел делиться.

Роза взяла ассигнацию.

— Спасибо. А ты единственная, кто со мной чаевыми поделился. Давай попьем кофейку? У меня вафельный торт есть.

— С удовольствием, но Марианна увидит, что меня нет, и уволит, — грустно сказала я.

Роза приложила палец к губам:

— Тсс! Я скажу, что надо лейблы пришивать, и Машка тебя ко мне отправит часа на три.

Я изобразила непонимание.

— Лейблы? Это что такое?

Роза засмеялась.

— Все потом объясню.

— Погоди, — остановила я ее. — А нам не влетит?

— За что? — не поняла Роза.

— Здесь повсюду камеры, — залепетала я, — увидит секьюрити, что мы чайком балуемся, и дадут нам пинок под зад.

Роза опять приложила палец к губам:

— Тсс. Видела мужика в форме у двери? Это мой старший брат. Я всю правду про охрану знаю. Камеры фейк, они никуда не подключены. Пульт на стене, якобы сигнализация, тоже имитация. Там одна коробка с кнопками. В «Ласке» один секьюрити, мой Гена. Он только до конца рабочего дня стоит. Ночью здесь никого нет.

— Ну и ну, — поразилась я. — А почему так?

Роза развела руками.

— Фиг его знает. Может, хозяин из жадности тратиться не хочет? С другой стороны, чего тут переть? Товар? Так он весь застрахован. Все думают, что у нас охрана крутяшная, видела на окне, на левой витрине и на двери здоровенные наклейки: «Под наблюдением о/п «Рокс»?

Я показала на стену.

— Вот она! Объявления повсюду, в кабинках, в зале, у кассы, с голографическими наклейками.

Роза рассмеялась.

— Это туфта! Джинса! Вранье. Просто бумажонки. Но все считают, что вау, какая крутая охрана! Если чаевые давать будут, бери смело, не бойся, что секьюрити увидят и доложат, что ты их в общий котел не сдаешь.

— Спасибо. Сразу тебе пятьдесят процентов притащу, — пообещала я.

Глава 29

— Ты такая бледная, прямо синяя, — заметила Эдита, когда я вошла в зал совещаний.

— Оказывается, весь день бегать по магазину, наводя в нем порядок, очень тяжело, — пожаловалась я, плюхаясь в кресло, — ноги отваливаются.

— Заварить тебе чайку? — предложила Буль.

— Да, — простонала я.

— Хочешь бутер с сыром? — спросил Крапивин.

— Он очень калорийный, — засомневалась я, — на часах десять вечера, в это время хорошо бы съесть куриную грудку на пару и огурец.

— Извини, этого нет, — развел руками Валера.

— Могу в буфет сгонять, — предложила Аня, — вдруг там салат «Цезарь» есть.

— Не надо, — остановил ее Александр Викторович, взял трубку служебного телефона, набрал номер и попросил: — Сонечка, у нас начальница весь день волком по городу бегала, три пары железных башмаков стерла, не ела, не пила. Да и мы тоже как савраски. Можешь нас чем-то обрадовать? О! Отлично! О! Тоже подойдет! Сонечка, ты золото. Это не комплимент, а констатация факта. Мы тебя очень любим.

Ватагин положил трубку на стол.

— Сейчас принесут всякое вкусное, горячее, полезное.

— С кем вы беседовали? — не поняла я.

— С Софьей, директором столовой, — улыбнулся Александр Викторович.

— Можно заказать еду в кабинет? — изумилась Аня.

— Нам — да, — ответил Ватагин, — остальным — нет. По этажам обеды-ужины никому не носят. Исключение составляет высшее руководство. Ему подносы притаскивают.

— Чем мы это право заслужили? — спросила Буль.

— Любочка, поговорку «не имей сто рублей, а имей сто друзей» придумали во времена Ильи Муромца, но она по сию пору справедлива, — ответил

Ватагин, — мы с Сонечкой подружились. Вот и весь ответ. Софья человек воспитанный, отец у нее был генерал, она понимает, что я один под подушкой ужинать не стану. Поэтому и предложила для всех скатерть-самобранку раскинуть.

— Как вы столько всего о женщине за пару дней выяснили? — удивилась я. — Софью... э... отчества ее не знаю.

— Павловна, — подсказал Александр Викторович.

— Софью Павловну иногда встречаю в лифте, — продолжала я, — она мне всегда казалась этакой классической буфетчицей: кудрявая блондинка, куча золотых цепочек на шее, красный лак на ногтях, фиолетовые тени на веках.

— Внешность бывает обманчива, — сказал Ватагин. — Я всегда улыбаюсь незнакомому человеку, потом мысленно говорю: «Я люблю тебя», — затем задаю какой-нибудь малозначимый вопрос, вроде: «Дождь на улице перестал?» Иногда из случайной встречи вырастает дружба. Мне нравится общаться с людьми. А с Сонечкой интересно разговаривать.

— Значит, вам будет интересно и меня послушать, — перебила профайлера Эдита. — Александр Викторович вчера говорил, что в Интернете не все найти можно, лучше поехать на место и все руками пощупать. Образно говоря. И я решила воспользоваться его советом. Прямо с утра рванула к Грушину Алексею Прохоровичу.

Я кашлянула.

— Эдита! Ты мне ничего о своей инициативе не сообщила.

Девушка начала оправдываться.

— Вы все разбежались кто куда, вот я и решила...

Я подняла руку.

— Стоп. Начнем от печки. Кто такой Алексей Прохорович Грушин? Его фамилия ранее не звучала.

Эдита открыла рот, но тут в дверь постучали.

— Войдите, — крикнул Ватагин.

В комнату с большим подносом в одной руке и корзинкой в другой вплыла директор столовой.

Александр Викторович бросился к ней.

— Сонечка! Почему меня на помощь не позвали? Вам же тяжело.

— И не такое таскаю, — кокетливо ответила Софья, — я приучена к физическому труду. Собрала вам кой-чего. Тут курочка, рыбка под маринадом, салатик греческий, ватрушечки, пюре, селедочка.

— Вот это да! — восхитился Ватагин и посмотрел на меня: — Татьяна, как вам, а?

Я встала.

— Софья Павловна...

— Для вас просто Сонечка, — смутилась директор столовой, — извините, я вашего отчества не знаю.

— Просто Таня, — улыбнулась я. — Вот это стол! Праздник!

— Да, — подхватил Крапивин, — не помню, когда столько вкусного за раз ел.

— Селедочка, — пропела Буль, — Сонечка, зовите меня Буля, я патологоанатом. Всегда рада вас в морге видеть.

— Лучше уж вы к нам в ресторанчик, — хохотнула Софья.

— Могу вам все-все с компьютером сделать, — пообещала Эдита, — только свистните, раздобуду любую инфу.

Минут пять мы нахваливали директрису, она ушла с самым радостным видом, а бригада накинулась на еду.

Когда все тарелки, кроме одной, опустели, Аня направилась к чайнику.

— Заварю на всех цейлонский. Согласны? С ним ватрушки отлично пойдут.

Я взяла плюшку с творогом. Прости, диета, мы с тобой старые добрые подруги, но сегодня нам не по пути.

— Так кто такой Грушин? — вернулся к прежней теме профайлер.

Эдита быстро проглотила кусок булки.

— Помните, взрыв на складе газовых баллонов? Я еще все недоумевала: ну почему всем пострадавшим дали квартиры, а Гале нет? Пришлось ей в институтском общежитии маяться. Татьяна решила, что местные чиновники обманули сироту, забрали ее жилье себе. Я порылась в бумагах и узнала, что почти все, кто остался в живых после того несчастья, уже умерли. Они на момент трагического происшествия были пожилыми людьми. В живых остался один Алексей Прохорович Грушин, ему сейчас восемьдесят, но он бодренький, проживает все в той же двушке, что ему после взрыва досталась. Стоило мне его спросить:

— А почему же девочка Галя Петрова, внучка Анны Сергеевны без квартиры осталась? — как пенсионер воскликнул:

— Так у нее хоромы на кладбище! Галька умерла незадолго до беды. Нехорошая судьба у ребенка. Родители-алкоголики водки напились и в снегу замерзли, их через трое суток только нашли. Бабка тоже бухала почище мужиков. Не вспомню сейчас, сколько Галке лет исполнилось, когда они со старухой в избе угорели. Анька все пропивала, девочку из жалости соседи кормили, а ночевать она всегда в свою избу бежала. Анна зимой печку натопила да заснула, вьюшку открыть забыла. Я их лично нашел. Мы через забор жили, смутило меня, что Анька с утреца ставни не открыла и Галька в школу не подрапала.

Она хорошо училась, умная была. До обеда подождал и пошел посмотреть, чего у них да как. Вошел в комнату, а там дышать нечем, бабка и девочка лежат, вроде спят обе, лица прямо бордовые.

— Красный цвет кожи признак отравления угарным газом, — сказала Буля.

— Грушин не мог ошибиться? — спросила я.

Эдита улыбнулась.

— Я предвидела этот вопрос. Нет. Я вернулась в офис, перерыла гору бумаг, километры документов. Без хвастовства замечу, только я могла след отыскать. Архив деревни погиб, в те годы документы хранились в сельсоветах, а по истечении определенного времени передавались в районное хранилище. Но все данные о Гале и Анне Сергеевне должны были остаться в селе. Я уж было приуныла, и тут меня осенило. Пенсия! Старуха ее точно получала. Я залезла в пенсионный фонд. Вот его сейчас все ругают, дескать, офисы себе шикарные построили, а людям копейки дают. Ну, во-первых, они народу платят то, что правительство приказало. А, во-вторых, порядок у них в бумагах идеальный! Все оцифровано, пронумеровано, заполнено, ничего не потеряно. Респект и уважуха им за это. И нашла я запись, что Петрова Анна Сергеевна не будет более получать пенсию в связи со своей кончиной. К документу прилагалась копия свидетельства о смерти. В советские годы в нем указывали причину кончины, у Петровой написано: «Несчастный случай. Отравление угарным газом». А то, что Галя погибла, я выяснила через Министерство образования. Девочка получала как сирота бесплатную еду в школе. И директор написала заявление, что Галина больше не будет получать льготу, так как умерла. Бумага сохранилась в архиве министерства. И кто бы, кроме меня, допер там пошарить? Кто бы еще вспомнил про бесплатную еду? А?

— Наша Галина Сергеевна не Галина Сергеевна, — резюмировала Аня.

— А вот и нет, — возразила Эдя, — она Галина Сергеевна.

Я взяла чашку.

— Ты нас совсем запутала.

— Сейчас распутаю, — пообещала Эдита. — Следите за ходом моих мыслей. Найдя сведения о Петровой, я догадалась, что произошло, и начала искать в архиве дело серийного убийцы с литературной фамилией Раскольников. Помните, откуда она всплыла?

— Да, — кивнула я, — ты нашла блог, автор которого рассказала о женщине на ярмарке бижутерии, которая делает копии брошки с черным и белым ангелами.

— Отлично, — похвалила меня Эдита, — у мастерицы пропала мать, которая носила такое украшение, только оно было старинным, с настоящим рубином. Так вот! Останки той бедной исчезнувшей женщины обнаружились спустя не один год после того, как она не вернулась домой. Милиция поймала некоего Раскольникова, и тот, желая продлить свои дни на земле, рассказал, где зарыл тела убитых им людей. Садист понимал: пока идет следствие, дело в суд не передадут.

— Частая практика серийных убийц, — вмешался в разговор Ватагин, — они знают: приговор будет суров, сейчас пожизненное заключение, в прежние годы смертная казнь. Поэтому преступник хитрит, рассказывает о преступлении. И когда вроде уже можно дело закрывать, говорит: «Хочу покаяться еще в одном убийстве», — и пока бригада работает, получает месяцы жизни. Часто нелюди торгуются: «Я вам выдам места захоронения тел, родственники смогут похоронить их и успокоятся, но мне за это дайте не пожизненное, а просто срок». Нет ничего страшнее для близких, чем невозможность по-божески умершего в последний путь проводить. Поэтому такой торг часто заканчивается уступкой преступнику.

Эдита с укоризной взглянула на Александра Викторовича и повысила голос:

— Я нашла нужную папочку в электронном виде. Спасибо тем, кто оцифровал архив. Итак. Сергей Петрович Раскольников, детский врач, тихий, спокойный, приветливый, всегда готовый прийти на помощь, ни в чем дурном не замеченный. Жена Марина Степановна Раскольникова, медсестра, работала вместе с супругом, добрая, отзывчивая, ни о ком плохого слова не сказала. Дети: Николай Раскольников, отличник, гордость школы, дочь Галина тоже пятерочница. Анна Сергеевна Раскольникова, мать Сергея, пенсионерка. Образцовая семья: никто не пил, не курил, не дрался, не ругался. Жили в собственном доме, в поселке городского типа Викулово. Сергей и Марина часто уезжали по ночам на своем «каблуке», это такая машинка маленькая, впереди у нее двухместная кабина, а сзади закрытая грузовая часть типа фургон. Сергей Петрович никому не отказывал в помощи, если ему звонили ночью и говорили, что болен ребенок, Раскольников садился за руль, рядом пристраивалась жена, в закрытую часть клали лекарства, всякие необходимые вещи и мчались к недужному. Денег с людей Раскольниковы никогда не брали, их считали чуть ли не святыми. Пара грамотно и оперативно оказывала на месте помощь ребенку, могла померить давление его взволнованной бабушке. Если педиатр видел, что малышу требуется госпитализация, он мчал крошку в больницу.

Эдита перевела дух и начала пить остывший чай.

Глава 30

— Продолжай, пожалуйста, — попросил Ватагин.
Эдита поперхнулась и закашлялась.

— Прости, — смутился Александр Викторович.

— Все хорошо, — кивнула Булочкина, — чай не
в то горло попал. Не стану рассказывать, каким образом оперативно-следственная бригада, несколько лет
гоняясь за серийным, крайне жестоким, отчаянно
мучившим женщин садистом, сделала вывод, что
преступником является Раскольников. Более того,
с ним в паре работали жена и сын.

Преступники всегда действовали по одному сценарию. Да, взрослые отлично лечили детей. Сергей
Петрович на самом деле был прекрасным педиатром. Но раз в два-три месяца он отправлялся на
охоту. Жертву садист подстерегал далеко от дома,
укатывал в Одинцово или Красногорск. Это сейчас
прекрасные районы с развитой инфраструктурой,
а в 60-е годы прошлого века захолустье. Из Москвы
в Одинцово и Красногорск можно было попасть
на электричках. Садист устраивался неподалеку от
платформы и ждал, когда в районе полуночи приходил последний поезд. Редкие пассажиры разбегались
в разные стороны. И какая-нибудь припозднившаяся с работы или ехавшая из гостей женщина видела
на тропинке окровавленного подростка лет двенадцати-тринадцати. Мальчик плакал. Будущая жертва
кидалась к нему, начинала расспрашивать, паренек
рассказывал, что на него напали, и, улучив момент,
втыкал в добрую самаритянку иглу. Мощное лекарство действовало сразу. Бедняга, не успев понять,
что произошло, теряла сознание. Из кустов выходили Сергей с Мариной и грузили свой улов в грузовую часть «каблука».

Утром жертва открывала глаза, понимала, что она связана, начинала кричать, но звук ее голоса глушила земля. Раскольниковы оборудовали для своего хобби специальный подвал, сверху на нем стоял построенный из бетонных плит гараж. У несчастной женщины не было шансов. Жертву мучили втроем: отец, мать и сын. Когда она наконец умирала, тело увозили подальше и хоронили. Но иногда могилы разрывали собаки или на них натыкались случайные люди. После третьей такой находки милиции стало ясно: орудует серийщик, но вычислить его никак не могли. Раскольниковых поймали случайно, одна из женщин, когда ее везли в машине, очнулась, открыла дверцу грузовой части, вывалилась на шоссе и чуть не угодила под колеса идущего сзади автобуса, водитель которого запомнил номер уехавшего «каблука». Раскольниковы пытались выйти сухими из воды. Сергей Петрович и Марина Степановна в один голос твердили:

— Мы поехали по вызову, пошли по тропинке к дому, увидели лежащую без сознания незнакомку, положили ее в фургон, хотели доставить в больницу. То, что она говорит про окровавленного мальчика, это не про нашего сына, посмотрите, он в чистой одежде. Бедняжка столкнулась с другим подростком, и тот ее изувечил. А мы просто нашли едва живую гражданку и помчали в клинику. Не надо верить ее словам, жертва неадекватна из-за перенесенного стресса. Она все путает.

У семейной пары была безупречная репутация, опера заколебались, и тут один из сотрудников, Юрий Бумагин, молодой, только-только поступивший на работу, вдруг спросил у Николая:

— Коля, ты знаком с Костиной Серафимой?

Это было имя одной из последних пропавших в районе Красногорска женщин.

— Нет, — отрезал щуплый юноша, который в свои девятнадцать лет выглядел на тринадцать.

— А вот она тебя на всю жизнь запомнила, — сказал Бумагин, — говорит, ты с родителями ее убить пытались, мучили, потом зарыли, как мусор, но она жива осталась, и сейчас сюда войдет.

Юрий встал, приоткрыл дверь и крикнул:

— Давайте сюда Костину, ведите ее осторожно, она еле передвигается.

Юрий произнес это так убежденно, что все присутствовавшие в комнате для допросов сотрудники машинально глянули на дверь. Но подозреваемый даже не повернул головы, он только усмехнулся и сказал:

— Да ладно! Не видел я никакую тетку.

— Теперь я уверен, что это ты с родителями убил Костину, — резюмировал Юрий. — Все сотрудники отдела убийств, отлично знавшие, что Серафима мертва, посмотрели на дверь. А ты нет. И слова «да ладно» свидетельствуют, что ты знал: после того, что вы сделали с несчастной, выжить нельзя. Я докажу, что вы садисты. Сейчас в вашем доме и дворе идет обыск, там работают лучшие специалисты, самое современное оборудование. Они найдут место, где мучили женщин, и если там обнаружится хоть капля крови любой из жертв, ты первым пойдешь по коридору. Я тебе это обещаю.

Слова про обыск были неправдой, никто пока к Раскольниковым не поехал, но парень испугался.

— По какому коридору?

— Расстрельному, Коля, — объяснил Бумагин, — бах! И нет тебя. Око за око, Николай. Ты уже совершеннолетний, отвечать будешь как взрослый. В общем, так, кто из вас первый признается, тот в живых и останется. Времени у тебя, парень, нет. Сейчас твоим отцу-матери то же самое предлагают. Ну?

И юноша рассказал правду.

Сергея Петровича расстреляли, Марину Степановну и Николая отправили за решетку на очень долгое время. Мать и сын больше свободы не увидели. Марину убили женщины-заключенные. Николай отсидел десять лет, затем умер от туберкулеза.

— Остались бабушка и девочка, — пробормотала я, — старуху звали Анна Сергеевна, ребенка Галина Сергеевна. Сколько ей исполнилось, когда Раскольниковых поймали?

— Четырнадцать, — вздохнула Эдита, — дело ее родителей оказалось в центре внимания прессы, что являлось редкостью для советского времени. Тогда не разрешалось писать о жестоких преступлениях. Но жертв Раскольниковых было очень много, а милиция допустила ошибку. Когда все тела привезли в морг, вызвали родственников для опознания. И в чью-то «светлую» голову пришла идея назначить отцам-матерям-братьям-сестрам убитых прийти всем в один день. Ясное дело, поодиночке никто не явился, люди прибыли в сопровождении тех, на чью моральную и физическую помощь рассчитывали. В морге собралась огромная толпа. Одна из матерей упала в обморок, «Скорой помощи» наготове не оказалось. И, конечно, в те годы никто и не подумал пригласить психологов, этих специалистов в СССР тогда было раз-два и обчелся. Народ начал возмущаться, а организаторы опознания, вместо того чтобы как-то успокоить людей, пригрозили им арестом на пятнадцать суток. Толпа стала громить морг, требовать, чтобы Раскольниковых расстреляли прилюдно на Красной площади. Дело происходило в январе тысяча девятьсот шестьдесят пятого года. В СССР было неспокойно, в октябре шестьдесят четвертого сместили Никиту Хрущева, руководить огромной страной стал Леонид

Брежнев, который хотел показать себя умным лидером, думающим в первую очередь о простых рабочих и крестьянах. Новый генсек сразу снизил цены на кое-какие товары, ввел некоторые льготы. А четвертого марта планировалось подписать Указ о наказании лиц, виновных в преступлениях против мира и человечности и в военных преступлениях, независимо от времени их совершения. Девятого мая в СССР собирались отмечать двадцатилетие победы над фашизмом, отсюда и Указ. Наверное, советники подсказали Брежневу, что народ будет очень доволен, если он покажет себя не только борцом с военными преступниками, но и с уголовниками, доложили ему о деле Раскольниковых и о скандале, который случился в морге[1]. Вот почему прессе разрешили писать о преступлениях Сергея, Марины и Николая. По приказу Брежнева все милиционеры, виновные в плохой организации опознания жертв, были уволены. А суд над Раскольниковыми широко освещался в газетах, там же сообщалось, что в советской стране всегда торжествует справедливость: преступники сурово наказаны, родственникам жертв назначены пенсии.

Эдита обвела нас взглядом.

— Представляете, что было с бабушкой и Галей, которые не имели ни малейшего отношения к злодеяниям? Наверное, их жизнь превратилась в ад.

— Думаешь, пожилой женщине и школьнице подобрали новые документы? — спросил Валерий.

---

[1] Дела Раскольниковых не существовало. Были другие муж с женой, жестокие серийные убийцы. У садистов остались маленькие дети. Они выросли и сейчас живы, поэтому автор не хочет указывать подлинную фамилию преступников. Их дети ни в чем не виноваты, они не заслужили такой «славы».

— Именно так, — согласилась Эдита, — чтобы им было проще, нашли покойных старуху и ребенка с такими же именами: Анна Сергеевна и Галина Сергеевна. Только фамилия была другая — Петровы. Все их бумаги погибли в пожаре, фамилия очень распространенная. Следствие по делу серийных маньяков шло долго, бабушка и дочь жестоких убийц дома не жили. Избу они не продали, ее просто заперли. В конце восьмидесятых деревня умерла, сейчас там одни развалины остались. В непосредственной близости от нее проходит высоковольтная линия. Нынче даже дети знают, что жить около нее опасно для здоровья, поэтому никто землю под строительство коттеджного поселка не выкупил. И вот вам напоследок десертик.

— Знаю какой! — подскочил Валерий. — Серийные убийцы оставляют себе сувениры. Забирают что-то у каждой жертвы.

— Не всегда, — поправил Ватагин, — но часто.

— Какие трофеи брали Раскольниковы? — спросил Крапивин.

Эдита подняла указательный палец.

— О! Жертв они хоронили без одежды, вещей при трупах не обнаружили. Но у всех погибших были сумки и украшения. Несколько женщин имели при себе большие суммы денег. Одна получила зарплату, отпускные и премию, у нее в кошельке было более четырехсот рублей. Внушительная сумма в те годы. Другая ездила покупать шубу, но не нашла ее, позвонила мужу из телефона-автомата очень расстроенная, сказала, что едет назад, не потратив ни копейки, попросила встретить ее на платформе, но супруг отказался, он был сильно простужен, температурил, не хотел выходить из дома.

— Представляю, каково ему было, когда жена пропала, — вздохнул Ватагин.

— Кое у кого в ушах были бриллиантовые сережки, — продолжала Дита, — и брошь с черным, белым ангелом и большим рубином тоже в описи ценностей указана. Раскольниковы охотились не за деньгами, они садисты. Но, обнаружив ценности, не гнушались забрать все. Самый большой куш достался им от Елены Мазиной. Партия крупных бриллиантов чистой воды. Камней было много, они лежали в синем бархатном мешочке, на котором была вышита золотыми нитями морда тигра.

— Именно его видел Степан Ильич, нынче монах, а ранее лучший друг Валентина Петровича, — сказала я, — мешочек Галина Сергеевна отдала мужу на создание медцентра. Она пояснила, что камни и украшения достались ей от умерших родителей-ювелиров. Якобы бабушка перед смертью вручила Гале наследство, а та его хранила и даже супругу ничего не рассказывала. Откуда у Мазиной камни огромной стоимости?

— Не очень красивая история, — поморщилась Эдита. — Ее муж сначала прикинулся, что понятия не имеет о брюликах, но потом признался, что жена скупала по дешевке камни в Якутии. Летала туда часто, брала уже обработанные бриллианты у местного ювелира, а тот получал алмазы у рабочих приисков, которые воровали камни. Мазина платила огранщику немного, а в Москве цена камушков подскакивала до небес. Елена возвращалась домой после очередной поездки, мешочек повесила на шею, и он бесследно пропал вместе с ней.

Глава 31

Буля стукнула кулаком по столу.

— Они брали сувениры.

— Я тоже так считаю, — кивнула Эдита, — следователи задавали вопрос о трофеях Марине и Сергею, те ответили: «Нас не интересовали ни деньги, ни золото, мы их сжигали вместе со шмотьем».

— Они врали, — возмутилась Аня, — неужели следователи были так наивны, что поверили садистам?

— Последнее слово ключевое, — сказал Ватагин, — людей с такими наклонностями, как у Раскольниковых, питают страдания и ужас: крик боли другого человека, слезы, мольбы о пощаде. Хотите победить садиста? Смейтесь ему в лицо и просите: «Давай еще, вот это кайф». И тогда он отстанет.

— Хороший совет, — поежилась эксперт, — жаль невыполнимый, сомневаюсь, что на свете найдутся люди, способные изображать радость, когда им кости ломают.

Александр Викторович оперся локтями о стол.

— Симон Аршакович Тер-Петросян, известный под кличкой Камо, профессиональный революционер и преступник, добывавший деньги для Ленина и пролетарской революции грабежами банков, попавшись во время одного налета, был приговорен к смертной казни. Камо знал, что в Берлине, где его взяли, не лишают жизни сумасшедших. Он искусно имитировал психиатрическое заболевание, одним из признаков которого являлось невосприятие боли. Его жгли огнем, а Камо улыбался.

— Один такой отыскался, — буркнула Аня, — и сомневаюсь, что немецкие психиатры действовали как Раскольниковы, ткнули разок в грабителя сигаретой, и все. Это и я вытерплю молча.

— Давайте перестанем спорить, — попросила я.

— Странно, что следователи поверили Раскольниковым, — начала Эдита. — Бумагин мне сказал...

— Ты беседовала со следователем? — напряглась я.

— По скайпу, — уточнила Эдя, — Юрий Петрович далеко не молод, но еще ого-го, огонь! Из МВД давно ушел, но до сих пор служит начальником охраны коммерческого банка, освоил современные технологии. Дело Раскольниковых было первым, в котором он под присмотром старших опытных товарищей принимал участие. Юрий отлично все помнит. Я задала ему три вопроса. Почему бабушка и четырнадцатилетняя Галя оказались вне подозрений, неужели пенсионерка и девочка ни о чем не подозревали? Отчего все решили, что садисты не брали трофеев? Кто и зачем сделал бабушке и внучке другие документы? Бумагин дал исчерпывающие объяснения. Анна Сергеевна, будучи прописана у сына, фактически жила в другом месте, она не ладила с невесткой. У Гали в детстве случилась серьезная болезнь костей, ее отправили в так называемую лесную школу, санаторно-лечебный комплекс, где находившиеся на длительном лечении дети одновременно учились. Анна Сергеевна, очень любившая внучку, устроилась туда нянечкой. Несколько лет они с Галей провели в противоположном от родной деревни конце Подмосковья. Сергей, Марина и Коля часто их навещали. Что творилось дома, ни Анна, ни Галя не знали, девочка была в гипсе, ходила на костылях. Во время обыска в избе и саду не нашли ничего ценного. Одежда в шкафах висела старая и немодная, мебель была времен царя Гороха, телевизор дышал на ладан. С одного взгляда стало понятно, что у семьи нет больших средств. Пятистенок с участком разобрали на молекулы, перекопали-просеяли землю, развинтили диван-кровать-столы, вскрыли полы в доме... Ни одного сантиметра не осталось не проверенным. И ничего. Никаких золота-бриллиантов-денег. Когда о Раскольниковых написали газеты, родители детей, лечившихся в санатории, поставили главврачу ультиматум: или Галя с Анной Сергеевной покидают лечебницу, или они отправляются в Минздрав и рассказывают о всех «косяках», которые допускает администрация. Перепуганный доктор объявил Галю здоровой и выписал ее. Анна Сергеевна в слезах приехала к начальнику следственной группы и сказала:

— Жить нам негде. Из местной школы выгнали. В дом сына и невестки возвращаться не хочу, да и не могу, народ нас с Галочкой камнями забросает. Фамилия у нас с ней, как назло, редкая, да еще и писателем прославленная. Вчера в аптеке рецепт подала, так провизорша аж затряслась:

— Раскольникова Анна! Вы не родственница душегубов, которые тьму народа убили?!

Меня нигде на работу не возьмут, Галочку в школе затравят, в институт ей не поступить. За что нам такие мучения? Мы ничего плохого не сделали. Помогите, Христом Богом умоляю.

Начальник был отцом троих детей, одна его дочь являлась ровесницей Гали. Он пошел к руководству, и в конце концов Раскольниковы стали Петровыми. Человек, который оформлял новые документы, был опытен, он не впервые занимался этим, потому подобрал максимально приближенную к правде легенду. А вот жилье Анне не предоставили. В ответ на просьбу выделить старухе с девочкой хоть маленькую комнатку в бараке высокое начальство выдало агрессию:

— Щас! Давайте всем родичам мерзавцев хоромы с балконами отпишем. Да у нас лучшие сотрудники сто лет в очереди на коммуналку стоят.

Анна Сергеевна взяла свой новый паспорт, свидетельство о рождении внучки и исчезла. Где она жила, что с ней дальше было, Юрий Петрович понятия не имеет.

— Зато мы знаем, — пробубнил Крапивин, — старуха умерла, Галина поступила в институт, встретила Валентина, благополучно вышла замуж и влилась в приличную семью Моисеенко. Думаю, Валентин и его родители понятия не имели, чьей дочерью является Галочка.

— Но трофеи были, продав их, Валентин Петрович построил процветающую ныне клинику, — сказала я. — Добытая Эдитой информация меняет все дело. Сколько жертв было у Раскольниковых?

— Тридцать девять, — тут же сообщила Булочкина.

Валерий присвистнул.

— Все семейные? — помрачнела я. — У них остались мужья, дети?

— У тридцати двух да, — ответила Эдя. — Предвидя следующий вопрос, сразу скажу: в живых осталось пятьдесят семь близких убитых Раскольниковыми женщин, двадцать четыре из них живут в Москве, остальные распылены по разным городам и странам.

— Надо проверить каждого, — напряженным голосом подхватила Аня, — один из них мог узнать правду, выяснить, кто такая Галина Сергеевна Моисеенко, решил ей отомстить и похитить Гортензию. До сих пор нам было непонятно, каков мотив похищения, если оно, конечно, имело место. Но если Горти не убежала, а ее украли, то вырисовывается месть. Татьяна, а что вы узнали в «Ласке»?

Я посмотрела на часы.

— Время позднее, поэтому буду краткой. По сути, лавка — стоковый центр. Хозяин закупает за границей нераспроданный товар, который приходит упакованным в тюки. На месте платья-брюки-блузки отпаривают, делают при необходимости мелкий ремонт. Если на вещах есть ярлыки с европейскими надписями, что-нибудь французско-итальянско-немецко-английское, их оставляют. Ежели там иероглифы, то фирменные знаки срезают, на их место пришивают ярлыки со словом: «Allgvissimo». Есть ли такая фирма в реальности, или она плод фантазии Филиппа Несмеянова, понятия не имею. Гладильщица Роза сказала, что устраивать в магазине вечеринку никто не станет. Там просто места нет. Каждый сантиметр занят, складские помещения крохотные, в торговом зале не протолкнуться, везде установлены примерочные кабины. Комнаты отдыха для продавцов нет, кухня отсутствует, раздевалка тоже. Есть два коридора. В одном на стене висят крючки, на них сотрудники вешают верхнюю одежду, и там же, подстелив под ноги газету, можно переобуться. А во втором, тупиковом, ходить запрещено, в нем стоит кронштейн со шмотками для ВИП-клиентов, которых дурят почем зря. Я сама сегодня пришила на дешевые платья ярлыки от Шанель, Гуччи, Диор и Прада. Но не из-за подделок в тупик велено не заглядывать. Там есть дверь с запрещающей открывать ее табличкой. За створкой другой коридор, и опять вешалки с вульгарными платьями красного цвета. Просто дежавю!

— Ты рисковала, нарушая приказ, — с укоризной заметил Крапивин, — в магазинах ведется видеонаблюдение...

Я перебила Валерия:

— Из секьюрити там только один мужик у двери. Он уходит после закрытия лавки, ночью «Ласка» не охраняется. Камеры фальшивые, а по всему магазину висят наклейки несуществующего охранного предприятия.

— Во дают! — восхитилась Эдита. — Странно, однако. Даже на пульт не подключены. Помните, я вам об этом говорила?

Я полезла в сумку.

— Понятия не имею, почему хозяин наплевал на элементарную безопасность. Надо выяснить, что скрывается за надежно запертой второй дверью, куда персоналу даже заглядывать не разрешено.

— Здорово, — протянула Аня, — как будто в сериале «Парижские тайны». Интересно, куда она ведет?

Я наконец-то нашла лекарство от головной боли и вынула блистер.

— Не знаю. Перед тем как подняться сюда, я отдала в техотдел фото терминала, куда вставляется карта-пропуск, и оттиск ключа от входной двери. Завтра утром и то, и другое сделают.

— С ключом понимаю, а как с картой? — удивился Александр Викторович.

Эдита начала размахивать руками.

— Дадут такую плоскую коробочку, ее надо вставить... короче, не парьтесь, устройство простое, его можно отпереть. Тане нужно внутрь попасть, ей по барабану, как отмычка работает.

— После закрытия «Ласки», — продолжала я, — около полуночи я войду в магазин и изучу, что находится за секретной дверью.

— Одной заниматься этим неразумно, — перебил меня Валерий, — я отправлюсь с тобой.

— Хорошо, — согласилась я

Глава 32

Утром меня разбудила Эдита и зачастила:

— Привет, в одиннадцать приедет Галина Сергеевна и к тому же времени подкатит Юрий Петрович Бумагин.

Я попыталась открыть глаза.

— Отлично.

— Ты спишь? Прости, — извинилась Эдита.

Мне наконец удалось разлепить веки, я увидела циферблат будильника и не поверила своим глазам:

ровно пять? Наверное, в часах разрядилась батарей-
ка, и они остановились. Я со вкусом зевнула.

— Эдита, сколько времени?

— Пять ноль две, — отрапортовала наш вундеркинд, притихла, потом ойкнула: — Прости.

— Ничего, — пробормотала я, отчаянно зевая, —
но в следующий раз, прежде чем хвататься за трубку,
взгляни на часы.

— Конечно, это более не повторится, — заверила
Эдита.

— Угу, — пробормотала я и натянула одеяло на
плечи, собираясь еще поспать.

Не тут-то было, трубка опять запела.

— Да, Эдита, — уже не так приветливо сказала я.

— Ты сердишься? — испугалась девушка.

— Нет, у тебя что-то срочное?

— Просто хотела еще раз попросить прощения за
ранний звонок. Мне так неудобно.

— Хорошо, — отрезала я и вновь попыталась поудобнее устроиться в кровати.

Телефон заорал, я схватила его и, не глядя на
экран, зашипела:

— Если ты еще раз наберешь мой номер в пять
утра без серьезного повода, то я...

— Ой, прости, — сказал Иван, — думал, ты уже
проснулась.

— Фу, — выдохнула я, — мои слова относились
не к тебе, а к Эдите. Разбудила меня ни свет ни заря, а потом принялась названивать, просить прощения.

— Я тоже хорош, — самокритично сказал Иван. —
Какие у тебя сегодня дела?

— Встреча с Галиной Сергеевной в офисе, а вечером мы с Валерой отправимся в «Ласку» вскрывать
дверь, — доложила я и зевнула.

— Ладно, спи и лучше выключи мобильный, — посоветовал Иван. — Звякни, когда проснешься.

Я свернулась клубочком, закрыла глаза...

— Тра-ля-ля, тра-ля-ля, — понеслось по квартире.

Если бы из глаз могли бить молнии, я бы прожгла дыру в подушке, матрасе, кровати, полу и потолке соседей снизу. Мое негодование достигло точки кипения, я вцепилась в телефон.

— И кто там в предрассветный час сам не спит и другим не дает?

В трубке молчали.

— Говорите, — приказала я.

Тишина.

— Думаете, трудно узнать, кто хулиганит? — вкрадчиво сказала я. — Через десять минут у меня в руках будет ваш номер и...

— Тра-ля-ля, тра-ля-ля, — снова полетело по комнате.

Я уставилась на молчащую трубку, потом встала и, накинув халат, поспешила к входной двери. Надеюсь, это не Эдита, явившаяся принести мне извинение за ранний звонок. На лестничной клетке стоял Семен.

— Скорее, — прошептал он, — умирает. Ей плохо. Машина не завелась. Не могу в больницу отвезти. Помоги. Заплачу любые деньги.

Я поняла, что Елена заболела, и прямо в пижаме понеслась к лифту, спрашивая на ходу:

— «Скорую» вызвали?

— Нет. А можно? — задал дурацкий вопрос сосед.

— Нужно, — выпалила я. — Что случилось?

— Ногу парализовало, — в ужасе воскликнул Семен, — не ходит. Совсем. Плачет! Заливается.

Я выдохнула. Сломанная нога неприятно, но это не инфаркт. И тут Сеня добавил:

— Голова на шее не держится, набок падает.

Я притормозила, развернулась и понеслась назад в спальню за телефоном. Дело плохо. У Лены что-то с головой. Вдруг инсульт?

Схватив трубку, я сунула ее Семену.

— Зовите врача. Велите срочно прислать кардиолога.

— Ага, — кивнул Семен и заорал в микрофон: — Помогите, добрый человек, смерть к нам в дом пришла.

Я опрометью ринулась в спальню, натянула джинсы, кофту и через пять минут мы с соседом оказались в его квартире, где царила тишина.

— Все. Конец, — всхлипнул Семен.

Из комнаты на цыпочках вышла Лена.

— Ура! Она жива, — обрадовалась я и тут же велела: — Леночка, немедленно ложитесь.

— Разве тут уснешь, — отмахнулась соседка, — правую ногу парализовало.

— Левую, — заспорил Семен.

— Правую, — уперлась жена.

— Левую, — не уступил муж.

— Ты не так стоишь. С твоей стороны получается правая, а в реальности — левая, — начала объяснять супруга.

— Сказал — левая! Не спорить, — заорал муж.

Я решила вмешаться:

— Семен! Спокойно. Понимаю, вы очень обеспокоены состоянием Лены и поэтому скандалите. Но ваше поведение тревожит больную. «Скорая» уже мчится. Елене лучше известно, какая нога у нее парализована.

— Да при чем тут она! — взвизгнул Сеня. — Она здорова, как железная канистра!

Несмотря на нервную ситуацию, я с трудом удержалась от смешка. «Здорова, как железная канистра»!

Да Семен романтик, экое поэтическое сравнение жены с тарой для бензина придумал.

— Распрекрасно Ленка стоит, — не успокаивался он.

Я уставилась на хозяйку квартиры. Действительно, Елена находится в вертикальном положении, более того, она мечется по комнате, хватаясь за голову, и бормочет:

— Умирает! Помогите!

— Кому плохо? — спросила я.

— Кутузову! — закричал Семен.

— Котику, — завопила Елена, — он умирает!

И тут раздался звонок в дверь. Лена распахнула створку, в холл вошли две женщины в серо-голубых куртках. Слева на них было написано: «КЭП», справа — «Кардиология».

— Добрый день, — деловито произнесла одна из приехавших, — клинику экстренной помощи вызывали?

— Да! — хором ответили супруги.

— Что случилось? Где больной? — спросила женщина постарше.

Я втянула голову в плечи, Семен обратился не в муниципальную «Скорую», вызвал машину из центра, где они с женой купили страховку. Сейчас врач и медсестра увидят щенка... ой что будет!

— Сыночек заболел, — простонала Лена, — Котик.

— Мой солдат совсем плох, — сдавленным голосом сказал Семен.

Медики переглянулись и быстро натянули бахилы.

— Где ребенок? — отрывисто спросила доктор. — Сколько ему лет?

— Четыре месяца, — дрожащим голосом пояснила Лена, — так врач сказал.

Дама постарше повернулась к девушке:

— Ольга Львовна, вызвать педиатра?

Я поняла, что ошиблась, главная в паре молодая женщина.

— Мы в соседнем доме были, — сказала Ольга Львовна, — поэтому через пять минут явились. Педиатр по пробкам два часа будет ехать. Вы родители?

— Ага, — опять в унисон заявили супруги.

— Где детская? Ведите, — приказала Ольга Львовна.

— Он в нашей спальне, — заплакала Лена.

— Мамочка, нам без разницы, где малыш, — отрезала врач, — дайте наконец на него взглянуть!

— Да, сюда, налево, — зашептала хозяйка.

— Ума совсем нет, — забубнил Семен, шагая за женой, — плохо мальцу, а она языком мелет.

— Папочка, не нервничайте, — попросила медсестра, вытирая на ходу влажной салфеткой руки, — сейчас все лечат, — и показала на меня: — Вон бабушка спокойненько себя ведет.

Я вздрогнула. Наверное, я «прекрасно» выгляжу, раз меня приняли за бабушку. Хотя, с другой стороны, кто из нас похож на розовый бутон в пять утра?

Наша сплоченная группа вошла в хозяйскую опочивальню. Увидев огромную кровать с позолоченной спинкой, свисающим над ней балдахином из розовой парчи и пододеяльник с принтами в виде ангелочков, которые держат в руках табличку «Папочка и мамочка навечно вместе», я опомнилась. Танюша, что ты здесь делаешь? Как только в квартире появились медики, тебе следовало уйти. Я попятилась к двери, но была схвачена Леной за руку.

— Танюша, мне страшно!

— Все будет хорошо, — заверила я.

Елена повисла у меня на плече.

— Котик умрет.

Я обняла соседку.

— Ну, ну, все обойдется.

— Где больной? — поинтересовалась Ольга Львовна.

— Котик, — чуть слышно позвала соседка, — иди к мамуле.

— Кутузов, отец здесь, вылезай, — приказал Семен.

Из-под ужасающего одеяла высунулось лохматое тельце и тихо тявкнуло.

— Вот он, — заявила Лена, — Котик.

— Кутузов, — поправил ее муж.

Я закрыла глаза. Ну сейчас начнется!

— Собачка, — умилилась медсестра, — Ольга Львовна, прямо как ваш Мартин.

Доктор бесцеремонно села на кровать.

— Наташа, педиатр не нужен.

— Вы его спасете? — всхлипнула Елена.

Врач молча обозревала сидящего щенка.

— Мы песиками не занимаемся, — ласково сказала Наташа, — нужен ветеринар. И у вас страховка человеческая, не собачья.

— Пока ветеринар приедет, он умрет, — простонала Лена. — Сами только что сказали: два часа врачу по пробкам тащиться.

— Щенок не выглядит больным, — сказала Ольга.

— А вы его на лапы поставьте, — посоветовал Семен.

Ольга Львовна осторожно взяла песика и опустила на четыре лапы. Котик Кутузов взвизгнул и упал на бок.

— Коксартроз? — предположила Наташа.

— Ну это навряд ли, — пробормотала врач, — заболевание не для юного возраста. Хотя, сейчас всякое бывает. Я не специалист, зовите ветеринара.

Лена зарыдала, а Наташа дернула Семена за плечо.

— Попросите Ольгу Львовну остаться. У нее дома пять собак, она лучше любого собачьего терапевта справится. Умолите ее частным образом, без оплаты в кассу вашего Суворова вылечить.

— Кутузова, — поправил Семен.

— Какая разница, — отмахнулась медсестра, — у нас лекарств полно, стерильный хирургический набор при себе, я ассистирую классно, у меня дома пуделя! Три девочки. Ну? Вас устроит отблагодарить нас в кармашек?

— Только скажите сколько, сразу отмусолю, — заверил Семен.

— Ольга Львовна, давайте людям из христианского милосердия поможем, — засуетилась Наташа, — по нашему прайсу. Понимаете, папочка, лекарства будем колоть человеческие, поэтому и цена у них людская.

— Да я все продам, чтобы Котика спасти, — забилась в истерике Лена, — ой, меня тошнит, прямо жуть как!

Зажав рот рукой, Лена понеслась в коридор.

— Принесите блюдечко для пустых ампул, — попросила врач.

Семен ушел.

— Беременная она, — с умным видом заявила Наташа, — вон как выворачивает беднягу. Утро самое тошнотное время.

— А меня токсикоз хватал вечером, — возразила Ольга Львовна, ощупывая Котика Кутузова.

— Пожалуйста, не говорите о беременности, — попросила я, — Лена долго лечилась, сделала несколько ЭКО-попыток, но все закончились неудачей. Они с мужем очень хотели детей, но сейчас навсегда закрыли эту тему. Подобрали на улице щенка, он у них теперь вместо сына.

— Ну точно она забеременела, — обрадовалась Наташа, — примета такая есть. Не получаются детки? Приголубь брошенную кисоньку или собачонка, и вскоре тебе за доброту Боженька ребеночка пошлет. Народная мудрость!

Я вздохнула. Кабы все так просто решалось, в России не осталось бы брошенных животных и бездетных семей.

— Ната, закрой тему, — приказала врач.

— Иес, Ольга Львовна, молчу, — заверила Наташа, — но я сразу, еще до того как женщину выворачивать стало, сообразила: она в положении. Срок маленький, может, сутки.

— И как вы это поняли? — удивилась я.

— У беременной такой взгляд делается, как бы внутрь себя, — замахала руками медсестра, — я никогда не ошибаюсь. У родителей соседка цыганка была, мне от нее предсказательная способность передалась.

— Простите, — простонала Лена, возвращаясь, — вчера на ночь, не удержалась, съела банку шпрот, полночи в сортире провела. Что с Котиком?

— Вот блюдце, — объявил Сеня, ставя на кровать здоровенную суповую тарелку.

Наташа захихикала.

— Ой, ну все мужики одинаковые. Блюдечко просили.

— А я что припер? — заморгал хозяин.

— Не мешайте! — приказала Ольга Львовна. — Буду определяться с диагнозом. Наташа, полное первичное обследование по протоколу.

— Ой мама! — затряслась Елена и снова вцепилась в меня. — Пришла беда в дом!

— Тише, — шикнул Сеня, — доктору мешаешь.

Ольга Львовна посветила Котику Кутузову в нос, пасть и уши точечным фонариком, потом велела:

— Ну-ка, папа-мама, кто-нибудь, подержите ему хвост в поднятом состоянии.

— Зачем? — не понял Сеня.

— Температуру померяем, — растолковала Наташа.

— Так градусник под мышку ставят или в рот запихивают, — продолжал недоумевать Семен.

Медсестра засмеялась.

— Животным с другого конца термометр ставят.

— Скажите пожалуйста, — поразился Сеня, — никогда бы не подумал.

— Держи хвост, — зашипела Лена, — хотя нет, лучше я.

— Это почему? — возмутился муж. — У тебя не получится, тут нужна мужская хватка и военная точность. Для меня задача.

— Поднимайте ему хвост вдвоем, — приняла соломоново решение Ольга Львовна.

Супруги схватились за пушистую метелочку, которой весело размахивал щенок.

В комнате воцарилась тишина, все осознали важность момента и молчали.

— Время прошло, — заявила Наташа.

— Можно, я достану? — попросила Лена.

— Почему ты? — возразил Семен.

— Я первая сказала, — огрызнулась жена.

— Это мужская работа, тут необходим стратегический ум, — отрезал Семен и потянулся к термометру, торчащему из попы Котика Кутузова.

— Осторожнее, — попросила Ольга Львовна.

Но Семен уже вытащил градусник. Котик громко пукнул, подпрыгнул и свалился на бок.

— Ты его убил, — зарыдала Лена.

— Все живы, — успокоила присутствующих Ольга Львовна, — теперь соскоб с живота, когтя. Изучим шерсть... М-да! Похоже на синдром Абельвайдера—Монтеноя[1].

— Это что? — побледнела Елена.

— Мышечная дистрофия из-за неверного питания, — объяснила врач. — Сейчас дадим лекарство, и все пройдет. Наташа! Бификурин плюс амадропин и гибрадрониксоламин!

— Угу, — кивнула медсестра, порылась в железном кофре, чем-то зашуршала, потом достала коричневый квадратик, напоминающий гематоген, и протянула щенку.

Котик Кутузов мигом слопал «лекарство». Мне стало смешно. Так. Две предприимчивые тетушки решили раскрутить Лену с Семеном на деньги, называют сейчас несуществующие лекарства. И, судя по гематогену, который совершенно не нужен врачу «Скорой», хитрые дамы проделывают это не впервые. Похоже, они частенько договариваются о лечении больного с оплатой «в кармашек».

— Сейчас он побежит? — с надеждой спросила Лена.

Ольга Львовна спустила песика на пол.

— Должен. Ну, милый, давай!

Котик Кутузов сделал шаг, зарыдал и плюхнулся на бок.

— Не понимаю! — заломил руки Сеня.

— Без паники, — сурово сказала врач, — значит, у него болезнь Сикорина — Валерии — Бромберга. Или расслоение когтевого придатка на фоне лучеспинальной грыжи. Нужен рентген.

— Делайте! — приказал Сеня.

---

[1] Такой болезни нет.

Тетки переглянулись.

— Аппарат в машине, — пропела Наташа.

Я с огромным интересом наблюдала за предприимчивыми дамочками. Интересно, как далеко они зайдут?

— Это дорого, — вздохнула Наташа, — тридцать тысяч снимок.

Семен стукнул кулаком по стене.

— Плевать.

Наташа метнулась к двери.

— Если снимок не внесет ясности, отвезем его к моему мужу в лечебницу, супруг — ветеринар, — сказала Ольга Львовна.

— Котик не умрет по дороге? — всхлипнула Елена.

— Я же рядом, — успокоила ее врачиха, — реанимобиль полностью оборудован. Думаю, надо заранее подстелить соломки.

Ольга Львовна вынула телефон.

— Алло, Витя? У меня здесь сложный случай. Собака. Кажется, синдром Суховского-Кобылина. Уже везем. Только рентген сделаем, чтобы исключить инфекцию. Лучше у тебя? О'кей.

Я присела около Котика Кутузова, погладила его по голове, потом осторожно взяла заднюю лапку псинки.

— Не трогайте, — велела врач, — можете повредить сустав атлант.

— Навряд ли, — возразила я, — вообще-то атлант не сустав, а позвонок, и он находится в шее.

— Вы медработник? — занервничала Ольга Львовна.

— А что? — спросила я, продолжая аккуратно изучать лапку Котика Кутузова.

— Кем работаете? — привязалась ко мне доктор.

— Какое это имеет значение? — улыбнулась я. —

Гематоген у вас свежий? Вы в курсе, что он довольно быстро портится?

— Я не могу работать в таких нервных условиях, — выпалила врач, схватила чемоданчик с лекарствами и убежала.

— Стойте, — кинулась за ней Лена.

Сеня, сжав кулаки, стал надвигаться на меня.

— Ну ты, коза! Чего доктору сказала? ... совсем? Вали вон! Мы не приглашали тебя в гости!

Рыдающая Лена вернулась в спальню и тоже напала на меня.

— Она ушла! Ты ее выгнала!

— ...! ...! ...! — заорал Сеня.

Я поставила Котика Кутузова на пол, отошла к двери и велела щенку:

— Ну-ка иди сюда.

Песик резво поскакал в мою сторону.

— Сеня! Он поправился, — ахнула Лена, — доктор его успела вылечить. Ой, меня тошнит. Чертовы шпроты.

Лена отпихнула меня и ринулась в коридор.

— Врач ни при чем, — спокойно сказала я Сене, — более того, они с медсестрой пытались вас обмануть. Нет у Котика Кутузова никаких болезней-синдромов. Он наступил на кнопку.

— На какую? — опешил Семен.

Я показала соседу простую канцелярскую кнопку.

— Вот на эту. Наверное, она лежала на полу острием вверх. Кнопка вонзилась бедолаге в подушечку лапки. Я ее вытащила. Советую протереть место укола мирамистином.

— Кнопка? — растерянно повторил сосед. — Простая кнопка?

Я положила блестящую кнопку на тумбочку и, прежде чем Семен опомнился, быстро ушла.

Глава 33

— Вы нашли Гортензию? — спросила Моисеенко, входя в переговорную.

Державшая ее под руку Карина сказала:

— Мама Галя, не нервничайте.

— Присаживайтесь, пожалуйста, — попросила я, не очень довольная присутствием Карины, которую мы не приглашали. Зачем Хлебникова приехала? Она помешает разговору, при ней пожилая дама может не пойти на откровенность.

— Я попросила доченьку сопровождать меня, — словно прочитав мои мысли, пояснила Галина, — я без нее никуда, так плохо себя чувствую.

— Хлебникова вам не дочь, — уточнил Александр Викторович.

— Не по плоти, по духу, — пояснила Моисеенко, — и она мой добрый ангел с того времени, как у нас после смерти родителей поселилась, Карочка стала втройне обо мне заботиться.

— Скажете тоже, — смутилась Карина, — раз в неделю куда-то вас вожу, и все.

— Нет, — возразила Галина Сергеевна, — ты почти каждый день мне лекарства привозишь, продукты, гулять выводишь. Ближе и роднее тебя у меня никого нет. Кроме Горти, конечно, но где она? Ты мне давно дочерью стала. А твой муж любящим зятем. Если б не он, что бы со мной, больной, было?

Карина усадила даму на стул и сказала:

— Татьяне неинтересно, как мы друг к другу относимся. Не будем грузить госпожу Сергееву нашими семейными делами. Наверное, у нее есть новости о Горти. Да?

— Появились некоторые вопросы, — остановила я Карину. — Галина Сергеевна, вы знаете моих сотрудников. Но сегодня здесь присутствует еще и Юрий Петрович Бумагин. Помните его?

Моисеенко прищурилась. Карина открыла ее сумку и подала ей очечник. Галина Сергеевна посадила на нос очки и протянула:

— Добрый день. Не могу вспомнить, где мы с вами встречались.

— Похоже, я изменился до неузнаваемости, — сказал Бумагин, — а Галя прекрасно выглядит. Пока я ждал тебя здесь, впервые подумал: а у нас с дочкой Раскольниковых малая разница в возрасте. Ей на момент поимки садистов-родителей и брата четырнадцать исполнилось, а мне двадцать два. Всего-то восемь лет. Но я уже тогда успел опериться, высшее образование получить, и был на подхвате у следственной группы, попал на громкое дело, с таких карьера начинается. Вот и я вверх пошагал, когда Раскольниковых осудили. Дело-то на контроле у самого Брежнева было.

Галина Сергеевна сильно побледнела, но сделала отчаянную попытку изобразить равнодушие.

— Раскольниковы? Старуха-процентщица? Не люблю Достоевского, он очень мрачен.

Бумагин встал и сел на стул, стоящий напротив Моисеенко.

— Да ладно тебе Ваньку валять. Они все знают.

— Что знают? — задергалась Карина. — Кто знает?

— Зря правду сразу не рассказала, — укорил Галину бывший следователь. — Если твою дочь похитили, то виновным может оказаться один из родственников жертв твоих родителей. Месть сильное побудительное чувство.

— Галина Сергеевна, мы в курсе того, как вы из Раскольниковой сначала превратились в Петрову, а потом в Моисеенко, — сообщил Александр Викторович. — Вам нет необходимости рассказывать нам эту историю.

— Ничего не понимаю! Кто такая Раскольникова? — продолжала изумляться Карина.

Ватагин подошел к доске и взял фломастер.

— Карина, мы не ожидали вашего приезда...

— Вот здорово! — перебила его Хлебникова. — Хотите сказать, что я сюда без приглашения заявилась? И как вы себе представляли визит Галины Сергеевны? Она появляется одна? Без сопровождающих? Нетушки. Придется вам мое присутствие терпеть.

— Нет, Карина, — мягко возразил психолог, — я имею в виду иное. Мы не ожидали вашего приезда, поэтому сейчас всем придется выслушать про Раскольниковых, хотя почти все в этом кабинете в курсе дела.

После того, как Ватагин закончил рассказ, Галина Сергеевна закрыла лицо ладонями и прошептала:

— Кара! Ты теперь не станешь со мной общаться?

Хлебникова обняла мать лучшей подруги.

— Никогда тебя не брошу! Разве ты сделала что-то плохое? Бедная больная девочка понятия не имела о преступлениях родителей и брата.

— Карочка, — всхлипнула Моисеенко, — ты знаешь, как я тебя за все отблагодарю.

— Мне ничего не надо, — отмахнулась Карина.

— Галина Сергеевна, вы помните Степана Ильича Калягина? — спросила я.

— Степу? Конечно, — удивилась Моисеенко, — он лучший друг Валентина с пеленок. Они вместе с мужем клинику основали. Степан стал верующим, удалился от мира, в монастыре живет, точный адрес обители не назову. Степа давно со мной не общается.

— Мы его нашли, — оказала я, — Степан Ильич пребывает в здравом рассудке и твердой памяти. Уж простите мое неуемное любопытство, а где Валентин Петрович деньги на создание клиники взял?

Галина пожала плечами.

— Супруг меня никогда в финансовые вопросы не посвящал. Думаю, Степа где-то раздобыл сумму, или в долг с Валентином взяли. Валя всегда говорил: «Галочка, занимайся детьми, остальное моя забота». И я больше не лезла в деловую сферу. Я не бизнесмен. После смерти Вали я растерялась, не знала, что с клиникой делать. Несколько лет ею управлял Степан Ильич Калягин. Потом Степан принял решение удалиться от мира. Передо мной опять встал вопрос: может, клинику продать? Но Карина посоветовала не отдавать прибыльный бизнес в чужие руки. Глеб, ее муж, крупный юрист и экономист. Он пообещал подобрать хорошего управляющего для медцентра, а пока такового нет, временно сам встал у руля.

— Глеб увлекся, — улыбнулась Кара, — до сих пор тщательно следит за всем, что происходит в клинике. Он член Совета директоров.

— Мы с Горти два председателя, — сказала Галина Сергеевна, — но толку от нас нет. Фактически всем управляет Глеб.

— Вернемся к стартовому капиталу, — вступил в разговор Валерий. — Откуда он?

Галина Сергеевна развела руками.

— Не знаю!

Крапивин включил телефон, в комнате зазвучал голос Калягина. По мере его рассказа лицо Галины Сергеевны несколько раз меняло цвет.

— Значит, Раскольниковы все же брали трофеи, — сказал Юрий Петрович. — Галина Сергеевна, где же их прятали? Помнится, мы на молекулы разобрали и дом, и сад, и сарай, и прочие хозяйственные постройки. Я сам в собачьей будке и загоне для кроликов рылся.

Моисеенко молчала.

Александр Викторович сел около нее и взял за руку.

— Понимаю, как вам тяжело. Большую часть жизни вы провели в страхе, вдруг правда о родне всплывет. Вы же знали, что сделали отец, мать и брат. Да?

— Не захочешь, а узнаешь, — прошептала Галина, — нам фамилию поменяли, за что милиции спасибо. А жилья у нас с бабкой не было. Вернуться в родную деревню мы не могли, нас бы на тряпки порвали. Соседи, кстати, не злобились. Бабка один раз поехала ночью в родную избу, приговор в отношении отца уже исполнили, мать с Николаем на зоне находились. Анна Сергеевна хотела кое-какие вещи забрать, денег у нас пшик был, на ее пенсию выживали. Бабка в полночь в дом вошла, свечку зажгла, Настя, соседка, огонек заметила и пришла глянуть, кто в чужих хоромах хозяйничает. Она бабке сказала:

— Наши никто не верит, что Сергей Петрович, Марина Степановна и Коля страшные люди. Доктор моего внука спас. Милиция виновных отыскать не смогла, поэтому Раскольниковых бандитами сделала, знаю, как это проворачивают, десять лет в райотделе милиции убиралась, насмотрелась, наслушалась всякого. О вас с Галюшей в селе никто слова дурного не скажет. Но лучше вам не возвращаться. Сюда ездят родственники, друзья убитых, хотят вашу избу поджечь, ироды окаянные, вас-то за что гнобить?

Мы с Анной Сергеевной снимали комнату в общаге, я в местной школе училась, меня там все дети ненавидели, звали зубрилой, но мне плевать на них было. Я понимала: медаль заработать надо, в институт поступить, тогда из помойки вылезу. Либо на работу хорошую устроюсь, либо замуж удачно выйду.

Незадолго до вступительных экзаменов бабка умерла. Перед смертью она мне сказала:

— Езжай в деревню Лисовка, неподалеку от нее есть гора, в ней пещера. Фонарь возьми, вот тебе план, копай в указанном месте, достань захоронку и привези. Гляди только, чтобы тебя не заметили, покружи как следует.

Я Лисовку хорошо знала, там моя школа находилась, куда я с первого класса бегала. Но я не боялась, что меня узнают, здорово изменилась. Худая стала, волосы от хны совсем рыжие. Старуха мне каждую субботу в бане их красила, боялась, что кто-нибудь опознает внучку. Я вынула захоронку из пещеры и притащила бабке, та ее открыла и сказала:

— Тут дерьма всякого много, но и ценности есть, вот этот мешочек береги пуще глаз, в нем бриллианты, на них пол-Москвы купить можно. В распыл запас не пускай, за решетку попасть можешь. Потихоньку продавай, вот тебе телефон Игоря, скажешь ему: я дочь Сергея. Он поможет камни продать, упаси бог к кому другому обратиться.

Я испугалась очень. После бабкиной смерти поехала в Лисовку и зарыла шкатулку на прежнем месте. Не хотела кровавые украшения рядом с собой держать.

— Вы знали, чьи это вещи, — протянула Аня.

Галина скрестила руки на груди.

— Бабка объяснила.

Юрий Петрович крякнул.

— Анна Сергеевна была в курсе дела?

Мать Гортензии вдруг рассмеялась.

— Была в курсе дела! Конечно! Она в санаторий, где я лечилась, не из-за меня работать пошла, она меня ненавидела. Каждый день говорила: «Ты моральный урод. Дочь своих родителей. Чуть подрастешь и такой же станешь. Тебе нельзя замуж выходить, муж детей захочет, а ты ему родишь убийц».

— Значит, вы тоже все знали, — мрачно протянул Бумагин, — а я, дурак, пожалел девочку несчастную.

Галина Сергеевна перекрестилась.

— Душой своей клянусь, чтоб ей погибнуть, если я вру. До того, как мать, отца и брата арестовали, я ни о чем и не подозревала. Я маленькая была, глупая. Мне запрещали к гаражу приближаться, где погреб в полу, чтобы женщин мучить, оборудовали, бабка говорила:

— От тебя на замок закрыли, лестница там крутая, упадешь, шею сломаешь.

Потом я заболела, уехала в санаторий, Анна Сергеевна решила за мной ухаживать, чем меня сильно удивила. Она оплеухи мне без всякого повода раздавала. И вдруг!

Галина Сергеевна резко выпрямилась.

— Когда родителей судить начали, бабка мне все объяснила. Она знала, чем сын с невесткой и внуком занимаются, но остановить их не могла. Более того, Сергей приказал ей прятать драгоценности жертв, сказал:

— Поиграем еще немного с Маринкой и Колькой, а потом из Москвы уедем, к теплому морю подадимся, накопленное продадим, дом построим. Никто не заинтересуется, откуда у московских врачей капитал.

Когда отца расстреляли, а мать с братом отправили на зону, Анна Сергеевна стала меня каждый день бить, лицо не трогала, осторожно орудовала, боялась, что соседи по общаге услышат. Отметелит меня и требует:

— Руку мне целуй, благодари за науку, ради тебя стараюсь, чтобы твой гнилой характер переломать. Ты от уродов на свет появилась, сама такой станешь.

Нашла какого-то священника в Мурманской области, повезла меня к нему бесов изгонять.

— Дальний путь, — сказала Буля.

Галина Сергеевна скривила губы.

— Ближе искать она побоялась. Что я вытерпела! Вечный голод. Бабка любила повторять: «Сытое брюхо грешит». Она не была по-настоящему верующей, в церковь никогда не ходила, но Бога часто поминала, меня Страшным судом пугала.

Когда старуха умерла, я была так счастлива, что пела всю ночь от радости. Соседи решили, что я умом от горя помутилась, водки мне налили, супу тарелку дали. Хорошие люди оказались, несколько месяцев меня кормили, пока я поступала в институт и в общежитие определялась.

— Вы храбрый человек, не побоялись шкатулку выкопать, — вздохнула я.

— Коробку, — поправила Моисеенко, — жестяную, большую. В ней все лежало в мешочки упакованное. Мы с Валентином всегда без денег жили, двое детей в семье, его родители. Свекор со свекровью долго болели, все накопления их на операции ушли. У Вали оклад был невелик, я тоже не добытчица. Хотелось одеться красиво, покушать вкусно. А на какие шиши? Нет шишей! Ну совсем нет! А Степан... это сейчас он монах, а в прежние годы тоже всякого материального жаждал: машину, квартиру... Степа первым разговор завел: девяностые годы на дворе, возможностей много, нечего бояться, надо свое дело начать. Муж с ним согласился. А где стартовый капитал взять? Валентин решил деревенский дом, который от бабушки по материнской линии ему достался, продать. Но это было единственное место, где мы отдохнуть могли, и сколько за него выручить можно? Мне нищета поперек горла стала. Вот я и подумала: Раскольниковых нет, народ о них забыл. Не один год после суда прошел! Достала укладку, придумала вранье про родителей-ювелиров убитых.

Галина махнула рукой.

— Я, когда замуж собралась, Валю предупредила: «Я сирота, бабушкой воспитана, об отце-матери не спрашивай. Они погибли. Выпить любили. Не помню их совсем».

Моисеенко показала на Юрия Петровича.

— Когда он документы новые давал, рассказал нам все про Петровых, про взрыв газовых баллонов. Если б Валентин мои слова про родителей проверить решил, он бы ничего не выяснил, архив поселка погиб. Но Валя и его родители были как дети, они любому чужому слову верили. Правда, когда я мешочек с бриллиантами достала и про ювелиров объявила, муж удивился:

— Ты вроде говорила, что отец с матерью сильно пили.

Я нашлась.

— Разве ювелиры не могут с водкой дружить?

Я позвонила по телефону, который бабка перед смертью мне дала, спросила Игоря, ни на что не надеясь. А мужик оказался жив. Он все мне продать помог за очень хорошую цену. Кто он был, не знаю, умер, когда медицинский центр уже вовсю работал.

Моисеенко замолчала. Александр Викторович снова взял ее за руку.

— Дорогая моя, вот почему вы не хотели детей!

— Да, — кивнула Галина, — слова бабки: «Ты урод и уродов родишь» в голове набатом гудели. Но в понимании Вали настоящая семья это муж, жена и как минимум двое отпрысков. Он меня упрашивал родить, я отбивалась, как могла, находила разные аргументы, но в конце концов муж загнал меня в угол, заявил: или ты беременеешь, или развод. На свет появился Никита. Накаркала мне бабка Армагеддон!

Глава 34

— Мы знаем, что вам пришлось пережить, — сказал Ватагин.

— Знаете? — повторила Галина. — Навряд ли. Это был ад на земле. Никита с малолетства воровал, убивал животных. Я понимала: в доме растет монстр. Ребенок генетическая копия Сергея, Марины и Николая. Пока Никита мал, но он вырастет и такого натворит, что не отмыться нам с Валентином Петровичем никогда. А если его судить за преступление станут, милиция может откопать правду о Раскольниковых, и тогда мне придется в петлю лезть.

— Когда Никита в семь лет украл у педагога кошелек, вы хотели его в монастырь отдать, — вспомнил Ватагин, — теперь я понимаю, отчего эта мысль вам в голову пришла.

Галина обхватила себя руками за плечи и сгорбилась.

— Валентин отказался Никиту монахам отдать, а я не могла ему правду сообщить. Отец начал сына обследовать, узнал, что тот социопат, нанял Елизавету Гавриловну, велел ей глаз с подонка не спускать, но Никита все равно ухитрялся гадить. Валя такой растерянный был, все спрашивал: «Что я не так сделал? Где в воспитании напортачил?»

— Странный вопрос для психиатра, — покачал головой Ватагин, — социопата невозможно исправить, правда, иногда удается подкорректировать его поведение, но для этого нужно огромное желание со стороны самого мальчика. Ваша идея насчет монастыря была здравой. Я знаю несколько случаев, когда искренняя вера в Бога, проникновенные молитвы полностью исцеляли больную душу. Но это трудный путь, не всякий способен его пройти и редко кто из социопатов на него ступает.

Галина Сергеевна начала тереть виски ладонями.

— Я смотрела, как муж мучается, и за язык себя держала, потому что наружу слова рвались: «Милый, ты ни при чем. Это я урод и родила урода». Гортензия меня тоже пугала. Тихая такая, по дому молча ходит, глаза в пол. Ничего плохого не делала. Да кто знает, что у нее на уме? Замкнутая девочка, не откровенная, не веселая, друзей, кроме Кары, не имела. А ну как она тоже собак-кошек убивает, но делает это тайком, прячет концы в воду, в отличие от брата, осторожная, ума хватает не воровать деньги у педагогов. Но сущность-то у нее тоже преступная! Недалеко-то яблочки от яблони падают.

— Ужас, — прошептала Аня, вставая и направляясь к чайнику, — жесть. Давайте кофейку заварю, вы, наверное, замерзли, трясетесь.

Галина Сергеевна не услышала слова Поповой, она сидела, глядя в одну точку, прижав руки к вискам, уставясь в стену, и монотонно говорила:

— Потом Никита подсыпал Елизавете мое снотворное и, когда она заснула, поджег избу. Женщина чудом спаслась и тут же уволилась, за свою жизнь испугалась. Еле-еле мы ее умолили на него не заявлять, заплатили Елизавете много денег за молчание. Слава богу, что мерзавец устроил пожар не в городе, а в деревне. Местные дознаватели не хотели этим делом заниматься, они мужу поверили, когда он сказал, что в избе проблемы с проводкой были, ее сменить требовалось. Сами, мол, виноваты, ни к кому претензий не имеем, все живы. Гортензии я сказала, что Елизавета в драгоценностях по деревне ходила, кто-то их украсть решил, выждал, пока тетка в магазин отправилась, в избу влез, собаку нашу убил, дом сжег, чтобы следы замести. Мы с мужем были в шоке. Супруг прижал Никиту к стенке, я и Елизавета присутствовали при беседе. Через несколько часов допроса выродок признался: он бросил сонные таблетки в кувшин с водой, потому что хотел поехать с приятелями купаться, а Елизавета не разрешила. Поджег дом случайно. Никита уронил горящую спичку на занавеску, та вспыхнула... Но муж сыну не поверил.

— Врешь! Это лекарство пьет только мама. А она на дачу не ездила, Елизавета никакие медикаменты не принимает. Ты пилюли из Москвы прихватил. Заранее знал, что купаться пригласят, а Лиза тебя не пустит? Нет, ты планировал ее убить.

Никита стал рыдать, пообещал больше никогда так не поступать. И Валентин ему поверил! На мои слова, что сына надо где-то запереть, внимания не обратил. Валя отказывался верить, что его сын маньяком растет. Психиатром был, а ужаса под носом видеть не хотел. Мне объяснял: «Это острое переживание подросткового периода. Гормональный взрыв». Слепым и глухим муж был. Не желал признавать: в доме убийца, прятал голову в песок от страшной правды. После той беседы Никита на время притих, прямо в ангела превратился, мне от этого еще страшнее сделалось. Ох, думаю, неспроста гаденыш стал милым, задумал что-то мерзкое.

А Валя радовался, он, несмотря на диплом психиатра, полагал, что Никита извлек урок из произошедшего, понял, что мог попасть в специнтернат, испугался сурового наказания и больше преступлений не совершит. Отец очень любил сына, не мог смотреть на него глазами врача, обожал его. Увы, мои мрачные прогнозы подтвердились. Вскоре настал день, который я никогда не забуду.

Никита учился дома, занимался до шестнадцати, потом час отдыхал, в семнадцать я везла его на плаванье или куда-нибудь еще, я сама сидела за рулем, научилась водить машину. У нас в доме, несмотря на хорошее материальное положение, не было прислуги. Я боялась, что домработница или шофер начнут судачить о сыне, он вел себя странно. Мог быть любезным, ласковым, подойти поцеловать тебя и укусить за щеку до крови. Любил так «шутить». Один раз я попросила его наполнить лейку водой, у самой руки в земле были, цветы пересаживала. Сын охотно выполнил просьбу, изъявил желание полить герани. Я вскоре уловила характерный запах. Мерзавец набрал в лейку не воду, а уксусную эссенцию. Все посадки погибли. Он так смеялся! И, понимаете...

Галина Сергеевна опустила глаза.

— Стыдно о таком говорить, но из песни слов не выкинешь. Никита рос, гормоны у него в крови бушевали. Сын начал приставать к Гортензии, один раз завалил ее на кровать, хорошо, я крик девочки услышала, не знаю, чем бы все закончилось, не окажись я дома. А в тот роковой день случился скандал. Монстр ущипнул за грудь учительницу, которая ему на дому математику преподавала. Она выбежала из комнаты в слезах, кофта у нее была разорвана. Она закричала:

— Никита полез ко мне в лифчик. Я сейчас вызову милицию, он хотел меня обесчестить.

Слава богу, Валентин Петрович был дома. Ему удалось успокоить педагога, купить за деньги ее молчание. Мы еле-еле замяли скандал, в очередной раз Никиту отругали, ушли в нашу спальню. Я сказала Валентину:

— Хватит. Надо найти закрытое учреждение и спрятать мерзавца за крепкими дверями. Иначе Никита Горти изнасилует, тебя и меня зарежет.

Муж опять песню про неправильные методы воспитания завел, пообещал нанять психолога-гувернера... Я не могла сдержаться и выложила ему правду про Раскольниковых. Всю! До дна! Никогда не забуду выражения лица Вали в тот момент. Он молча меня выслушал и, не говоря ни слова, из дома ушел. А я осталась в квартире, не зная, что теперь будет. Валентин отправился на прогулку, чтобы успокоиться, или он не вернется? Конец нашему браку? Или он поймет, что урода необходимо под замок спрятать, пока он много бед не натворил? Он меня простит за то, что столько лет правду скрывала? Или из своей жизни вычеркнет?

И тут раздался звонок в дверь, я в прихожую кинулась, решила, что Валя вернулся, ключи от нервного потрясения забыл. Но это пришла за какой-то книгой Карина. А через пять минут муж по телефону позвонил, велел мне в сквер у дома спуститься. Я всегда боялась Никиту без присмотра оставить, но в тот день нельзя было с супругом спорить. Будь чудовище в доме одно, я бы ушла, заперла б его снаружи. Никита после попытки учительницу изнасиловать затаился в комнате. Но в квартире была еще Горти и, как назло, Карина заявилась. Вдруг подонок пристанет к сестре или ее подруге? А муж на скамейке в садике меня ждет. И неизвестно, что он мне скажет. Никому не пожелаю в моем тогдашнем положении очутиться. Уйти нельзя остаться! Ставьте в этой фразе запятую, где хотите. Уйти, нельзя остаться? Плохо может обернуться. Уйти нельзя, остаться? Еще хуже получится. И, наверное, от полной безнадежности мне в голову пришло оригинальное решение. Я до того, как все произошло, котлеты из печени делала, полную миску фарша накрутила. Вышла я в коридор и крикнула: «Дети!» Никита из своей комнаты высунулся, Горти и Кара из ванной, они там чего-то делали. Я им сказала:

— Уронила миску с печеньью, не ходите на кухню, буду ее мыть, все шкафчики в пятнах, пол, стол, стулья. Дверь запру, чтобы кто-то из вас случайно не зашел и грязь по квартире не разнес. Не зовите меня, оторваться не смогу.

Помнится, Кара предложила: «Тетя Галя, давайте я помогу». Мои дети промолчали, они лентяи были. Я Каре велела домой идти, не мешать Гортензии уроки делать. Заперла кухню, но не изнутри, а снаружи, и в сквер у дома побежала...

— Я тогда у Горти книгу взяла, — влезла в рассказ Карина, — и домой отправилась. Гортензия и Никита одни остались. Я в соседнем доме жила, помчалась по двору, вижу, в садике на лавочке тетя Галя и дядя Валя сидят, о чем-то беседуют, так увлеклись, что никого вокруг не замечают. То-то я удивилась! Мать подруги хотела кухню мыть. Но, конечно, я спрашивать ничего не стала, домой поспешила уроки делать. Утром Горти в школу не пришла, я ей после занятий позвонила, а Галина Сергеевна меня отчитала:

— Кара, не беспокой дочь, она простудилась, голос потеряла. Мы с Никитой сегодня в санаторий на недельку едем, ты к нам не бегай. У Валентина Петровича без гостей забот хватит. Вечно вы с Гортензией чай попьете, а грязную посуду бросаете. Дома посиди!

Мне обидно стало. Ни разу я чашку с опивками не оставляла, мама приучила меня к аккуратности, но со старшими спорить нельзя. Через два дня все учителя в школе шушукаться начали, и дети, которым правду сообщать не собирались, мигом выяснили: у Гортензии умер брат. Я была в шоке. Никита мне никогда не нравился, он очень больно щипался и с вывертом, но смерти в подростковом возрасте никто не заслуживает. А через пару дней у Гортензии папа скончался, и куда-то они с матерью после похорон уехали. В сентябре Горти в классе опять со мной за парту села, я ее спросила:

— Как у вас дела?

Она на меня так посмотрела, словно камень в лицо бросила, и сурово сказала:

— Кара, если хочешь остаться моей подругой, не спрашивай ничего про брата и папу. Их нет. Все. Мне тяжело на эту тему говорить. Может, когда-нибудь расскажу, что случилось. И не вздумай к маме с вопросами лезть. Если любопытничать будешь, я с тобой раздружусь.

Галина сложила руки на столе.

— Мы с мужем говорили в сквере долго. Он мне сказал: «Ты ни в чем не виновата. Победила генетику, выросла хорошим человеком. Что будет с Гортензией, прогнозировать боюсь, но знаю, бить ребенка, как делала твоя бабка, нельзя. Насилие добра не принесет. Ты была права, предлагая отправить Никиту в монастырь. У меня есть кое-какие знакомства в епархии, я попрошу помощи. Подберем хорошее заведение и отвезем его туда. Авось святым отцам удастся Никиту образумить. А сейчас пошли домой, нельзя этого подростка без присмотра оставлять.

Мы поднялись в квартиру, открыли дверь... а по коридору кровавые следы тянутся. Я кинулась в кухню. Там на полу лежал Никита, весь в крови, рядом перевернутая миска с фаршем валялась. Я сначала решила, что мальчишка очередную свою «шутку» устроил, закричала: «Вставай немедленно. Зачем продукты испортил?» И вдруг поняла: он мертв. Все вокруг в его крови. Валя бросился в комнату к Горти, я за ним. Девочка лежала на кровати, руки окровавленные, ноги тоже, рядом с ней тесак...

Я ее обняла, без слов все понятно стало. Никита умел мастерски замки взламывать. Он кухню зачем-то открыл, позвал туда сестру, начал к ней приставать, может, юбку ей задрал, распоясался, сообразив, что взрослых нет. Гортензия схватила нож, ударила что есть силы подонка и случайно убила его.

Обняла я Горти, прижала к себе, шепчу:

— Прости, прости, прости. Не хотела, чтобы так вышло.

А она молчит. Я стала ее трясти, просить, чтобы она хоть слово сказала, но девочка окаменела. Валентин Петрович велел мне отойти от дочери, сделал ей какой-то укол и приказал:

— Живо мой квартиру.

Я схватила тряпку. Муж позвонил Степану, тот приехал и помог, завернул тело в брезент, ночью увез его в морг, у него какие-то знакомые там были, они, получив крупную сумму, труп в порядок привели, помыли, одели.

Валерий побарабанил пальцами по столу.

— Степан Ильич знал, что Гортензия убила брата? Мне он даже не намекнул на такую возможность.

— Монахи умеют хранить тайны, — вздохнула Буля.

— Калягин все организовал, — продолжала Галина Сергеевна, — сделал справку, что у Никиты был инфаркт. В медкарте подростка ранее уже было упоминание о пороке сердца, нам требовалась причина для домашнего обучения. Как Степа все сделал, не знаю, но мы без проблем тихо похоронили Никиту, никого с ним попрощаться не звали, тело кремировали, а прах зарыли в могилу родителей мужа. Если кто вдруг о мальчике спрашивал, я отвечала, что он в санатории скончался. Гортензию положили в клинику мужа в ВИП-палату, где лечили депрессию «звезды». Ей делали капельницы, проводили антистрессовую терапию. У меня же было странное состояние. С одной стороны, я понимала: случилось ужасное. Горти лишила жизни Никиту. Что может быть страшнее? В голову лезли жуткие мысли. До сих пор дочь хлопот нам не доставляла. Вероятно, произошел несчастный случай, девочка не планировала лишить Никиту жизни, она просто оборонялась, схватила тесак и попала в горло брату. Но кто-то шептал мне в ухо: «Галя, а вдруг она все спланировала? Возможно, Гортензия очень хитра, прикидывается доброй, а сама монстр? Вспомни своих мать и отца, они кидались на помощь больному ребенку, могли всю ночь просидеть у его кровати, их считали сострадательными, опытными врачами. Ни одна душа не догадывалась, что когда медики ставили малышу капельницу, в специально оборудованном ими погребе умирала очередная замученная садистами женщина. Сергей, Марина и Николай казались прекрасными людьми. Может, и с Горти так? Эти мысли были ужасны. Но, с другой стороны... Никита убит! Понимаете?

Глава 35

Александр Викторович кивнул и погладил Галину Сергеевну, словно маленькую девочку, ладонью по голове.

— Его нет! — повторила Моисеенко. — Ушел навсегда. Сгинул в небытие. Господи! Я ощутила такое счастье. Вам меня не понять. Мать не должна радоваться кончине ребенка, я старалась найти в своей душе хоть каплю доброго чувства к покойному. Но перед моим лицом появлялась бабка Анна Сергеевна, она хохотала и каркающим голосом вещала:

— Уродина родила урода. И уродку. От сына избавилась, а дочь куда денешь? Она убийца! Не послушала меня, наплодила детей! Заварила крутую кашу, теперь жри ее ложкой, пока котел не опустеет.

Как я с ума не сошла? Не знаю! Мы с Гортензией уехали в Крым, ни о Никите, ни о смерти мужа ни разу не заговорили, делали вид, что у нас все в порядке, гуляли, купались. Я на пляже книгу читала, Горти с какой-то девочкой познакомилась, они бегали местных кошек кормить, собирали в столовой остатки с тарелок и относили животным. В один из дней мы решили поехать на экскурсию, я открыла шкаф, начала искать сарафан дочки, а его нет! Куда подевался? Спросила у Горти. Та заныла:

— Мамочка, не сердись, я без разрешения, когда ты заснула, купаться ночью побежала, одежду на камнях бросила, а когда вышла, не нашла ее. Пришлось в номер в купальнике возвращаться, не хотела тебе рассказывать, боялась, что ты заругаешься.

Я ее пожурила и забыла. А потом во время ужина вышла в зал повариха, начала трясти какой-то тряпкой и кричать:

— Кто-то из детей убил мою любимую кошку! Сначала мучил, потом задушил. Найду эту девчонку! Она мою кисоньку в свою одежонку завернула и в кусты швырнула. Но добрые люди нашли Белочку и мне принесли. Я шмотку в милицию отдам! Мало гадюке не покажется. Чья это вещь? Кто ее узнал?

Все зашептались, а я едва со стула не свалилась. Баба держала в руке сарафан Горти.

— Представляю ваше смятение, — протянула Буля.

— Нет, не представляете и не дай бог вам мои чувства в тот момент представить, — отрубила Моисеенко. — Еле-еле до конца ужина высидела, побоялась сразу убежать, понимала, это всем подозрительным покажется. В номере я устроила Гортензии допрос, та изобразила непонимание.

— Я же тебе говорила, что сарафан украли.

Ни раскаянья, ни жалости к убитому животному в ее голосе не было.

Галина Сергеевна закрыла лицо ладонями.

— Свет померк. Сгустилась тьма вавилонская. Мне стало понятно: Гортензия такая же, как Никита и все мои родственники. Валентин Петрович умер. Я осталась одна с чудовищем. Номер наш располагался на пятом этаже. Был порыв прыгнуть с балкона, навсегда покончить с ужасом, который меня большую часть жизни сопровождает. Как удержалась, не знаю.

Моисеенко потянулась к коробке с салфетками, выдернула пару штук и промокнула глаза.

— Хотела загнать дочь в угол, заставить ее признаться, но вспомнила Никиту, и язык к небу прилип. Уже проходила один раз подобное. Не поможет. Лучше изменю тактику, сделаю вид, что я ей поверила.

На следующий день мы улетали в Москву, поэтому я не волновалась, что Гортензию вычислят, да и навряд ли стали бы искать убийцу кошки. Пока мы ехали домой, в моей голове созрел план. Я года за три до этого кошмара от отчаянья начала ходить в церковь, принялась регулярно исповедываться, причащаться. И, сидя в самолете, я подумала: «Господь определил мне этот крест. Иисус Христос человеколюбив, испытание мне послано для воспитания души. Надо смириться и нести его покорно. В случае с Никитой я боролась, сопротивлялась, но ничего хорошего не получилось. Бог посчитал, что я урок не усвоила, новый мне преподать решил.

— М-да, — крякнул Валерий.

Моисеенко вздернула подбородок.

— Со смертью мужа моя личная жизнь закончилась. Связывать свою судьбу с каким-то пусть даже и распрекрасным человеком я не собиралась.

Галина замолчала.

— И вы решили никуда не отпускать от себя Гортензию, — сказала я, — везде ходить с ней за руку. В прямом смысле этого слова. С деньгами у вас проблем не было, клиника приносит доход, но вы не захотели нанять гувернантку, вспомнили, как Никита обошелся с Елизаветой Гавриловной...

Галина молча кивнула, Карина вскочила, потом снова села.

— Не могу в это поверить, Гортензия никогда не проявляла агрессии. Во всяком случае, при мне.

— Ты на нее всегда благотворно влияла, — прошептала Моисеенко, — поэтому я спокойно отпускала вас вдвоем. Знала, когда вы вместе, ничего дурного не случится. На самом деле мы хорошо жили, дочь обо мне заботилась, я ее не боялась. Сын был настоящий иезуит, с ласковой улыбкой устраивал гадости, его невозможно было без тотального контроля оставить, только ослабь поводок, и готово: украдет что-нибудь, сделает подлость, убьет собаку соседей. Горти другая, она училась прекрасно, к чужому руки не тянула, но у нее бывали припадки ярости. Слава богу, они случались редко, но сила их пугала. Один раз у нас погибли рыбки в аквариуме, одновременно все умерли. Это мне показалось странным, я начала разбираться и поняла: кто-то вместо специальной обеззараживающей жидкости налил в воду средство для чистки канализационных труб. Я спросила у Горти:

— Зачем ты это сделала?

Дочь с самым невинным видом ответила:

— Это не я, а Елена Петровна, я видела, как домработница бутылки перепутала, не из той в аквариум плеснула.

Я устроила ей очную ставку с прислугой, та заплакала.

— Горти, зачем про меня неправду говорите!

Дочь на своем настаивала, я ей не поверила, и она вдруг кинулась на прислугу с кулаками. После того случая я отказалась от домработницы, приглашала баб убирать квартиру, стирать-гладить. На время хозяйственных хлопот отправляла Горти с Карой погулять. Но со мной дочь вела себя безукоризненно. Проблемы у нас в отношениях были. Гортензия очень скрытная, ни разу не поделилась со мной тем, что у нее на душе. Первой разговор никогда не начинала. Спросишь ее о чем-либо, ответит, если захочет. Коли не желает общаться, ничего из нее не вытянешь. Я приноровилась о делах дочери у Кары выяснять. Она открытая, темных омутов в ее душе нет, ласковая. А Гортензия от меня всегда дистанцировалась. Меня никогда не целовала и всегда отстранялась, если я пыталась ее обнять. В остальном все было прекрасно. До прошлого года.

— Трения начались, когда вы решили выдать Горти замуж? — спросил Александр Викторович. — Наверное, у вас начались проблемы со здоровьем? Да? Вы поняли, что Горти может остаться одна. Решили пристроить ее под чью-то опеку? Вот почему выбрали Клебанова. Игорь небогат, неуспешен, но он психиатр. Игорь Глебович с удовольствием оставит свою работу и станет, как раньше вы, повсюду сопровождать супругу. Где вы его откопали?

Галина Сергеевна опустила голову.

— Да, вы правы, именно так я и думала. Клебанов сын Елизаветы Гавриловны.

— Офигеть! — подпрыгнула Карина. — В детстве вы устраивали на Новый год елку, всегда меня приглашали и еще одного мальчика толстенького, в очках. Это он? Да?

— Верно, — вдруг повеселела Моисеенко, — в детстве Игорь на колобка походил.

— Я его у вас за месяц до побега Гортензии видела, — не успокаивалась Карина, — она мне позвонила, сказала: «Приходи сегодня к восьми, воочию моего Ромео узришь». У меня он отторжения не вызвал, даже симпатичным показался, молчаливый, воспитанный. Но Гортензия его отвратительным считала. Она мне не говорила, что Игоря с детства знает.

Галина Сергеевна посмотрела на Карину.

— Хватит о Клебанове. Скажи им о проблеме с моим здоровьем. Самой трудно рассказывать.

Хлебникова посмотрела прямо мне в лицо.

— У тети Гали запущенная опасная болезнь легких. Диагностировали ее за полгода до побега Горти. Операцию сделали уже после того, как моя подруга удрала. Сначала все шло нормально, теперь наступило ухудшение. Правда, доктора настроены оптимистично. Говорят, года два вполне можно протянуть. Главное — пить лекарства.

— Я их принимаю, но в последнее время ощущаю, что резко сдаю, — призналась Галина Сергеевна, — спасибо, Кара рядом. Если Гортензия не отыщется, я на Хлебниковых все переведу: квартиру, дачу, клинику...

— Тетя Галя, перестаньте, — поморщилась Карина, — у нас с Глебом все есть, нам ничего не нужно.

— Государству отдать? — возмутилась Моисеенко.

— Мы Горти найдем, — пообещала Хлебникова.

— Карина нам ранее рассказала, что незадолго до исчезновения Гортензии вы стали на удивление истерично вести себя, — вспомнила Аня. — Это следствие болезни и приема лекарств на гормональной основе, а толчком к побегу дочери стало ваше стремление выдать ее замуж за Клебанова.

— И почему я не проверила, кто у Игоря Глебовича родители? — начала корить себя Эдита. — Мне следовало это выяснить!

— Чем бы нам это помогло? — пожал плечами Валерий.

— Елизавета жива-здорова, — сообщила Галина, — но она ко мне никогда не приезжала. В свое время я сказала детям, что Елизавета наша родственница. Когда она после пожара уехала, я спустя время объявила, что «тетя» умерла. Странно было бы ее потом в нашем доме принимать. Горти не должна была подозревать, что Игорь ее сын. Клебанов должен был получить от меня единовременную солидную сумму, а после свадьбы он стал бы распоряжаться средствами жены. Игорь честный и умный, у него было много интересных мыслей о клинике, к нему перешла бы моя часть капитала. Гортензия была бы под надежным присмотром, я умерла бы спокойной за ее судьбу. Игорь согласился на женитьбу, встретился с Горти и... влюбился в нее. Я так обрадовалась! Затевала брак по расчету, а молодой мужчина глаз с моей дочки не сводит. Я только боялась, вдруг Гортензия увидит Елизавету и узнает ее. Конечно, после ее ухода от нас не один год пролетел, старость людей изменяет, но Лиза моя ровесница, еще не развалина, хорошо сохранилась, она узнаваема. И голос у нее прежним остался, молодым и звонким, поэтому я ей запретила Горти на глаза показываться. Вот теперь вы все знаете. Я впервые правду до дна выложила. Но как это поможет Гортензию найти?

— Вам никто не угрожал? — спросил Валерий. — Может, были странные звонки по телефону? Или вы письма получали мерзкого содержания.

— Галина Сергеевна уже отвечала на этот вопрос, — рассердилась Карина. — Нет. Все было обычно.

— Кроме красного платья, — пробормотала Галина Сергеевна.

— Красное платье? — оживилась Аня. — Вы о нем раньше не сообщали.

— Когда мы в первый раз беседовали, я очень нервничала, — призналась Моисеенко, — забыла про странную покупку дочери. Потом вспомнила про нее, хотела вам позвонить, но меня Кара остановила: «Тетя Галя, это такая ерунда! Не отвлекай детективов от работы». И ведь правда пустяк. Зря о нем упомянула.

— Мы обожаем пустяки, — заверила Буля, — в особенности я. Чем мельче ерундовина, тем она притягательнее. Например, мясная муха откладывает яйца на трупе...

— Любовь Павловна, — вмешался Ватагин, — сделайте одолжение, сделайте нам эспрессо, у вас оно лучше всех получается.

— Я? — удивилась эксперт. — Ладно, сейчас.

Буль пошла к кофемашине.

— Что за история с красным платьем? — поинтересовалась я.

Галина Сергеевна вынула из сумки блистер и выщелкнула из него таблетку.

— Гортензия предпочитала одежду спокойных тонов, классическую обувь, лодочки с округлым носом на небольшом каблуке, простую стрижку, макияж очень легкий. Они с Карой пошли в магазин, что-то купить собрались. А я легла у телевизора, смотрела какую-то чепуху и сама не заметила, как заснула.

Очнулась на диване в полной темноте. Кто-то, наверное, Горти, вернувшаяся домой, выключила телевизор и торшер в гостиной. Я встала, пошла к себе в спальню, увидела, что из-под двери комнаты дочки свет пробивается, заглянула к Горти и испугалась. Спиной ко входу стояла стройная незнакомая брюнетка в неприлично коротком, вульгарно обтягивающем фигуру красном платье, щедро украшенном стразами. Я крикнула:

— Вы кто? Как попали в мой дом?

Незнакомка повернулась.

— Мама, ты меня не узнала?

Я опешила. Голос Горти, но передо мной не она, а, простите, женщина легкого поведения. У платья оказалось декольте почти до середины груди, а на ногах у красавицы были немыслимые для женщины из приличной семьи туфли из пластика с прозрачной подошвой. Я стояла и не понимала, кого вижу. Гортензия сдернула парик.

— Теперь узнаешь?

Я обрадовалась.

— Да! Так это парик. Фу! Слава богу, ты не покрасилась. Зачем вырядилась так ужасно? Это наряд для феи шоссе.

Горти рассмеялась.

— А мне нравится.

Я сказала, что красное платье вульгарно, отсоветовала его носить. Гортензия стянула его и бросила на диван. Мне захотелось посмотреть, кто производит это непотребство. Оказалось, Италия, на ярлыке было написано: «Made in Milan, Allgvissimo».

— «Allgvissimo», — повторила я, — очень интересно.

— Я впервые увидела это название, а вам оно знакомо? — удивилась Галина.

— Видела в каком-то магазине, — лихо солгала я, не сказав, что сама пришивала в магазине «Ласка» на платья крохотные ярлычки со словом: «Allgvissimo». Такой фирмы нет, ее придумал хозяин магазина «Ласка», чтобы подороже продать закупленные тюками вещи.

Когда Хлебникова и Галина Сергеевна ушли, я посмотрела на Эдиту.

Та начала смущенно оправдываться.

— Знаю! Накосячила. Не стала проверять, кто родители Клебанова, не искала Елизавету Гавриловну по базам.

— Я должна была сама вспомнить об этом, — остановила я Эдиту, — мне не свойственно верить всему, услышанному от людей в этом помещении, но! Почему я решила, что Браскина мертва? Ей еще семидесяти нет.

— А я, узнав, что изба Моисеенко сгорела, а там жила Елизавета, решила копать дальше, — принялась посыпать голову пеплом Эдита.

— Ты умница, — похвалила я девушку, — благодаря найденной тобой и вовремя сказанной мне по телефону информации, я задала Карине нужный вопрос и узнала про «тетю» Лизу. Да, есть небольшие «косяки», но мы первый раз работаем вместе. Давайте просто, никого не обвиняя, учтем ошибки, чтобы не повторить их в будущем. Впредь будет нам наука. Проверяем все и всех досконально. Главная вина моя, я начальник бригады, это я не дала Эдите соответствующие указания.

— А еще я, когда проверяла счета Горти, не посмотрела, какую прибыль она получает от клиники, — простонала Эдита. Узнала, что у Гортензии две открытые после побега кредитки, и утешилась.

А ведь у нее еще есть деньги от бизнеса! Почему я не выяснила, что с этими финансами?

— Перестань ныть, — остановил ее Валерий, — Татьяна права, лучше сделать выводы и работать дальше.

— Вот и узнай, что сейчас с деньгами, которые Гортензия получает от клиники, изучи ее расходы, — сказала я, — вероятно, так отыщется нитка к пропавшей.

Глава 36

— Откроет? — спросил Крапивин, когда я всунула в терминал карточку.

— Почему нет? — улыбнулась я. — Техотдел меня до сих пор не подводил.

Стена медленно отъехала в сторону.

— Сработала, — констатировала я, — пошли.

— Я впереди, — сказал Крапивин, — вау, тут светодиоды в ступеньки вделаны. Удобно.

Мы медленно спустились по лестнице и очутились перед небольшой железной дверью. Валерий схватился за ручку и, прежде чем я успела что-либо сказать, дернул к себе створку, уткнулся лицом в красную бархатную занавеску, отдернул ее и... Перед нами возникла стойка ресепшен, за ней сидел мужчина с обнаженным торсом, на его шее красовалась черная бабочка.

— Добрый вечер, господа, — сказал он, — мы рады приветствовать вас.

— Здрасти, — заулыбалась я, совершенно не понимая, где очутилась.

Подпольное казино? Но почему администратор без рубашки? И вообще, что бы тут ни было, видеть полуобнаженного сотрудника необычно. Один раз служба забросила меня в бордель, где все проститутки находились в разной степени раздетости, но официантки щеголяли в черных платьях ниже колен.

Мужчина улыбнулся еще шире.

— Вы у нас впервые?

— Да, — ответил Валерий, — вот... гм... решили... того... самого... зайти... м-да...

— Вам у нас очень понравится, — пообещал администратор. — Давайте познакомимся. Я Гепард. А вы?

— Мы? — глупо спросила я. — Мы это мы.

Гепард закатил глаза.

— Первый раз самый волнительный. Не надо беспокоиться. Здесь все такие, как вы, и все очень любят друг друга. Вы получили приглашение от Орла. Так?

— Ага, — согласился Крапивин, — от него.

— И вам передали карту-ключ? — продолжал администратор.

— Иначе бы мы не вошли сюда, — промурлыкала я.

— А на е-мейл пришло письмо с адресом и нашими правилами. Да? — журчал Гепард.

— Вроде того, — пробубнил Валерий, — но я... типа... тока куда идти запомнил. Правила никогда не читаю.

— Ошизеть можно всякие инструкции изучать, — подхватила я, — милый, помнишь, как мы машину купили, и только через три года, собираясь ее продавать, выяснили, что у нее крыша откидывается? Кабриолет, оказывается, был!

Гепард рассмеялся.

— Замечательная история. Вам надо завести имена для клуба, настоящие у нас не в ходу.

— Типа ника в инстаграме, — взвизгнула я.

— Вы умница, — похвалил меня администратор. — Ну? Что придумали?

— Надо зверское прозвище? — уточнила я. — Вы вот Гепард, а приглашал нас Орел.

— Орлы — птицы, — снисходительно заметил портье.

— Да ну? А птицы не звери? — заморгала я.

— Псевдоним можно выбрать любой, — заверил Гепард, — хоть Банан, хоть Табуретка. Главное, чтобы ни у кого другого такого не было.

— Зайка, — кокетливо сказала я.

Гепард чуть приподнял бровь.

— Заек всех цветов, от белого до черного, разной степени пушистости у нас в изобилии. Котики-киски тоже.

— А кролики? — осведомился Валерий.

— Полно, — вздохнул Гепард, — есть даже Атомно-ядерный кролик. Цветы-фрукты не берите, все разобраны. Из животных остались осел, козел, баран, ишак, утконос.

Я захихикала.

— Котик! Утконос тебе подходит.

— Лады, — неконфликтно согласился Крапивин, — не возражаю.

— Осталось назвать вашу жену. Есть идеи? — спросил Гепард.

— Алмазная дрель, — предложил Крапивин, — циркулярная пила, наждачная бумага номер десять.

Я надулась.

— Котик! Не смешно. Глупо. Обидно. Я сейчас уйду.

— Да ладно, не дуйся, — попросил Валера и ущипнул меня за бок, — я шутканул просто. Ты у меня сладкая мармеладка.

— Сладкая мармеладка есть, — перебил Валерия администратор. — Может, какой-то музыкальный инструмент? Гитара занята.

— Волынка! — подпрыгнул Крапивин. — Она очень противно ноет. У-у-у-у! Или барабан! По башке стучит.

Моей ноги коснулось что-то жесткое и одновременно упругое, я глянула вниз, увидела мопсиху в пластмассовом «воротнике» и обрадовалась.

— Куки-Одноглазка по кличке Граммофон!

Гепард, смотревший в это время в компьютер, кивнул.

— Да, пароль вы запомнили верно. Это чудесно. Кодовая фраза каждый раз меняется. Сегодня она Куки-Одноглазка по кличке Граммофон.

Собака юркнула в глубь помещения. Администратор продолжал изучать экран, он не заметил ни появления песика, ни его исчезновения. Крапивин наступил мне на ногу, и я встрепенулась.

— Хочу быть Куки!

Администратор показал на ноутбук.

— Занято. У нас вот освободились имена Хлопотушка, Ватрушка, Петарда.

— Ватрушка, — приняла я решение.

— Прекрасно, — потер руки Гепард, — пароль вы уже произнесли. Дама хочет на первый раз красное платье? Или сразу, как все?

— Красное платье? — переспросила я. — Но о нем нас не предупредили.

Дежурный достал из ящика стола коробку шоколадных конфет.

— Угощайтесь! На мой взгляд, самые вкусные вот эти в виде поросят, они из марципана. В письме, отправленном вам, говорилось о платье и фартуке, не переживайте, у нас есть все необходимое. Абсолютное большинство новичков, как вы, не изучает е-мейл, поэтому мы всегда во всеоружии.

Администратор взял телефон.

— Ананаска, зайди.

Послышались шаги, из коридора вынырнула полная женщина, на шее у нее был завязан маленький белый платочек, а ее пышное тело вываливалось из неприлично короткого, сильно декольтированного платья того же цвета.

— Дорогая, Ватрушка забыла платье, — сказал Гепард.

— Сейчас найдем, — радостно пообещала толстушка. — Муж здесь подождет или с нами отправляется?

— Утконос, вам ведь нужен фартук? — спросил администратор.

Валера почесал в затылке.

— Ну...

— Шагаем вместе! — объявила Ананаска.

— Идите, идите, — помахал рукой администратор, — и побыстрее возвращайтесь, а то пропустите выступление Львицы.

Ничего не понимая, мы поспешили за крепко сбитой тетушкой, которая привела нас в просторную комнату, где на кронштейне висели красные платья разных размеров, все короткие, с экстремальными декольте, запредельно открытой спиной и разрезами в самых неподходящих местах.

— Выбирайте, Ватрушечка, — предложила Ананаска. — Хотите совет? Вот это супер. Эксклюзив.

Я уже видела сию одежонку, старшая продавщица Марианна тоже уверяла меня, что шмотки эксклюзив, но только для ВИП-клиентов.

Толстушка вытащила одну вешалку, я попятилась. Надеть это? Да ни за что!

— Померяйте, — предложила толстушка.

— Где? — уточнила я.

— Здесь, конечно, — удивилась Ананаска. — Вашему мужу сейчас фартук найду. Что вы застыли? В первый раз у нас?

— Да, — кивнула я, — не разобрались еще в правилах.

Женщина кивнула.

— Письмо от клуба не прочитали. Не вы первые, и не вы последние. Никто текст не изучает. Новички все так себя ведут. Объясню в двух словах. Вы находитесь в Клубе любителей лучшей музыки, первые три визита дама может быть в красном платье. А мужчина в переднике. Потом надо ходить, как все. В члены клуба принимают только семейные пары. Людей до восемнадцати здесь нет. Прикосновения к гостям без их разрешения запрещены. У вас, наверное, пригласительный визит?

— Угу, — кивнула я, — Орел позвал.

— Сам Орел! — восхитилась Ананаска. — Это большая честь. Вы по сторонам смотрите, изучайте, что другие делают, и быстро во все въедете. О'кей? Ну, Ватрушка, как вам прикид?

Я начала восхищаться:

— Роскошное платье.

— Почему тогда не надеваете? Вы же не хотите весь вечер тут прокуковать? — поторопила меня Ананаска. — Скоро Львица выступать будет.

Делать нечего. Я быстро стащила джинсы, пуловер, схватила платье...

— Ватрушечка, а трусики? И лифчик? — остановила меня Ананаска. — Платье-то надевают на голое тело.

Я повернулась спиной к Валерию, полностью обнажилась и натянула красную тряпку. Как хорошо, что я люблю красивое дорогое нижнее белье и могу себе позволить его купить. А еще здорово, что в среду я ездила к Танечке Красновой, которая ради любимой клиентки готова остаться до полуночи в салоне. И теперь у меня роскошный педикюр-маникюр плюс свежая эпиляция. Не стыдно раздеться в приличном обществе.

— Ооо! Вы шикарны, такая аппетитная фигура, — выдохнула Ананаска. — А у вашего мужа роскошная татуировка.

Я обернулась и увидела голого Валеру, который прикрыл свою главную мужскую гордость крохотным красным передником. Всю грудь Крапивина занимала картина. Я изо всех сил постаралась сохранить невозмутимое выражение лица. Сколько пистолетов-револьверов выбито на мощном торсе Крапивина?! Да он просто энциклопедия оружия. Тут «наган», «маузер», «парабеллум», «браунинг», «беретта», «смит-вессон», «вальтер», «кольт»... Остальные не знаю. Ну и ну!

— Ватрушечка, зеркало здесь, — подсказала Ананаска.

Я посмотрела налево. Слов нет. Платье слегка прикрывает мою филейную часть, но короткая юбка нарезана на полоски, и когда я начну двигаться, моя нижняя половина будет выглядеть голой, а в глубоком декольте видны перси, коими меня щедро наградила природа. Дела службы забрасывали меня в разные места, порой опасные, но еще никогда я не работала, прикрывшись рваным носовым платком.

— Шикарно выглядишь, — шепнул Крапивин, когда Ананаска повела нас по коридору.

— Роскошная энциклопедия оружия, — тихо похвалила я.

— Нравится? — обрадовался Крапивин. — Жена дураком меня обозвала, когда ее увидела.

— Опоздали! — с сожалением воскликнула Ананаска. — Львица уже поет. Слышите?

До моих ушей долетели звуки музыки и чарующий женский голос, выводивший какую-то песню на итальянском языке.

— Сюда, сюда, — зашептала Ананаска, отдергивая бархатную занавеску, — садитесь на свободные места.

Я сделала пару шагов и очутилась в просторном зале с рядами кресел, в которых сидели люди. Дамы были красиво причесаны, с вечерним макияжем, в драгоценностях, у мужчин на запястьях сверкали часы, в воздухе витал аромат дорогой парфюмерии.

Впереди находилась сцена, слева на ней сидел оркестр. Все музыканты мужчины щеголяли в черных бабочках и такого же цвета фартуках, а у женщин на шее были кокетливо повязаны белые платочки, и все одеты в экстремально открытые короткие белые платья. Справа на подмостках отплясывали восемь голых танцовщиц, на голове у них покачивались разноцветные перья, в центре стояла стройная женщина в красном, на мой взгляд, совершенно неприличном платье. Она пела, закрыв глаза. Между рядами кресел скользили с подносами в руках официантки, облаченные в белое, и тоже с платочками на шее. Одна из них неслышно приблизилась к нам и шепнула:

— Шампанское? Коньяк? Коктейль «Морская пена»?

Я покачала головой и снова окинула взглядом зал. В принципе, ничего необычного, мы с Крапивиным попали в клуб, где идет концерт. Была лишь одна странность: все зрители оказались совершенно голыми. Только пара девушек прикрывалась красными платьями. Хотя глагол «прикрывалась» не очень-то подходит к ситуации, одежда зрительниц почти не маскировала их фигуры, мое платьишко оказалось самым скромным.

— Вон там два свободных местечка, — зашептала Ананаска, — можно пройти сбоку.

Мы с Валерием на цыпочках двинулись вдоль стены, добрались до нужного ряда и сели. Крапивин наклонился ко мне.

— Узнала певицу?

— Ага, — ответила я, — это Гортензия, только она в парике, прикидывается брюнеткой. Похоже, на ней то самое красное платье и прозрачные туфли, наряд, который шокировал Галину Сергеевну. Для наивной незабудки весьма смело. Теперь я понимаю, почему в «Ласке» нет охраны, здесь устраивают специфические вечеринки. Нельзя, чтобы о них узнали посторонние, камеры отсутствуют по той же причине. Иначе никто не станет принимать участие в шабаше. Каждому новичку присылают ключи от «Ласки» и от внутренних дверей. У постоянных клиентов они собственные, разовым гостям выдают карточку на вечер. Кому захочется идти на гулянку под прицелом объективов или под взором секьюрити? Магазин — прикрытие для клуба, последний приносит куда больший доход, чем торговля шмотками. А красные платья на кронштейнах, которые я видела, приготовлены для посетителей.

Глава 37

Концерт завершился через час, публика бурно аплодировала, потом все отправились в соседнее помещение на банкет.

— Когда все голые, почему-то не стесняешься ходить без брюк и рубашки, — сказал Крапивин.

— В толпе обнаженных неудобно чувствовать себя одетой, — согласилась я. — Надо найти гримерку Горти.

— Интересный она себе ник взяла: Львица, — отметил Крапивин. — Кара и Галина Сергеевна в два голоса уверяли, что Гортензия молчаливая, скромная, любит дома сидеть.

— За несколько дней до исчезновения мать застала ее за примеркой красного платья и прозрачных туфель, — напомнила я. — Горти готовилась появиться здесь. Ни мать, ни подруга не упомянули о прекрасном голосе девушки.

— Может, они о нем не знали? — предположил Валерий. — Талант открылся после побега из дома? Смотри, здесь многие женщины пьют коктейль «Морская пена».

— У Пашкиной на шее был белый платочек, — пробормотала я, — их носят официантки, музыканты, короче, все особы женского пола, если они не гости. По косынке и галстуку-бабочке узнают, что перед тобой кто-то из служащих. Куда мы попали?

— Клуб нудистов-меломанов, — серьезно ответил Крапивин, — и думаю...

Валерий замолчал, я толкнула его в бок.

— Эй! О чем ты так мучительно размышляешь?

Мой спутник показал глазами влево.

— Видишь красивую брюнетку с короткой стрижкой? У нее на спине виден шрам, между лопатками.

— Да, — ответила я. — И что? Похоже, это ожог был, его шлифовали.

— Готов спорить, там след от сведенной татуировки, — протянул Валера. — Но этого просто не может быть...

— Ты ее знаешь? — удивилась я.

— Когда мы были знакомы, у нее были светлые длинные волосы, — пробормотал Крапивин, — редкий ныне тип, настоящая натуральная блондинка. Можешь кое-что для меня сделать?

— Смотря что, — осторожно ответила я.

— Заговори с красоткой.

— Зачем? — не поняла я.

— Посмотри, не кривит ли она рот влево, — объяснил Крапивин, — что-то вроде тика, но не тик. Быстрое движение, как подергивание.

— А почему ты сам не хочешь к ней подойти? — спросила я.

— Она меня может узнать, — пробормотал мой спутник. — Но этого просто не может быть! Или у бабы есть двойник. Лицо не ее. Совсем не ее. Но фигура! И шрам на спине.

— Немедленно объясни, что происходит, — потребовала я, — нам надо искать гримерку Гортензии.

— Пожалуйста, сделай, что я прошу, — взмолился Валерий. — Я специально так встал, чтобы она меня не заметила. По всем расчетам эта очаровашка должна находиться сейчас на зоне, ей там сидеть еще много лет за убийство своего любовника. Красотуля — дочь очень богатого человека, с детства ни в чем не знавшая отказа. Ее все звали Заинька, но, видно, когда завтракаешь на золотой тарелке, в обед летишь на собственном самолете в Париж, чтобы побегать по бутикам, которые ради тебя одной до полуночи открыты, то к двадцати пяти годам тебе становится скучно. Кисонька наша связалась с плохими парнями, ей казалось романтично грабить и убивать. Я тогда работал в полиции, мы стали искать преступников. В конце концов вышли на квартиру, где Заинька пряталась, я в наблюдении много дней сидел. В доме напротив расположился. Мы смотрели, кто к ней приезжал, и таким образом все руководство преступной группировки выявили. Долго я на нее через аппаратуру любовался. Она по дому исключительно голая ходила, поэтому я знаю ее тело лучше своего. Ничего не скажешь, красавица, между лопатками у нее татуировка была: змея держит в пасти крысу. Очень женственно. Короче, всех поймали, бабенку отправили в далекие холодные края, большие деньги отца и его адвокаты не помогли. Заинька на суде нагло себя вела, говорила: «Да, это я их убивала, и что?» А теперь вижу тут экземпляр со шрамом на спине, лицо другое, но фигура-то плохой богатой девочки один в один. Как так получилось? Заинька во время разговора рот кривила, на секунду, не дольше. Избавиться от подергивания сложно. Пойди, завяжи с ней разговор. Если минут пять поговорите и угол рта у нее вверх не дернется, значит, не она, хотя фигура точно ее! Стопудово!

— Ладно, — согласилась я, взяла у официантки с подноса бокал с вином, поравнялась с брюнеткой, которая увлеченно разговаривала о чем-то с лысым толстым мужчиной, пошатнулась и выплеснула немного спиртного на женщину. Та взвизгнула.

Я начала извиняться.

— Бога ради, простите, споткнулась о ковер. Мне так неудобно.

— Ерунда, — сказала незнакомка, схватила со стола бумажную салфетку и начала вытирать пятно.

— Испугала вас, — продолжала я, — да еще облила. Я Ватрушка.

Дама улыбнулась.

— Вербена. Приятно познакомиться.

— Впервые пришла сюда, — продолжила я беседу, — а здесь, похоже, все друг друга знают.

Вербена бросила скомканную салфетку на поднос проходившей мимо официантки.

— Компания постоянная, но кто-то исчезает, кто-то появляется. Вы освоитесь и подружитесь со многими. Извините, мне надо поговорить с Мурочкой, а то она уйдет.

— Да, конечно, не хотела вам надоедать, — смутилась я.

— Ну что вы, — по-светски вежливо возразила Вербена, левый уголок ее рта дернулся вверх и тут же вернулся в исходное положение, — рада была с вами пообщаться.

Я вернулась к Валерию.

— Ты был прав. Во время нашей беседы у нее один раз приподнялась губа слева. Буквально на мгновение.

— Невозможное дело, — прошипел Крапивин.

— Отложи канапе, — велела я, — мы сюда не жрать пришли. Наверное, гримерки расположены за сценой. Надо вернуться в концертный зал.

— Лучше подождать здесь, — возразил парень. — Гортензия сейчас сама сюда придет. Звезды всегда появляются среди гостей.

— Откуда такая уверенность? — удивилась я.

— Им платят за выступление и за общение с народом, — пояснил Крапивин. — Моя бывшая работала в компании, организующей вечеринки, я от нее много разного узнал. С артистами всегда контракт заключается, там оговаривается количество времени, которое знаменитость с гостями проведет. А вот и она!

Присутствующие начали аплодировать, я увидела, что из маленькой двери в стене выплыла Гортензия, на ней было все то же красное платье, скорее открывавшее, чем скрывавшее фигуру.

— Да, ей определенно пообещали много хрустящих купюр, — хмыкнул Крапивин. — Явление в таком виде дорого стоит.

— Милая, сегодня ты пела волшебно, — похвалил певицу стройный юноша.

— Невероятно! — подтвердила кудрявая толстушка.

— От твоего голоса сразу повышается настроение, — подхватила рыжеволосая дама в бриллиантовом колье. — Дал же Бог талант! Уникальный!

— Пошли поближе к местной звезде, — скомандовала я, — подождем, пока народ перестанет биться в восторге, скажем пару комплиментов и...

Чья-то грубая рука схватила меня за талию, незнакомый голос сказал в ухо:

— А ты кто?

Я повернула голову, увидела Филиппа Игоревича, владельца магазина «Ласка», и кокетливо ответила:

— Ватрушка. А ты кто?

Ни малейшего страха быть узнанной у меня не было. Несмеянова я видела всего один раз, когда пряталась в коридоре за кронштейном с одеждой для ВИП-клиентов. Перед тем как ехать в магазин наниматься на работу, я внимательно изучила фото сотрудников и их личные данные, потому тогда сразу узнала владельца магазина. Но Филипп-то меня не видел.

— Я не приглашал тебя, — процедил Несмеянов.

— Фил! Она шпионка! — произнес сбоку знакомый голос.

Я резко повернулась на звук и увидела обнаженную Лауру, управляющую магазином «Ласка».

— Что поломойка делает на нашей вечеринке? — угрожающе улыбаясь, спросила она. — Откуда у нищей швабры деньги на вход?

— Вы меня с кем-то перепутали, — решительно ответила я.

Филипп больно ущипнул меня за бок.

— Неужели?

Краем глаза я увидела, как Валерий мелкими шажками отступает в сторону коридора, и решила задержать внимание Лауры и ее босса на своей особе.

— На свете много похожих людей.

— Твою жирную тушу ни с кем не перепутаешь, — схамила Лаура, — Фил, она...

Договорить управляющая не успела, раздался грохот, топот, в зал влетел Гепард и завопил:

— Филипп Игоревич...

Но администратору не удалось ничего сообщить, следом за ним ворвались мужчины с оружием в руках. Один из них заорал:

— Полиция! Всем оставаться на местах! Не двигаться!

— Парни, налево, — закричал Валерий, — уходит баба!

Двое парней бросились в указанном направлении. Меня резко дернули за плечо, я оглянулась. Перед глазами вспыхнул калейдоскоп огней, в голове забил набат, потом сомкнулась тьма.

Глава 38

— Ну и синяк! — восхитилась Буля, увидев меня в кабинете. — Ну-ка, дай взглянуть. Удар кулаком, мужским! Навряд ли у бабы такие здоровенные лапы. Хотя, если она ядро толкает, то возможно. Глаз через пару дней откроется, когда отек спадет. Тебя на работе три дня не было. Ты к врачу ходила?

— Не-а, — пробормотала я. — Зачем? Ничего не болит, кроме морды лица. Кстати, бланш не такой уж и огромный сейчас, мне дали какой-то волшебный крем, он здорово помогает. И еще обезболивающее пью.

— Кто тебе его прописал? — насторожилась эксперт.

— Пошла в аптеку, показала провизору эту красоту, она таблетки дала, — призналась я, — а Димон тюбик притащил. Он зимой в гололед упал, лицом о ступеньку магазина приложился, эта мазь ему очень помогла. Да все о'кей.

— Хоть бы со мной посоветовалась, — рассердилась Люба, — у меня огромный опыт работы с людьми.

Я уточнила.

— С трупами. А у них голова не болит.

Патологоанатом села в кресло.

— Зато я прекрасно знаю, что бывает с теми, кому в светлые очи кулачищем двинули. Может, тебя удивит, но мозг в череп не туго вбит, он в воде плавает. То есть, конечно, не в воде, но я тебе примитивно объясняю. Мозгульки твои в жидкости бултыхаются, некто Танюше по личику заехал. Бум! Голова от сильного удара откидывается. Иногда в таком случае шейные позвонки повреждаются, происходит хлыстовой перелом. Частая травма водителей. Когда в машинах появились кресла с подголовниками, таких увечий стало меньше. Подголовник нужен не для красоты, а для спасения жизни. Как и ремень безопасности. Но мы сейчас про удары в голову. Если крепенько так долбануть, от души... Крак! И сразу кирдык. Тебе повезло, у тебя только мозг в воде качнулся и о заднюю часть черепушки тюкнулся. Что будет, если ты бросишь теннисный мячик в стену, а?

— Он отскочит и вернется ко мне, — ответила я.

— О! — воскликнула Буля. — Правильно. Рада отметить, что умственные способности начальницы от перенесенной травмы вроде не пострадали. Мозг как мячик, он тоже после удара тюк о заднюю часть черепа, затем тюк о переднюю. Два тюка. Кстати, именно по этой причине никогда не тряси маленького ребенка, если тот капризничает. Одна из самых распространенных причин детской смертности —

тряска. Малыш плачет, плачет, плачет. У взрослого человека не хватает терпения, он хватает крикуна за плечи и давай его трясти с воплем:

— Когда ты замолчишь?

И ребенок успокаивается, все хорошо, и не болит у него ничего, а потом... раз! Умер. Почему? Мозг получил травмы, ударившись о череп, возникли гематомы. Кабы сразу после тряски крошку в клинику отвезли, его можно было бы спасти. А через несколько дней нет. И ничего не болело у него, ну вялый был, ну спал чуть больше, ну капризничал с едой... Это же ненормально! Никогда не тряси ребенка. К чему я веду? У тебя от удара может быть гематома. И ничего у тебя сейчас не болит. А через неделю ты окажешься у меня на столе. И не будет у тебя больше никогда голова болеть. И вообще больше ничего не заболит. Никогда, потому что ты труп. Пошли, я тебя в аппарат запихну и посмотрю, что у Сергеевой в башке. Давай, не тормози.

— В полдень у нас встреча с Галиной Сергеевной и Гортензией, — начала сопротивляться я.

— Сто раз успеем, — не дрогнула эксперт.

Мне пришлось покориться, спуститься на первый этаж и влезть в томограф.

— Интересно, — пробурчала Буля, рассматривая снимки. — Видишь область слева?

— Это гематома? — испугалась я. — И что теперь делать?

Любовь Павловна показала на оцинкованный столик, где лежало нечто, смахивающее на большую ручную дрель, с помощью которой рыбаки зимой буравят льдину.

— Не дрейфь! Просверлю сейчас дырочку тебе в черепушке, лишнее вылью.

Я живо порысила к двери.

— Стой, — засмеялась эксперт, — шутка. Нет у тебя в голове ничего.

Я вернулась к Буле.

— Уж и не знаю, что хуже, то, что у меня под черепом ничего нет, или то, что там гематома. Может, второе предпочтительнее? По крайней мере это свидетельствует о наличии мозга. Значит, мне можно спокойно пить обезболивающее и мирно работать? Я за три дня вся извелась от безделья, потолстела на четыре кило из-за...

Продолжение фразы застряло в горле. Не надо рассказывать, что мать Ивана каждое утро притаскивала мне пудовые сумки с вкусной, приготовленной ею едой.

— Буля, Таня у тебя? — спросил голос Ивана.

Эксперт наклонилась к черной коробочке, прикрепленной к письменному столу.

— Ага.

— Пусть ко мне поднимается, — велел босс. — А ты прихвати свои волшебные капли и через полчаса поднимись в переговорную. Думаю, шаманское как успокаивающее зелье не раз нам сегодня во время беседы с дамами Моисеенко понадобится.

* * *

Когда я, украсив лицо темными очками, вошла в кабинет шефа, там сидел стройный мужчина в костюме.

— Татьяна Сергеева, начальница особой бригады по поиску пропавших людей, — представил меня Иван Никифорович.

Незнакомец встал.

— Рад встрече, Андрей Миронович Снегов. За черными стеклами синяк? Надеюсь, не мои парни его авторы?

— Получила в глаз от Филиппа Несмеянова, — пояснила я, — меня узнала Лаура, управляющая «Лаской». Когда она назвала меня шпионом, появились ваши люди. Владелец торговой точки потерял самообладание и напал на меня. Он носит перстень, тот оставил на моем лбу, чуть повыше брови, четкий отпечаток. Я ходячая улика. По какой причине вы ворвались в помещение? Что вас привело в клуб голых любителей музыки и пения?

Андрей сел.

— На эту тему мы как раз с Иваном Никифоровичем и беседуем. Вкратце ситуация такая. Не все преступники хотят отбывать срок.

— Думаю, все преступники не желают нести наказание, — поправила я, устраиваясь на диване.

— Однако основной массе приходится тосковать на зоне, — продолжал Снегов, — но кое у кого есть немалые денежки и есть кое-кто, у кого денежек нет, но он их очень хочет получить. Понятно объясняю?

Я взяла со столика бутылку воды.

— Если вы намекаете на то, что в системе исполнения наказания есть взяточники, готовые организовать за шуршащие купюры неправомерное свидание, лишние продуктовые передачи, вручить заключенному мобильный, водку, наркотики, то я об этом знаю. Слышала и о зэках, которые появляются в бараке или на плацу, только когда приезжает комиссия из центра, а в остальное время живут в благоустроенных квартирах.

— Надеюсь все же удивить начальницу особой бригады, — улыбнулся Снегов. — Ваш подчиненный Валерий Крапивин узнал в толпе голых гостей Оксану, дочь Мирослава Львовича Хотькова, человека, не ограниченного в средствах. Она единственная наследница бизнесмена, он вдовец, жена умерла, когда дочери исполнилось три года. Мирослав имел возможность бесконечно баловать ребенка, и он этим старательно занимается до сих пор. Результат: Оксана Мирославовна выросла в уверенности, что она на все имеет право. И совершила ряд тяжких преступлений. Была осуждена и отправлена на зону. В колонию на краю географии. Отец палец о палец не ударил, чтобы ее поближе к себе устроить. Более того, передач Хотькова в течение года не получала, никто ее не навещал. Странно, да?

— Да нет, — возразила я, — случается, что родители отрекаются от детей-преступников, не хотят иметь дело с позором семьи. Что же касается свиданий и харчей, то кое у кого нет денег на поездки и приобретение сигарет-колбасы-конфет, содержание любимого сыночка или лапочки-дочки за колючей проволокой затратное удовольствие.

— Мы говорим о Хотькове, — напомнил Андрей, — он мог всю колонию содержать, где дочь срок мотала. Но не стал помогать Оксане.

— Довела дочь отца до ручки, — вздохнул Иван.

— Отсидев двенадцать месяцев, Хотькова скончалась от гангрены, — продолжал Снегов, — она шила в мастерской рукавицы, травмировала иглой палец, не обработала ранку антисептиком. К утру кисть раздуло, поднялась температура... через сутки девушка уехала к праотцам.

— Быстро, — заметила я.

— Такое бывает, — кивнул Снегов, — ее похоронили. Хотькову забыли. И... упс! Она в Москве! Среди любителей вечеринок голышом. Лицо у Оксаны совсем другое, она теперь не блондинка, а брюнетка, татуировка со спины исчезла, папиллярные линии на пальцах просто каша. Зубы сплошь импланты.

— Внешность постарались изменить, но как подправить ДНК? — спросил Иван.

Андрей щелкнул пальцами.

— В точку. Это у них на нашу радость слабое место. Некоторое время назад мы узнали об организации, которая за большие деньги отправляет в места не столь отдаленные вместо осужденного другого человека. Вот зря я сказал «места не столь отдаленные». Все подмены, о которых мы знаем, осуществлялись в захолустье. Как это происходит технически? Подыскиваются мужчина-женщина, похожие на преступника по росту и по фигуре, им быстренько, тяп-ляп, ставят импланты и дешевый протез, он простоит...

Я, внимательно слушая гостя Ивана, сразу вспомнила слова Буль, сказанные ею после осмотра тела Пашкиной: «Дантисту руки оторвать надо, эта красота года на три, а может, и меньше».

— Года на три, а может, и меньше, — произнесла я.

— Больше и не надо, — отметил Андрей. — Кожу на подушечках пальцев «перемешивают» лазером, это новая технология...

Я решила продемонстрировать свою эрудицию:

— ...уничтожения родных отпечатков пальцев. Шрамов не остается. Зубы и «пальчики» меняют на всякий случай, вдруг кто-то потребует вскрытия тела зэка. Тогда нельзя доказать, что это подмена. Остается лишь анализ ДНК, но он дорогой. В местном бюджете денег на него нет. Впрочем, сомневаюсь, что умерший уголовник попадет на стол эксперта. Это бывает в исключительной ситуации. Но организаторы подмены люди обстоятельные, они решили на всякий случай подстраховаться.

Снегов опять щелкнул пальцами.

— Молодец. Ума у тебя на семерых. Тому, кто вместо настоящего преступника чалиться согласился, дают небольшой аванс и обещают: «Выйдешь через три года, получишь тогда все, что хотел: квартиру, дом, бизнес...»

— Но «копии» столько не живут, — предположил Иван.

— Точно, — согласился Снегов, — умирают в первый же год.

— В деле есть фото осужденного, трудно подобрать стопроцентного двойника, а о пластической операции вы не упомянули. Почему вопросов у администрации острога не возникает? — спросила я.

Андрей состроил гримасу.

— Татьяна, при всем моем уважении к вам и при том, что мы с Иваном Никифоровичем добрые друзья с давних лет, я не хочу вдаваться в детали, да и не имею права это делать. Просто поверьте: преступная организация серьезная, разветвленная, побеги уходят и высоко, и глубоко, и во все стороны. В «столыпине», который медленно тащится по рельсам в лагерь, уже сидит подмена. И это ее снимок в деле. Настоящего преступника уже спрятали, вот ему делают пластику, перемешивают отпечатки, и человек становится неузнаваем.

Снегов вытащил из кармана электронную сигарету, я воспользовалась паузой в разговоре.

— Из всего услышанного можно сделать вывод: в организации подмены задействован не один человек. Главный там некто при чинах и званиях, ему или им достается основной куш, а далее по цепочке, всем сестрам по серьгам, включая и братьев: хозяина лагеря с ближайшими его помощниками. Ради абы кого с подменой заморачиваться не станут, это не мобильник в барак пронести. Работают только за очень большие деньги. И сколько вы таких случаев знаете?

Андрей Миронович потер затылок.

— Восемь. Да, ты права, у руля стоят люди, имеющие немалую власть. Мы давно по этому делу работаем. У нас появилась тонкая ниточка к организаторам, она привела в «Ласку», мы внедрили туда нашу сотрудницу. После сбора необходимой информации было принято решение брать Несмеянова. Он не главарь, среднее звено, подбирает, готовит, воспитывает замену, технический работник. Но Филипп много знает, если его из механизма изъять, тот на время остановится. Владелец «Ласки» не мозг организации, он ее руки-ноги. Исполнять приказы головы будет некому, придется нового человека искать, а его сразу не найдешь. Несмеянова мы могли взять тихо, без пыли и масок-шоу. Но через некоторое время главарь узнает, что Фил у нас, и примет меры.

— Несмеянов в камере самоубийством покончит. Или инфаркт у него случится, пока до тюремной больнички его дотащат, Филипп покойник, — вздохнула я. — Еще заточкой в драке убить могут.

— Вот поэтому шум, гам, вопли и задержание в присутствии большого количества народа, — кивнул Снегов. — Мы взяли Филиппа не как кочегара паровоза «Подмена», а как организатора подпольного клуба, где, на мой взгляд, не совсем нормальные люди любят проводить досуг голышом: слушать музыку, ужинать. Ну и не только это. Вам с Валерием, как новичкам, не показали уютные спаленки для постоянных клиентов. Несмеянов хорошо знает вкусы завсегдатаев: кому девочку предложить, кому мальчика, кому двоих сразу, а кто на несовершеннолетних падок. Вся обслуга готова ублажать клиентов по полной программе. А если я вам расскажу, какие знаменитости у них в зале голяком выступали за нефиговые еврики, вы мне не поверите. Есть за что дорогого Филиппа прищучить. И что подумает мозг, узнав, как руки-ноги задержаны?

Я усмехнулась.

— Скорей всего, решит, что среднее звено по своей тупости и жадности на незаконном вертепе развлечений погорело. Если б речь шла о подменах, Несмеянова бы взяли так, что даже сидящая у него на лбу муха не улетела, постарались бы скрыть факт задержания. А раз ворвались в зал, башмаками посуду подавили, гостей мордами в пол уложили, орали, значит, дело в клубе. Мы с Крапивиным вам чуть всю малину не обломали. Валера вел тайное наблюдение за Хотьковой...

— Знаю, — отмахнулся Снегов, — она любит голая рассекать, за Оксаной долго приглядывали, поджидали, когда к ней главарь банды приедет. Повезло Крапивину, Хотькова красавица, то-то ему радости подвалило, пялился в экран на милашку, изучил ее во всех подробностях. Мы уже запустили дезу, что вы наши агенты, которых специально в клубешник заслали. У нас есть сведения, что Фил официантке-бармену предлагает заработать, став копией.

— Пашкина! — воскликнула я. — Она знала Несмеянова давно.

— Он ее из Марманска в Москву вывез, — согласился Андрей, — сначала девица у него в любовницах состояла, потом они поругались. Девчонка психанула, ушла, начала на улице подрабатывать, но проституция тяжелый хлеб, ее один раз побили здорово. Потом она забеременела, родила не пойми от кого младенца, подбросила его в детскую больницу и побежала к Филиппу Игоревичу. Несмеянов проявил «милосердие» к Ирине, живущей по паспорту своей сводной сестры Ларисы, взял оторву официанткой и спустя некоторое время предложил ей поработать копией, пообещал: «Это ерунда. Покантуешься в бараке около года, получишь квартиру, деньги, загранпаспорт и живи, где хочешь».

— Откуда вы все это знаете? — удивилась я и тут же сообразила: — Вопрос снят. Ваш агент под прикрытием установил специальную аппаратуру, она фиксировала беседы в кабинете Филиппа.

— Верно, — согласился Снегов. — Мы его слушали, есть запись последнего разговора хозяина с Пашкиной. Сейчас.

Он вынул из сумки ноутбук, и вскоре я услышала женский голос, бормочущий:

— Я боюсь, я передумала, я не смогу! Отказываюсь.

Бубнеж перекрыл бас Филиппа. Сначала он наорал на бабу, напомнил про сделанные ей новые зубы, исправленные отпечатки пальцев, про полученный аванс. Потом слегка остыл и заявил:

— ...с тобой!

— Я свободна? — слабым голосом осведомилась Ирина. — Могу уходить?

— ...тебе! — снова впал в ярость Несмеянов. — Сначала отработай новые челюсти и изменение отпечатков. Думаешь бесплатно все получить? Тебя теперь по «пальчикам» не опознают, а это дорого стоит. Будешь в клубе бесплатно пахать, пока я не скажу, что долг аннулирован.

— Сколько с меня? — спросила Ирина.

— Неважно, — рыкнул Несмеянов.

— Ты меня хочешь навечно рабой сделать, — догадалась Пашкина. — А если я откажусь? Уйду прямо сейчас?

— Да пожалуйста, — развеселился Филипп, — только куда ты денешься? Взбрыкнешь? Отлично! Я тебя мигом с потрохами сдам, поставлю полицию в известность, что женщина, живущая под именем Ларисы Пашкиной, на самом деле Ирина, ее сводная сестра. Ира — воровка, проститутка, в общем, полный букет. Забирайте милашку.

— Ты этого не сделаешь, — прошептала девушка.

— Да? Хочешь проверить? Но даже если я не стукну куда надо, что с тобой будет, когда ты, ... неблагодарная, от меня слиняешь? Останешься без заработка. Что ты, ... делать умеешь? Эксклюзивной профессией владеешь? Только ноги раздвигаешь. Опять на дорогу пойдешь? Не понравится тебе на шоссе, уже пробовала один раз. И ты не юная девушка, уже старая... Желаешь сию секунду ... смотаться? Ну-ка, дай сумку. Сколько там денег?

— Не трогай, — захныкала Ирина.

— Триста рублей, — заржал Несмеянов, — такой суммы тебе надолго хватит. А это что? «Пситомарин»? Наркота? Вот почему ты такая странная в последнее время ходишь, ...! Сто раз говорено! Не трогать дурь!

— Это от нервов, — заканючила Лариса, — у меня депрессия!

— Ща проверю. Где тут листовка? Антидепрессант. Принимать под наблюдением врача, не более одной таблетки 10 миллиграммов в день, запрет на вождение машины... ага... угу... понятно. Внимание. При употреблении даже с малым количеством алкоголя препарат может вызвать летальный исход, если разовая доза превышена на одну треть... ага. Слушай, давай перестанем бычиться. Заистерила ты, я простил. Бывают у баб припадки тупости. Хватит... Уже все самое трудное сделала, зубы вставила, пальцы поправила. Ерунда осталась. Родинку над губой удалить.

— Нет! — крикнула Пашкина. — Нет!

— Не ори, — цыкнул Несмеянов. — Чего боишься? Одна секунда, это ваще не больно.

— Нет!

— Да почему? — снова начал злиться Фил.

— Мне сказали, что после удаления крупной родинки у человека рак начинается.

— Во ...! Где ты эту хрень слышала?

— По телику академик выступал, фото показывал, какую родинку ваще никогда убирать нельзя. Прямо как у меня.

— Дерьмо он нес.

— Ага! Ты умнее доктора наук и профессора!

— Да!

— Ха! Нетушки! Сам себе все отрежь и рак получи.

— ...!

— Только попробуй меня полиции сдать. Я им живо про твое предложение заменить на зоне одну ... расскажу!

Воцарилась тишина, потом раздался голос Филиппа:

— Во поговорили! Полаялись, как неродные.

— Ты первый начал, — всхлипнула Пашкина.

Несмеянов сменил тон:

— Ну-ну, не хлюпай соплями. Все улажу, не хочешь работать копией, не надо. Ну-ка выпей пилюльки свои, успокоишься.

Андрей остановил запись.

— Дальше Филипп зовет бармена, угощает Ирину «Морской пеной», укладывает ее на диван, он заботлив до приторности. Слушай дальше.

Из ноутбука донесся шорох, скрип, затем визгливый женский голос сказал:

— Филипп Игоревич, я все убрала.

— Хорошо, Лена, уходи, — ответил Несмеянов. — В клубе никого?

— В пять утра последние ушли, — доложила незнакомка.

— Отлично, я домой и ты тоже.

— Вот!

— Это что?

— Гортензия сумку забыла, там ее кредитка.

— Без головы совсем, брось мне на стол, завтра ей отдам.

— О'кей. А чего с Пашкиной делать?

— Пусть спит, — сказал Несмеянов, — она поддала крепко, до полудня продрыхнет, а там я разберусь.

Снова скрип, шорох, звук шагов и тишина.

Андрей посмотрел на меня.

— Филипп прочитал инструкцию, резко подобрел, велел Пашкиной проглотить таблетку, а потом позвал бармена с коктейлями. Уверена, что он ей в бокал еще несколько пилюль незаметно бросил. Выбрал «Морскую пену», коктейль со взбитым белком непрозрачный, Ирина не заметила, что в нем лекарство. А водки в бокале много.

— Это убийство, — сказала я, — он прочитал, что «Пситомарин» несовместим с беленькой. А еще раньше сообразил: зря предложил Пашкину в качестве копии, она не надежна, испугалась удалять родинку, такая растреплет всем про его прибыльный бизнес. Лучше от нее избавиться. Он рассчитывал найти утром труп и отвезти его куда-нибудь, закопать в лесу. А если труп и попадет в морг, то что найдет патологоанатом? Алкоголь в желудке, антидепрессант в крови. Если только станут анализ на токсикологию делать. Документов у покойницы не будет...

— Но вышло иначе, — остановил меня Андрей, стуча пальцем по мышке. — Время шесть ноль три. Прошел час после того, как Ирина заснула на диване.

Из ноутбука снова донесся шорох, скрип, потом тихое бормотание Пашкиной:

— Где? Где я! Голова... моя голова... Тошнит...

Раздался стон:

— Ой, ой, кружится... плохо... где моя сумка... где... вон... она... не она... не знаю... дышать хочу... надо... где улица... где дышать... сумка... сумка... взять надо...

Громкий хлопок и тишина.

— Она очнулась, — подвела я итог, — была в полуобморочном состоянии, искала свою сумку, не понимала, где находится, что с ней, увидела на столе Филиппа сумку Гортензии, схватила ее, думая, что она принадлежит ей.

— Пошла на улицу, споткнулась о высокий порог, упала и умерла, — добавил Иван.

— Был ранний час, — дополнила я, — участники вечеринки разошлись, сотрудники магазина на работу еще не явились. Пашкину увидел спешивший на службу прохожий и вызвал полицию. Конец истории. Андрей, ваши люди вели постоянное наблюдение за Несмеяновым и его конторой, значит, они знали, что женщину оставили умирать в кабинете, и не пришли ей на помощь?

Иван Никифорович кашлянул, но меня понесло:

— Ее смерть частично и на вашей совести.

Снегов захлопнул ноутбук.

— Ваня, объясни начальнице особой бригады, что операцией, которую разрабатывают несколько лет, не рискуют из-за пустяка.

— Здорово! — подпрыгнула я. — Пустячок — это жизнь человека! Она проститутка, воровка, но она человек.

— Экая ты горячая девушка, — усмехнулся Андрей.

У шефа зазвонил телефон.

— Да, Валерий, — сказал Иван, — она у меня. Таня, спустись в переговорную, Галина Сергеевна и Гортензия пришли. Ну, теперь нам понятно, почему Пашкина оказалась на улице в белом платье, абсолютно не предназначенном для прогулок, и без нижнего белья.

Я встала и, сухо попрощавшись со Снеговым, направилась к лифту. Что важнее? Поимка преступников, из-за действий которых на свободе остаются жестокие убийцы-насильники, или жизнь никому не нужной Ирины Пашкиной, молодой женщины, чьей смерти так радовалась ее мачеха? Для Андрея Снегова этого вопроса не существует. А как бы поступила я?

Глава 39

— Девочка моя, — рыдала Галина Сергеевна, обнимая Гортензию, — как ты могла!

— Что могла? — спросила Горти, выворачиваясь из объятий матери.

— Бросить меня, — всхлипнула та.

— Сказать правду? — сдвинула брови дочь.

— Конечно, — кивнула Галина Сергеевна.

— Надоело! — отрезала Гортензия.

— Что? — разрыдалась Моисеенко. — Я заботилась о тебе... дала все.

— Дала все? — рассмеялась дочь. — Вот, значит, как. Дала все. Ты у меня все отняла! Помнишь, как я просила меня в музыкальную школу отдать? Что добрая мамочка ответила? «У тебя способностей нет». Здорово, да? Разве ты не слышала, как я пою? А?

— Дорогая, ты поешь как соловушка, — прошептала Галина Сергеевна.

— Но музыкальное образование мне получить не дали, — топнула ногой Гортензия.

— Доченька, — залепетала мать, — да я...

— Нет, это я сейчас все скажу, — побагровела младшая Моисеенко, — а ты помолчишь!

Из уст Гортензии полились упреки. Чем дольше я слушала обвинения дочери, тем больше удивлялась: вот это память! Гортензия, как воду из ведра, выливала потоком обиды. Ей в десять лет не купили в подарок куклу в коляске. На один Новый год не досталось куска шоколадного торта. Никто не устроил праздника, когда Горти на одни пятерки закончила третий класс. Ей не разрешали приглашать подруг.

— А все почему? — кричала она. — Да потому, что мерзавец Никита был любименький-хорошенький. А я на пятых ролях.

— Господи, доченька, — заламывала руки Галина Сергеевна, — боже...

Гортензия продолжала говорить, мать все сильнее рыдала. В какой-то момент у Галины Сергеевны окончательно сдали нервы, она бросила на пол чашку с чаем, которую перед ней услужливо поставила Аня, и заорала:

— Ты не случайно убила Никиту, ты его ненавидела! Ты ему нарочно горло перерезала, когда я в сквер к папе ушла.

— Кто? — завопила Горти. — Я? Вот это супер!

— Да! — растеряла остатки самообладания мать. — Да! Вот почему ты не училась музыке. Ты не забыла всякую лабуду, но и у меня кое-что отложилось в памяти. Да, ты славно пела, в школьном хоре солисткой была. Открылся талант не сразу, а когда тебе тринадцать исполнилось. Все так удивились! До того никакого роскошного голоса у тебя не было. Но учительница музыки объяснила: кое у кого в момент полового созревания прорезается вокальный дар, а кое у кого он, если до этого был, может пропасть. И она же посоветовала тебя в руки хорошего педагога отдать. Задурила тебе голову рассказами о карьере великой певицы. А у меня! Никита! Такое натворил! Дом в деревне сжег.

— А-а-а-а, — протянула Гортензия, — псих любимый! Плевать тебе на меня! Надо сыночка выручать. Молодец ты, мама! Изо всех сил социопата, мерзавца, убийцу животных и вора оберегала. И отец старался! «Он исправится, повзрослеет!» Обо мне вы хоть раз думали?

Галина Сергеевна схватилась за горло.

— Ты все знаешь? Откуда?

Дочь расхохоталась во все горло.

— Господи! Наша квартира изначально состояла из трех комнат. Я этого не помню, но ты рассказывала, что пока мы маленькие были, в одном помещении мирно сосуществовали. Потом комнату разделили, мне досталась маленькая часть, прилегающая к родительской спальне. Мою кровать поставили у стены, за которой размещалась кровать отца и матери. И, как я потом поняла, в стене проходила шахта вентиляции. Один ее выход, прикрытый решеткой, находился у вас, второй у меня. Все, что вы с отцом делали после того, как дети легли спать, я чудесно слышала.

Галина Сергеевна схватилась за щеки.

— Боже!

Гортензия поморщилась.

— Ваш убогий секс меня не интересовал, я слушала разговоры, была в курсе всего и знала, какое чудовище Никита. Теперь вопрос: почему родители оберегали монстра! Неисправимого гаденыша, который вскоре начал бы убивать людей... Да, да, к этому все шло! Почему вы с отцом всю любовь и заботу отдали ему, а мне ни капли не досталось! Мои занятия музыкой были принесены в жертву социопату. А я могла стать великой певицей. Из-за тебя потом я сидела дома, как приклеенная!

— А-а-а-а, — заорала Галина Сергеевна, — ты убила брата! Знала все про него, думала, пока Никита жив, тебе объедки любви достаются. Ты не из-за меня сидела дома! Ты из-за себя под присмотром была. Ты убийца!

Гортензия вскочила и вцепилась матери в плечи.

— Хорош врать! Да, я все узнала! Услышала, как ты папе в день смерти Никиты про своих родителей, серийных убийц, в супружеской спальне доложила! Говорила про дурную генетику, которая Никите досталась. А про себя забыла? Нет, мать! Не дам тебе врать, не разрешу свою исковерканную жизнь еще сильнее поломать. Закончилось мое терпение, и безграничная любовь к тебе иссякла. Долго до меня доходило: не полюбит мама Гортензию, не скажет ей спасибо. Решила меня преступницей представить? Это ты убила Никиту.

— Дрянь! — ахнула старшая Моисеенко. — Хочешь меня монстром сделать? Нет! Это ты лишила жизни брата, чтобы тебе вся моя любовь досталась. А я поняла: в семье еще одна социопатка, и стала тебя стеречь.

— Мать, это я тебя стерегла, знаю, что ты убила Никиту, — затопала ногами Гортензия, — это я боялась, что моя мать, рожденная от двух серийных убийц, сама маньячка!

— Не-е-ет! — взвизгнула старшая Моисеенко и швырнула на пол бутылку с водой. — Нет!

Бутыль подскочила от сильного удара о пол и угодила в Ивана Никифоровича, который молча стоял на пороге. Я встала и хлопнула в ладони.

— Все молчат.

Обе Моисеенко замерли. Кара, сидевшая во время разговора тихо, как мышь, застигнутая днем на кухне, разинула рот.

Глава 40

Я подошла к доске и повернулась к ней спиной.

— Я буду задавать вопросы, отвечайте коротко. По очереди. Не перебивайте друг друга. Галина Сергеевна, это вы убили Никиту?

Она перекрестилась.

— Господь с вами. Нет, это Горти. И она сейчас, не желая того, призналась, почему это сделала.

— Нет! — крикнула Гортензия.

Я хлопнула в ладони.

— Стоп! Молчим. Сейчас я беседую только с Галиной Сергеевной.

— Вы считаете свою дочь преступницей?

— Да, — прошептала мать.

— Поэтому ни на шаг не отпускали ее от себя? — продолжала я.

— Да, — кивнула Галина, — и поскольку жить мне недолго осталось, я решила передать Горти в руки Игоря Глебовича, когда я умру, дочь останется без руля и ветрил, ошалеет от свободы, убьет кого-нибудь, ее посадят...

— Почему вы решили, что преступление совершила девочка? — задал свой вопрос Иван.

— Я же рассказывала, — всхлипнула Галина, — ушла в сквер к мужу, до этого мы беседовали в спальне. Я не знала, что дочь могла незримо присутствовать при нашей беседе. Потом муж убежал, позвонил мне по телефону-автомату, назначил встречу в сквере, мы поговорили.

— Мы вернулись с мужем в квартиру. На кухне нашли тело сына. У Горти руки-ноги были в крови. Тесак около нее на кровати лежал. А кто еще мог это сделать? В доме находились лишь брат с сестрой. Она ему прямо в горло лезвие воткнула. Знаете, сколько крови было? Я сутки кухню отмывала!

Буль кашлянула.

— Вы нашли Горти на кровати?

— Да, — подтвердила Галина.

Эксперт сказала:

— Попробуйте вспомнить, одежда девочки была окровавленной? Если да, то вы, наверное, ее сожгли?

— Нет, — после небольшой паузы ответила мать, — у нее руки-ноги были испачканы, а платье чистое совсем. Вот одеяло она измазала.

— Конечно, — согласилась Буля, — девочка на кровать бросилась, и кровь с рук и ног на плед попала. А волосы, лицо? Они как у нее выглядели?

— Обычно, я не разглядывала ее внимательно, — призналась Галина.

— Но в ванной девочку мыли? — не успокаивалась эксперт.

— Руки-ноги да, а голову нет, — вспомнила Галина, — да и не до того мне было. На кухне Никита лежал. С раной на шее. Ужасной. От уха до уха! Тесак у меня острый, как бритва, широкий. Боже!

Гортензия встала.

— Дайте мне сказать. Иначе дело обстояло. Мать ушла. Дверь хлопнула. Я обрадовалась, потому что хотела позаниматься музыкой. Купила в магазине тайком учебник по сольфеджио, работала с ним, когда дома родителей не было. В квартире, кроме Никиты, еще находилась Кара.

Гортензия повернулась к подруге.

— Ты помнишь?

— Да, — ответила та, — я через пару секунд после Галины Сергеевны ушла.

Горти посмотрела на меня.

— Именно так. Я Карину провожать не пошла, я никогда ее до двери не доводила. Открыла учебник, начала читать, вдруг... грохот, звон и такой звук, словно мешок уронили. Слух у меня стопроцентный, я поняла: в кухне что-то упало. Встала, споткнулась об угол ковра, плюхнулась, вскочила и в коридор вылетела. Смотрю, мама моя из квартиры выскакивает, дверь закрывает.

— Нет! — возмутилась старшая Моисеенко. — Ты не могла меня видеть, я уже в сквере с папой сидела, ушла до Карины. Еще сказала вам, перед тем как уйти: «Буду кухню мыть, дверь запру, не лезьте ко мне, а тебе, Кара, пора домой».

— Ой, да ладно, небось ты вернулась потихоньку, — отмахнулась Гортензия, — я еще удивилась. На тебе был халат темно-коричневый, ты его всегда надевала, когда на кухне толкалась. Что, и про дурацкую одежду я тоже сейчас выдумала?

— Это нет, — признала Галина Сергеевна, — я аккуратная, и дома никогда халдой не ходила, носила и ношу платья хорошие. Когда готовишь, можно испачкать вещь. Передник рукава открытыми оставляет, и всю грудь за ним не спрячешь. Мне пришла в голову мысль: заведу-ка шлафрок. Очень удобно. Накинула его, подпоясалась, и возись с тестом-фаршем. Если муж домой не вовремя вернулся, я халат с плеч долой и в момент становлюсь красавицей.

— Отличная идея, — одобрила Аня, — возьму ее на вооружение.

— И платок в цвет был, — продолжала Галина, — волосы у меня богатые даже сейчас, а раньше их вообще на трех овец хватило бы, копна на плечи падала. Но волос даже очень любимой женщины неприятен в супе. Поэтому я пользовалась косыночкой, спокойно варила-жарила.

— Не стану спорить, — заявила Горти, — она не врет, но я четко видела фигуру в халате и косынке, которая на лестницу выбежала. Ой, я так испугалась! Кинулась на кухню. А там! Миска с печенью на полу, весь фарш вывалился, Никита лежит, горло у него...

Гортензия схватилась за грудь.

— Слов нет. Я же маленькая была, тринадцать лет всего, подумала: брату помочь надо. Нагнулась над ним... спросила: «Кит, можешь встать?» А у него... глаза... такие... я поняла: вот она, смерть. Зачем-то нож схватила, который рядом валялся, в детскую убежала, на кровать залезла, оцепенела. Потом мама пришла, обняла меня, сказала: «Прости, прости, я не хотела, чтобы так вышло». А я ничего произнести не могла, язык заледенел. Я не трогала брата. Руки-ноги испачкала, потому что около его тела находилась. Мать убила Никиту. Я видела ее!

— За дверь выходила Галина Сергеевна? — уточнил Валерий.

— А кто еще? — удивилась Гортензия. — Халат мамин, ее платок. Дома никого больше не было.

— Лицо уходившей вы видели? — продолжал Крапивин.

— Я стояла в коридоре, она на лестничную клетку выскакивала, я в спину ей смотрела, — протянула Горти.

— Вспомнила! — подпрыгнула Галина. — Я, когда муж из автомата у метро позвонил, бросила печенкой заниматься, халат и косынку повесила на крючок у двери в кухню и ушла. Потом этот ужас начался. Не до готовки было. Я только через неделю вспомнила про халат и... не нашла его. Он исчез вместе с косынкой.

— Мама, — устало произнесла Гортензия, — тебе не надоело прикидываться? Ты нацепила халат, чтобы не измазаться, убила Никиту и убежала. Я сначала в шоке была, потом поняла: Никита тебя довел, вот ты и повела себя так, как генетика подсказала. Если ты из семьи маньяков, то рано или поздно человека жизни лишишь. Папа умер, мать сейчас в разнос пойдет, еще кого-нибудь зарежет, ее поймают, вылезет на свет правда, мне покоя не будет. Лучше буду ее стеречь. Ведь мама призналась в убийстве, шептала мне: «Прости, прости, не хотела, чтобы так вышло». Почему она извинялась?

— Горти, что за чушь ты несешь? — заплакала Галина. — Кто кошку убил в санатории и в свой сарафан завернул?

— Вон чего вспомнила, — поморщилась дочь. — Я пошла ночью купаться, а у меня одежду украли. Любая нормальная мать поверила бы своему ребенку. А ты мне скандал закатила. Зачем? Ответ: хотела меня довести до драки. Звезданула бы я тебя за то, что ты меня такой, как Никита, считаешь, и усе! Отдала бы меня в интернат, а сама твори, что хочешь. Но я не поддавалась на твои провокации. Терпение лопнуло только с появлением Клебанова. Ты рассказала Татьяне, что убеждала меня отдать свою часть клиники мужу? Дескать, Игорь очень умный, он для меня много заработает. И свою долю на Клебанова небось перевести хотела!

— Нет, — возмутилась Галина, — мой пятьдесят один процент по завещанию отходит Каре, они с мужем после моей кончины о клинике позаботятся. Твой отец мне на один процент больше, чем тебе, отписал.

Эдита застучала по клавишам ноутбука.

— Подвожу итог, — сказал Александр Викторович. — Галина Сергеевна считает дочь убийцей Никиты, знает, что она внучка маньяков, и не отпускает девочку от себя ни на шаг, чтобы не случилось беды. Гортензия считает мать убийцей Никиты, знает, что она дочь маньяков, и не отпускает ее от себя ни на шаг, чтобы не было беды. Галина волнуется, что будет с дочерью после ее смерти, поэтому придумывает замужество с Клебановым и начинает давить на Гортензию.

— Да, да, — зашептала младшая Моисеенко, — она каждый день истерики закатывала, требовала: «Хочу видеть тебя супругой Игоря».

— А вы хотели петь? — спросил Ватагин.

— Больше всего на свете, — выдохнула Горти, — муж мне не нужен. И дети тоже. Плохая генетика у них будет. И я решила убежать! К черту мать! Пусть всех поубивает. Больше не желаю ее стеречь и бояться, что правда про Раскольниковых на свет вылезет. Я карьеру певицы начала! Филипп Несмеянов меня послушал и подписал контракт.

— Как вы с ним познакомились? — удивилась Аня. — Ходили везде только с мамой или Кариной.

Гортензия тяжело вздохнула.

— Порой мне удавалось мать одну оставить в квартире, я боялась, конечно, но иначе могла с ума сойти.

— Тюремщик стережет заключенного, но и сам с ним за решеткой сидит, — кивнул профайлер. — Так где вы свели знакомство с Несмеяновым?

— Не помню, — соврала Горти.

— Думаю, вас кто-то друг другу представил, — продолжал Александр Викторович. — Ни вы, ни Филипп не стали бы общаться с незнакомыми. Кто этот благодетель, а?

Гортензия насупилась.

— Какая разница? Не ваше дело! Я взрослая, имею право распоряжаться собственной жизнью. Не помню!

— Вы подумайте, — попросила Буль, — а я пока кое-что объясню.

Люба встала, подошла к доске, взяла фломастер и начала чертить, приговаривая.

— Когда горло перерезают тесаком, то кровь взлетает фонтаном. Убийца в секунду пачкается, как правило, он не успевает отскочить и оказывается весь измазан: руки, лицо, волосы, одежда. Сердце не сразу прекращает работу, оно бьется, выталкивая кровь из системы. Но у девочки, по словам матери, только руки-ноги были измазаны, и понятно почему, она ходила по кухне, наклонялась над телом, дотронулась до покойного.

— Не думаю, что Гортензия лишила жизни брата, — вмешался Ватагин, — все ее дальнейшее поведение свидетельствует об ином. И сомневаюсь в виновности Галины Сергеевны. Она, совершив ужасный поступок, не смогла бы пойти в сквер и беседовать с мужем. Не тот у нее склад психики. Некоторые дети маньяков гордятся своим родителем, обожают его, стараются повторить «подвиги» отца. И в этом случае можно говорить о дурной наследственности, но Галина Сергеевна строила свою жизнь так, чтобы не превратиться в Марину Степановну, Сергея Петровича или Николая. Это ее самый большой страх, стать такой, как они. Я не верю, что мать лишила жизни сына.

— Думаю, ни Гортензия, ни Галина Сергеевна не виноваты. Александр, помните дело Браткиных, — подала голос Буль.

— Конечно, — кивнул Ватагин, — этот случай описан в разных научных работах. Даже диссертация на эту тему есть. Семья из трех человек. Борис — муж, Елена — жена, Вера — сестра Елены. Последняя — лежачий инвалид, родственники за ней ухаживали много лет, устали, измучились, никогда вместе никуда не ходили. В день пятнадцатилетия свадьбы Борис говорит Елене, что приготовил ей сюрприз, и зовет жену в магазин, чтобы купить ей колечко. Вера впервые остается одна. Пара идет на рынок в Лужники, и там они друг друга теряют. Важная деталь: Браткины живут на Ленинском проспекте, им до стадиона пять минут пешком. Супруги ищут друг друга больше часа, в конце концов встречаются, приобретают кольцо, возвращаются домой и видят, что Вера задушена. Борис думает, что больную сестру убила Лена, а жена считает виновным мужа. Они обожали друг друга, но никогда не разговаривали откровенно. Это основная беда всех супружеских пар: неспособность откровенно беседовать, выложить партнеру, что у тебя на душе. Американцы бегают к психотерапевтам, европейцы горстями глотают антидепрессанты, русские пьют водку. Но почему-то никто не хочет просто обсудить свои проблемы с домашними. Браткины тайком хоронят Веру, три года пытаются жить нормально, потом Елена принимает большую дозу снотворного, ее откачивают, и она признается врачу, что живет с мужем-убийцей, знает, что он задушил Веру ради нее, хотел избавить ее от камня на шее, но Лене страшно, плохо... Затевается следствие, Борис объясняет полицейским, что Елена лишила жизни Веру ради него... И в конце концов истина торжествует. Несчастного инвалида на тот свет отправил сосед по подъезду, он знал, что Браткины недавно продали дом в деревне, получили приличную сумму денег... дальше нам неинтересно. Похоже, у вас та же ситуация. Мать считала виновной дочь, а та...

— Мама, — прошептала Гортензия, — за что ты в день смерти Никиты просила у меня прощения? Я думала, за смерть брата.

— Нет, — зарыдала Галина, — я извинялась за то, что тебе пришлось его зарезать. Решила, что это чудовище накинулось на свою младшую сестру, хотело ее изнасиловать. И эта чертова мертвая кошка в твоем сарафане...

— Я сто раз повторяла, что его украли, — заплакала Горти, — а ты не верила! Боже, что мы наделали! Я считала, что ты зарезала Никиту, ты же дочь маньяков! Почему мы ни разу по душам не поговорили? Сколько прекрасных лет мы потеряли! Почему?

Обе Моисеенко залились слезами.

— Да, вам следовало хоть раз побеседовать откровенно, — мягко произнес Ватагин.

— Я боялась даже думать об этом, — всхлипнула Гортензия. — Вдруг бы мама призналась? И что мне тогда делать? Сдавать ее в полицию?

— И я... я... также, — залепетала Галина.

— Ну давайте хоть сейчас будем честными и откровенными, — попросил Иван. — Гортензия, кто познакомил вас с Филиппом?

— Кара, — ответила младшая Моисеенко, — я бы сама никогда не решилась на этот шаг. И у меня от Карины никогда секретов не было.

— Она знала, что вы подозреваете мать в убийстве? — уточнила я.

— Да, — подтвердила Гортензия, — и очень меня поддерживала, говорила: лучше не обсуждать все с мамой, неизвестно, чем это закончится. Надо потерпеть немного, Галина Сергеевна уже пожилая. Когда мать решила меня замуж выдать, Кара посоветовала мне уйти из дома, объяснила: если я поставлю печать в паспорте, разойтись потом будет трудно, придется в суд подавать. Мама скончается, а у меня появится другой надсмотрщик. Нужно стать хозяйкой своей судьбы, за моей матерью присмотрит она, Карина, мне не стоит ни о чем беспокоиться.

— Интересно, — протянула я.

Хлебникова встала.

— Разговор затянулся, а у меня вечерний прием. Пациенты ждут.

— Погоди, — прошептала Галина Сергеевна, — Кара, ты была в курсе, что Горти считает, что я зарезала Никиту?

— Да, мама, это так, — подтвердила вместо Хлебниковой дочь, — не знаю, почему я ей рассказала, она меня через некоторое время после похорон брата расспрашивать стала: «Не знаешь, почему тетя Галя в тот страшный день свой халат и косынку выбросила в мусорный контейнер? Я это видела. Все в крови было...»

Галина выпрямилась и замерла с открытым ртом. Горти продолжала:

— Кара мне всегда помогала, она меня отвела к Филиппу, мой голос покорил его сразу. Если б только вы знали, какой у меня успех! Клуб сейчас закрыт, но один из его постоянных клиентов, Олег Федькин, крупный продюсер. Я набралась на площадке Несмеянова опыта, Федькин месяц назад предложил мне уйти под его крыло. Я согласилась, и мы ждали, пока мой договор с Несмеяновым закончится. Это Кара сказала, что надо матери открытки отправлять, и я ее послушалась. Я мать, несмотря ни на что, люблю, и Карина правильно рассудила: мама могла начать меня искать, а этого не надо. Но пару месяцев назад она сказала: «Пока больше не пиши открытки. Я убедила Галину, что ты уехала из России, так лучше всем будет».

— Но... но... но... — начала заикаться Галина, — Кара... ты же... знала... что я считаю убийцей Горти... ты один раз застала меня в слезах... Давно... ты еще в институте училась... Гортензию положили в больницу с аппендицитом... я дома была одна... ты... ты... Я все рассказала, мне было очень плохо, это случилось в одну из годовщин смерти Никиты... Кара... ты сказала, что ночью стояла на балконе своей детской... ну в тот день... когда Никиту зарезали, тебе не спалось. Было часа два, светила луна, и ты увидела, как из нашего подъезда выбежала Гортензия с окровавленным халатом, косынкой и бросила вещи в помойку. Мне стало плохо. Подтвердились мои страшные подозрения. А ты... мне помогла, принесла лекарство... пояснила, что нельзя ничего Горти рассказывать, надо просто за ней приглядывать. Сказала: «Я вас никогда не брошу».

— И мне те же слова сказала, — эхом отозвалась дочь. — «Горти, ничего не бойся, я с тобой!»

— Они врут, — возмутилась Карина, — не верьте им! Черт-те что придумали!

— Гортензия, вам Кара сказала, что ваша мама выкинула халат и косынку? — уточнила я.

— Все было в крови, — подтвердила молодая женщина.

Я повернулась к Галине.

— А вам, что вещи выбрасывала Горти?

— Все в крови, — повторила та.

— Ложь, — отрезала Карина.

— Зачем им говорить неправду? — осведомился шеф.

— То, что халат и косынка испачкались в крови, знал только убийца, — отчеканил Валерий, — то есть вы, Карина.

Эпилог

Прошло три месяца, настала осень. В начале октября Гортензия приехала ко мне домой и привезла приглашение на съемки телепрограммы, где она будет принимать участие.

— Вы, наверное, откажетесь, — вздохнула она, вручая мне картонный прямоугольник.

— Простите, специфика моей работы не предполагает публичности, — улыбнулась я, — очень за вас рада. Хотите чаю?

— Это кабельный канал, — защебетала Моисеенко, усаживаясь за стол, — у него небольшая аудитория, но ведь надо с чего-то начинать. Там конкурс певцов. Шоу такое. Надеюсь победить. Меня уже продюсер на несколько корпоративов выпускал, я денег заработала и зрителям понравилась. Мама счастлива. И я тоже. Можно спросить?

— Конечно, — кивнула я.

Гортензия понизила голос:

— Что с Карой? Мы ничего о ней не знаем. Последнее, что слышали, это как она у вас в офисе в том, что убила Никиту, призналась. Как она это сделала? Вы знаете?

Я поставила перед гостьей чашку.

— Теперь да. Галина Сергеевна побежала к мужу в сквер, Карина оставила вас с учебником сольфеджио, пошла в прихожую, и тут из кухни выскочил

Никита, схватил ее, потащил на кухню, повалил на столик, задрал юбку... Девочка испугалась, хотела закричать, но у нее парализовало связки. Никита был старше, намного сильнее, он явно собрался изнасиловать ее. Карина стала отбиваться, схватила попавший под руку тесак и полоснула им парня по горлу, убивать его она не собиралась, просто оборонялась. Кровь взмыла фонтаном, Никита упал, Кара вся оказалась измазана. Ее панику не передать словами. И тут девочка увидела халат и косынку Галины. В голове у нее мигом созрел план...

Я пододвинула к Горти вазочку с печеньем.

— Карина накинула халат, спрятала грязные волосы под платок, вымыла лицо, руки и побежала домой. Жила Кара в соседнем доме, ходу до него меньше минуты, вокруг тогда были густые палисадники. Карина пригнулась, спряталась за кустами и никем не замеченная добралась до своей квартиры. Матери ее дома не было, лифтер в подъезде у них никогда не сидел. Карина вымылась в ванной, халат с косынкой она, пользуясь отсутствием родителей, постирала в машине, потом разрезала на мелкие кусочки и выкинула на следующий день в разные помойки. Сообразительная особа. Кара с ужасом ждала, что ее начнут расспрашивать дознаватели. Но в школе объявили: у Гортензии горе, скоропостижно скончался больной брат-сердечник, потом умер Валентин Петрович. А вскоре Горти, думавшая, что мать лишила жизни брата, рассказала все лучшей подруге. Кара, со страхом ожидавшая, что рано или поздно кто-то из Моисеенко спросит: «А куда подевались халат с косынкой?» — поняла, как использовать эту ситуацию в своих интересах. И постаралась, чтобы Гортензия была уверена: ее мать — убийца. Таким образом она решила отвести от себя подозрения. А спустя некоторое время Галина Сергеевна тоже пооткровенничала с Карой. Та внушила ей, что ее дочь лишила жизни своего брата. Она знала, что Галина Сергеевна никогда не сдаст дочь в милицию, а Гортензия не побежит доносить на мать. Хлебникова жила в постоянном страхе: вдруг кто-то из Моисеенко догадается, что Никиту зарезала она, поэтому постоянно напоминала вам о преступлении матери, а той — о страшном поступке Гортензии. Карина сделала все, чтобы вы отдалились друг от друга, не вели откровенных разговоров. И она постаралась лишить вас друзей.

— Почему? — спросила Горти.

— Я задала ей тот же вопрос, — вздохнула я, — и услышала в ответ: «Вдруг бы они с кем-то пооткровенничали, а человек мог сообразить, что ни мать, ни дочь не убивали подонка. Поэтому я подбила их следить друг за другом, везде быть вместе».

— Она нами мастерски манипулировала, — поежилась Гортензия, — буквально парализовала мою и мамину волю, окутала заботой. Мы и не заметили, как попали в полную зависимость от Карины, шагу без нее ступить не могли. Ее муж управляет клиникой, она сама вечно торчит у нас, все проблемы наши решала. Если у меня возникала душевная сумятица, я звонила Каре, она меня лучше психотерапевта понимала. Мама хочет поесть настоящего сыра, который из сельской Франции никогда в Россию не поставляют? Надо позвонить Каре, и сыр будет у нас в холодильнике. Я подцепила грипп? Надо позвонить Каре, и в дом примчится тьма врачей, привезут лекарства. Кара — лампа Аладдина. Кара — волшебная палочка. Кара — фея. Слова «Надо позвонить Каре» — магическое заклинание женщин Моисеенко, оно всегда срабатывало. Мы разучились с мамой что-то делать сами, мы без Кары были как без рук. А она регулярно напоминала мне, что надо приглядывать за Галиной Сергеевной, мол, моя мать родилась в ужасной семье, где все садисты, вместе убивали женщин. Никита, продолжатель этого преступного рода, социопат. Значит, мама больна, просто она умело скрывает свой недуг, но рано или поздно он вырвется наружу. «Горти, не выпускай мать из вида, она может любого человека зарезать». А матери она то же самое про меня пела. Я так боялась, что мама сорвется! Ну каким образом Карина ухитрилась нас так подмять?

— Вами управлял страх, — вздохнула я, — ею тоже. А страх лишает человека способности логически мыслить. Но не только в нем дело! Когда ты и Галина пришли в наш офис для беседы, мы уже знали, что супруг Карины игрок. Он постоянный посетитель подпольных казино, спускает там бешеные деньги. Карина призналась, что он набрал кредитов у ростовщиков. Надеялся отыграться, но ему не везло. Глебу стали грозить, требовать вернуть долги, он постоянно где-то добывал разные суммы, отдавал одному кредитору, становился должником другого, опять играл, снова оказывался с пустыми карманами.

— Ну и ну, — поежилась Гортензия, — мне Кара ничего об этом не говорила.

— Неприятная история, — согласилась я, — Хлебникова долго не знала о проблемах мужа. А Глеб запустил лапу в финансы клиники и признался в содеянном жене, когда с деньгами Моисеенко почти случился крах. Карина чуть не скончалась от страха. Она представила себе, как Галина Сергеевна и Гортензия удивятся, узнав, о банкротстве, решат выяснить, что же произошло со вполне успешной клиникой, наймут юриста, знающего бухгалтера. И тогда станет известно: все средства утекли в руки Глеба... Дружба с Моисеенко лопнет, они более не пустят Кару в дом, она потеряет возможность их контролировать. И тут Галине поставили страшный диагноз, естественно, она бросилась к Карине с вопросом: что делать? Хлебникова сообразила: вот оно — решение ее проблемы. Кара советует Галине Сергеевне ничего не говорить о состоянии своего здоровья дочери, обещает в случае ее смерти никогда не оставлять Гортензию. А у Галины, когда она поняла, что смерть рядом, появилась мысль, что Хлебникова не сможет неусыпно следить за подругой. У Кары работа, муж, она будет приезжать пару раз в неделю, а большую часть времени Горти станет проводить одна, бог весть что придет ей в голову.

— И мама решила выдать меня замуж, — закончила моя собеседница.

— А ты бросилась к Каре за помощью, — продолжала я, — и Хлебникова нашла блестящий выход. Что она вам сказала?

Горти начала тереть ладонью лоб.

— «Мама твоя не отстанет, добьется своего, ты станешь супругой Клебанова и погибнешь от тоски. Хватит трястись над Галиной Сергеевной, надо строить свою жизнь». Ну это не дословно, но суть такова. Пообещала мне устроить выступление на сцене, отвела к Несмеянову.

— Вы подписывали какие-нибудь бумаги, убегая из дома? — спросила я.

— Да, — кивнула Гортензия, — Кара объяснила, что я буду занята, могу уехать на гастроли, вдруг в клинике в это время случится нечто из ряда вон? И я выдала ей доверенность на распоряжение своей денежной частью... или как там это называется. Простите, я совершенно юридически безграмотна. У нас всеми вопросами занимался Глеб.

— Генеральную доверенность? — уточнила я.

Горти пожала плечами.

— Наверное. Помню, что приехала в кабинет к Каре, там сидел нотариус, я подписала кучу бумаг.

— Конечно, вы внимательно прочитали документы? — прищурилась я.

— Нет, — покраснела Гортензия.

— Подмахнули не глядя, — резюмировала я.

— Ну... да, — смутилась Моисеенко, — я всегда так делала. Кара сказала: «Смело ставь везде автографы, я все проверяю».

— Вы оформили доверенность, которая разрешала Карине делать с вашими финансами что угодно, — пояснила я, — снимать их с любых счетов, переводить за рубеж, забирать наличкой. У нее был открытый доступ ко всем вашим банковским активам. А еще вы составили в пользу Хлебниковой завещание. В случае вашей смерти она наследует вашу долю в клинике. И Галина Сергеевна, тоже не глядя, скрепила подписью свою последнюю волю. Если вы обе покинули бы этот мир, Хлебникова получила бы вашу лечебницу.

Гортензия схватилась за щеки.

— Ой!

— Карина рассудила просто, — продолжала я, — у Галины Сергеевны тяжелое заболевание, она долго не протянет. Гортензия же может исчезнуть, никто ее искать не станет. Родных у Горти нет, подруг тоже. А у Хлебниковой есть работодатель Филипп Несмеянов, он отправит вас туда, откуда нет возврата. Карина работала на Филиппа Игоревича, она ставила по его приказу людям импланты.

— Зачем? — удивилась Горти.

Я не имела права рассказывать ей об операции Снегова.

— Это к вам отношения не имеет. Хлебникова находилась постоянно в поисках денег, чтобы оплачивать долги Глеба, вот и связалась с человеком, который творит уголовно наказуемые дела. Сначала Кара думала, что ее денежные проблемы решены, но потом ей стало ясно, что она попала в еще большую беду. И тогда у нее возник план. Галина Сергеевна умирает от болезни, Горти исчезает, Кара получает клинику, продает ее и просит Несмеянова помочь ей и мужу, заплатит Филу необходимую сумму. Филипп Игоревич мастер по созданию «нового» человека. Он выдаст Хлебниковым документы на другие имена, они уедут из Москвы и начнут жизнь сначала. Кредиторам их не найти. Поверьте, трудно отыскать человека, который сменил паспортные данные, биографию, внешность, профессию...

На секунду мне вспомнился Гри, и я договорила:

— Иногда даже тем, кто служит в особых бригадах по поиску людей, не удается отследить пропавшего.

— Боже, — прошептала Гортензия, — она делала с нами, что хотела! Спасибо, что вы ее разоблачили.

— Мы должны были догадаться раньше, — вздохнула я. — В первый раз ваша мать приехала к нам одна. Карина примчалась позднее, стала упрекать Галину Сергеевну за то, что та не поделилась с ней своими намерениями. Моисеенко возразила: «Я же тебе говорила, что очень волнуюсь, а ты меня отговаривала от обращения к детективам». Я тогда решила, что Хлебникова, знавшая о том, как Галину Сергеевну обманывали частные сыщики-мошенники, хотела уберечь ее от очередной моральной травмы и материальных расходов. Но потом я подумала: Карина не возражала против визита Галины к детективам, почему она восстала против нас? Ответ возник не сразу. Мы серьезная организация, а не одинокий мужчина, устроивший офис у себя на кухне. Карина помогала вашей маме, пока знала, что та тратит время и деньги впустую, а когда поняла, что Галина нашла настоящих профи, испугалась и решила не допустить ее встречи с особой бригадой. Но Галина Сергеевна впервые за долгие годы не послушалась «доченьку». Карина ничего не рассказала нам о покупке вами красного платья и велела Галине Сергеевне не сообщать об этом. Хлебникова сначала утаила от меня, что у вас был брат. Когда я спросила ее про пожар и попыталась узнать у нее, кто такая Елизавета Гавриловна, она выдала краткую версию этой истории. Ни словом не обмолвилась о проблемах Никиты, просто сообщила, что у вас был брат. Потом мы проверили ваши счета, поняли, что деньгами свободно распоряжается Хлебникова...

— Вот почему она так требовала, чтобы я написала открытку в мае, — прошептала Гортензия, — идея посылать маме карточки не моя. Карина сказала, что это необходимо ради спокойствия Галины Сергеевны.

— Нет, — усмехнулась я, — Хлебникова не хотела, чтобы вас искала полиция. Открытка — доказательство добровольного ухода и того, что вы живы. Вы совершеннолетняя, имеете право отправиться куда пожелаете. Карина не хотела, чтобы вы вернулись домой. Она надеялась, что тоска по дочери быстро убьет Галину Сергеевну. И ваша мать поверила, что вы ее бросили, перестала вас искать, смирилась, у нее, как рассказывала Кара, началось обострение недуга, и вдруг! В мае нет открытки! Это побудило Галину прийти в себя и вновь затеять поиски.

— Я ее отправила, — пояснила Гортензия, — но, наверное, она на почте затерялась. Кара позвонила мне и приказала: «Немедленно напиши еще одно послание. Заберу его у тебя и брошу в ваш почтовый ящик. Живо!» Именно так: «Живо!» Мне это очень не понравилось. Понимаете, я уже жила одна, пела в клубе, познакомилась с продюсером, у меня появился смысл жизни. Со мной нельзя было общаться как раньше, я изменилась. Карина этого не поняла. Ругаться с ней я не собиралась, все-таки единственная подруга. Но и подчиняться ее приказу не хотелось. Знаете, мне стало вдруг обидно, по какому праву Кара говорит со мной в приказном тоне? Требует отправить открытку. «Живо!»

Гортензия замолчала, потом продолжила:

— Некрасиво в этом признаваться, но когда я стала вести самостоятельную жизнь, в голове впервые появилась мысль: а почему я так боюсь разоблачения матери? Не я убивала Никиту, а она. Дочь не несет ответственности за мать. Если она опять кого-то зарежет, то при чем тут я? Хватит мне проводить дни в ужасе. Понимаете?

— Карина так хотела заполучить вашу клинику и деньги, что совершила ошибку, — сказала я, — она не подумала, что спящий может проснуться, перестала неусыпно контролировать вас, и вы начали думать своей головой.

— Спящий может проснуться, — повторила Гортензия и отодвинула на край стола пустую чашку.

— Мне ранее была несвойственна вредность, и я привыкла подчиняться Карине. А тут вдруг я словно очнулась, стала петь, увидела, что нравлюсь людям, и мне захотелось самостоятельно распоряжаться своей судьбой. Словечко «Живо!» меня воскресило. Я решила поменять номер телефона, переехать на другую съемную квартиру, сделать все, чтобы Кара не нашла меня. Я ждала лишь окончания контракта с Филиппом. В клубе Хлебникова меня легко могла отыскать, но, уйдя от Филиппа, я сразу прерву все отношения с ней. Сейчас я знаю, что она задумала прибрать к рукам клинику, но благодаря вам ей это не удалось. Мы с мамой решили опять жить вместе, но уже по-другому. Я продолжу карьеру певицы, мать снова будет гадать клиентам. Деньги на жизнь у нас есть, можно и не работать. Но финансовая составляющая не главная. Понимаете?

Я кивнула.

— Конечно. Думаю, у вас все будет хорошо. Простите, Гортензия, можно вам задать вопрос, не связанный с расследованием?

— Пожалуйста, — кивнула она.

— Вы тихая, скромная, не любительница клубных вечеринок, и... согласились петь в клубе, членами которого являются люди со специфическими наклонностями, — осторожно начала я, — стоите на сцене в одежде... м-да... весьма откровенной. Как вы на это решились?

На лице Гортензии засияла улыбка.

— Сама не знаю. Филипп прослушал меня у себя в офисе, не в клубе. Естественно, все были в нормальной одежде. Мы обговорили контракт, мой гонорар, а потом он рассказал, где надо работать. Я онемела, а Филипп добавил: «Я придумал вам псевдоним: Львица». И я вдруг поняла, что нельзя в новой жизни вести себя по-старому, пока никто, кроме Несмеянова, мне контракт не предлагает. Я могу жить на деньги от клиники, но хочу и сама зарабатывать. И на сцене будет Львица! Не Гортензия. А Львица — царица, она на все способна.

Я молча слушала Гортензию. Ну и ну! Просто вулкан страстей наивной незабудки. Кто бы мог ожидать такого от «девочки, которую всякий обидеть может»!

* * *

В конце сентября неожиданно установилась прекрасная погода. Рано утром я вышла из дома и моментально наткнулась на соседку Лену.

— Танюша! — обрадовалась та. — Как дела? Впрочем, не отвечайте, вы так прекрасно выглядите, что понятно: все супер. И у меня тоже! Понимаете...

Елена понизила голос:

— Мы с мужем ждем ребенка. Мальчика! Уже три месяца ему.

— Вот это новость! — обрадовалась я. — Значит, когда к Котику Кутузову приехала «Скорая», вас стало тошнить не от несвежих шпрот? Врач с помощницей оказались гадкими людьми, но медсестра, когда вы убежали в туалет, сказала: «Она беременна».

— Токсикоз прямо с первого дня стартовал, — засмеялась Лена, — вот чудо! Мы лечиться перестали, надежду потеряли, и вдруг все получилось. Это Котик помог, мне в женской консультации, куда я на учет встала, рассказали, что некоторые бесплодные пары устают бегать по врачам, прощаются со своей мечтой о ребенке, берут из приюта брошенную собаку, кошку, от всей души любят животное, и у них появляется малыш. Танюша, вам очень идет голубой цвет, выглядите как невеста.

Я увидела, как джип Ивана въезжает во двор, и, попрощавшись с Леной, поспешила к машине. У соседки глаз-алмаз, я на самом деле невеста, сегодня мы с Иваном едем подавать заявление в загс.

— Еле упросил маму остаться дома, — шепнул мне на ухо босс, когда мы сидели в холле у двери с табличкой: «Если вы решили стать мужем и женой, вам сюда», — она очень хотела поехать. Боится, что я тебя брошу. Хочешь пить? У меня в горле пересохло.

Я кивнула, Иван встал.

— Сбегаю в машину за водой.

Я проводила его глазами и вздрогнула от громкого звука «бух». Пугаться не стоило, просто сидевшая напротив меня беременная, похоже, на девятом месяце женщина уронила сумку. Она шлепнулась на пол, раскрылась, всякая мелочь веером разлетелась по холлу.

— Милый, помоги мне собрать вещи, — попросила будущая мать.

Стройный мужчина, читавший что-то в айпаде, даже не повернул головы.

— Витя, пожалуйста, — повторила женщина, — мне трудно нагнуться.

— Рита, врач велел тебе двигаться, — не отрывая глаз от экрана, пробубнил ее спутник, — ты поправилась на тридцать кило. Спишь весь день на диване, ничего не делаешь.

— Я беременна, — начала оправдываться Рита, — мне плохо.

— Ожидание ребенка не болезнь и не тяжкая повинность, — менторски заметил Виктор, — это радость. А ты девять месяцев скулишь. Надоело слушать. Сама можешь сумку поднять, хватит меня гонять.

— Мне не справиться, — всхлипнула Рита.

— Хоть попытайся, — не сдался Виктор, — сделай над собой усилие.

— Пудреницу и расческу я еще кое-как подниму, а камушек не достану, — простонала его спутница.

— Какой такой камушек? — по-прежнему роясь в планшете, осведомился Виктор.

— Талисман, — пояснила Рита, — вон он куда отскочил, под стул. Мне туда не пролезть.

Я посмотрела, куда указывала беременная, и увидела круглую серую гальку, лежавшую под одним из кресел.

— Куриный бог, — пустилась в объяснения Рита, — он с дырочкой. Когда мы с тобой в последний раз на море отдыхали, я его на берегу нашла и желание загадала: пусть у нас ребеночек появится. Подбери его, пожалуйста, он мне помогает.

Виктор наконец соизволил отложить айпад.

— Хватит нести чушь. Камень ей помогает! Глупее ничего не слышал.

— Витя, — жалобно произнесла Рита, — я бы ради тебя горы свернула! Я всегда мужу помогаю.

— Мы пока еще не женаты, — огрызнулся Виктор и в упор уставился на меня.

Я встала, присела на корточки и вытащила из-под кресла камушек. Витя, кряхтя, стал собирать рассыпанные вещи. Я заметила лежащую неподалеку пудреницу и протянула к ней руку, Виктор сделал то же самое, мы одновременно попытались взять черную коробочку. Мой взор упал на большой палец правой руки противного мужика. Ногтевая фаланга была чуть искривлена, слева от нее вниз шел тонкий шрам, на первом суставе чернела круглая родинка... Я замерла. Искривленная фаланга, нитка-шрам, небольшой невус... слишком много совпадений... Из миллионов мужских рук я всегда узнаю эту, когда-то я просыпалась от того, что она меня нежно гладила. Я замерла, подняла голову и уставилась на Витю, он тоже не шевелился. На незнакомом злом лице сияли такие родные глаза Гри.

— Григорьева Маргарита Яковлевна и Ростов Виктор Юрьевич приглашаются в комнату номер семь, — торжественно объявило радио.

Мужчина поднял пудреницу и выпрямился.

— Возьмите камушек, — тихо сказала я ему.

— Нас зовут, — занервничала его спутница.

Виктор выхватил из моей руки гальку, бросил в сумку, сунул ее Маргарите, та, охая и ахая, встала и поплелась к двери с табличкой: «Если вы решили стать мужем и женой, вам сюда».

Я села в кресло и выдохнула. Значит, Гри теперь Ростов Виктор Юрьевич. Интересно, поход в загс это его личная инициатива или очередное задание? Рита совершенно не похожа на агента, но ведь и я больше смахиваю на репетитора, чем на начальницу особой бригады.

— Что-то случилось? — спросил Иван.

Я вздрогнула. Сказать шефу, кто перед нами сейчас подает заявление о браке? Да никогда.

— Ты бледная, прямо зеленая, — занервничал мой жених.

Я заставила себя улыбнуться.

— Все в порядке. Просто здесь душно.

— Что-то тебя взбудоражило, — пробормотал Иван. — Ну-ка, рассказывай, о чем ты думаешь?

— О том, как сообщить членам бригады, что их начальница вот-вот станет женой босса, — соврала я.

Иван обнял меня.

— Любимой женой, не забывай про прилагательное.

Я улыбнулась. Любовь — прекрасное чувство, она может свернуть горы. Но не стоит сворачивать горы ради человека, который не хочет для тебя камень с пола поднять.

Оглавление

*Все права защищены. Книга или любая ее часть не может быть скопирована, воспро-
изведена в электронной или механической форме, в виде фотокопии, записи в память
ЭВМ, репродукции или каким-либо иным способом, а также использована в любой ин-
формационной системе без получения разрешения от издателя. Копирование, воспро-
изведение и иное использование книги или ее части без согласия издателя является не-
законным и влечет уголовную, административную и гражданскую ответственность.*

Литературно-художественное издание

ИРОНИЧЕСКИЙ ДЕТЕКТИВ

Донцова Дарья Аркадьевна

ВУЛКАН СТРАСТЕЙ НАИВНОЙ НЕЗАБУДКИ

Ответственный редактор *О. Рубис*
Художественный редактор *В. Щербаков*
Технический редактор *О. Лёвкин*
Компьютерная верстка *М. Лазуткина*
Корректор *В. Соловьева*

ООО «Издательство «Э»
123308, Москва, ул. Зорге, д. 1. Тел. 8 (495) 411-68-86.
Өндіруші: «Э» АҚБ Баспасы, 123308, Мәскеу, Ресей, Зорге көшесі, 1 үй.
Тел. 8 (495) 411-68-86.
Тауар белгісі: «Э»
Қазақстан Республикасында дистрибьютор және өнім бойынша арыз-талаптарды
қабылдаушының
өкілі «РДЦ-Алматы» ЖШС, Алматы қ., Домбровский көш., 3«а», литер Б, офис 1.
Тел.: 8 (727) 251-59-89/90/91/92, факс: 8 (727) 251 58 12 вн. 107.
Өнімнің жарамдылық мерзімі шектелмеген.
Сертификация туралы ақпарат сайтта Өндіруші «Э»
Сведения о подтверждении соответствия издания согласно законодательству РФ
о техническом регулировании можно получить на сайте Издательства «Э»
Өндірген мемлекет: Ресей. Сертификация қарастырылмаған

Подписано в печать 26.05.2016. Формат 80x100 ¹/₃₂.
Гарнитура «Newton». Печать офсетная. Усл. печ. л. 14,81.
Тираж 18 000 экз. Заказ № 929.

Отпечатано в ООО «Тульская типография».
300026, г. Тула, пр. Ленина, 109.

В электронном виде книги издательства вы можете
купить на www.litres.ru

ЛитРес:
один клик до книг

Оптовая торговля книгами Издательства «Э»:
142700, Московская обл., Ленинский р-н, г. Видное,
Белокаменное ш., д. 1, многоканальный тел.: 411-50-74.

По вопросам приобретения книг Издательства «Э» зарубежными
оптовыми покупателями обращаться в отдел зарубежных продаж
*International Sales: International wholesale customers should contact
Foreign Sales Department for their orders.*

По вопросам заказа книг корпоративным клиентам,
в том числе в специальном оформлении, *обращаться по тел.:*
+7 (495) 411-68-59, доб. 2261.

Оптовая торговля бумажно-беловыми
и канцелярскими товарами для школы и офиса:
142702, Московская обл., Ленинский р-н, г. Видное-2,
Белокаменное ш., д. 1, а/я 5. Тел./факс: +7 (495) 745-28-87 (многоканальный).

Полный ассортимент книг издательства для оптовых покупателей:
В Санкт-Петербурге: ООО СЗКО, пр-т Обуховской Обороны, д. 84Е.
Тел.: (812) 365-46-03/04.
В Нижнем Новгороде: 603094, г. Нижний Новгород, ул. Карпинского, д. 29,
бизнес-парк «Грин Плаза». Тел.: (831) 216-15-91 (92/93/94).
В Ростове-на-Дону: ООО «РДЦ-Ростов», 344023, г. Ростов-на-Дону,
ул. Страны Советов, 44 А. Тел.: (863) 303-62-10.
В Самаре: ООО «РДЦ-Самара», пр-т Кирова, д. 75/1, литера «Е».
Тел.: (846) 269-66-70.
В Екатеринбурге: ООО«РДЦ-Екатеринбург», ул. Прибалтийская, д. 24а.
Тел.: +7 (343) 272-72-01/02/03/04/05/06/07/08.
В Новосибирске: ООО «РДЦ-Новосибирск», Комбинатский пер., д. 3.
Тел.: +7 (383) 289-91-42.
В Киеве: ООО «Форс Украина», г. Киев,пр. Московский, 9 БЦ «Форум».
Тел.: +38-044-2909944.

Полный ассортимент продукции Издательства «Э»
можно приобрести в магазинах «Новый книжный» и «Читай-город».
Телефон единой справочной: 8 (800) 444-8-444.
Звонок по России бесплатный.

В Санкт-Петербурге: в магазине «Парк Культуры и Чтения БУКВОЕД»,
Невский пр-т, д.46. Тел.: +7(812)601-0-601, www.bookvoed.ru

Розничная продажа книг с доставкой по всему миру.
Тел.: +7 (495) 745-89-14.

ISBN 978-5-699-89416-1

9 785699 894161 >

16+

ИНТЕРНЕТ-МАГАЗИН
ИНТЕРНЕТ-МАГАЗИН
ИНТЕРНЕТ-МАГАЗИН
ИНТЕРНЕТ-МАГАЗИН